Notre Grande Aventure

Lionel Groulx

Notre Grande Aventure

L'empire français
en Amérique du Nord
(1535-1760)

BQ

BIBLIOTHÈQUE QUÉBÉCOISE

Bibliothèque québécoise inc. est une société d'édition adminis-
trée conjointement par la Corporation des éditions Fides, les
éditions Hurtubise HMH ltée et Leméac éditeur.

DÉPÔT LÉGAL: TROISIÈME TRIMESTRE 1990
BIBLIOTHÈQUE NATIONALE DU QUÉBEC

ISBN: 2-8940-6052-1

Abréviations

AC   Archives du Canada (Ottawa).

BN   Bibliothèque Nationale (Paris)

BRH   *Bulletin des recherches historiques*

MSRC   *Mémoires* de la Société Royale du Canada

RAPQ   *Rapport de l'Archiviste de la Province de Québec*

RHAF   *Revue d'histoire de l'Amérique française*

Charlevoix L'édition de l'*Histoire et description générale de la Nouvelle-France*, du Père F.-X. Charlevoix, s.j. est toujours la petite édition, (6 vol., Paris, M DCC XLIV).

Relations des Jésuites — The Jesuit Relations and Allied Documents — Travels and Explorations of the Jesuit Missionaries in New France 1610-1791 (73 vol., edited by Reuben Gold Thwaites, Cleveland, 1896-1901).

Avertissement

Voici *un sujet qui, toute ma vie d'historien, m'aura hanté l'esprit. Les nombreux extraits de mes conférences ou discours que je cite ici et là, extraits tirés de volumes ou de brochures, en témoignent. Les parties substantielles de ce livre et les plus considérables sont pourtant faites d'inédit. Chapitres ou pages extraits de mes cours publics d'histoire restés en mes cartons. J'avais rêvé d'un ouvrage plus cohérent, plus organique. La construction de l'empire français reste assurément l'un des faits étonnants de l'histoire coloniale de l'Amérique du Nord. Fait merveilleux par les dimensions de l'entreprise, par l'infime poignée d'hommes qui l'ont accompli, par le type humain qui s'y est forgé: type d'énergie physique, type de négociants audacieux. En 1759, le marquis de Mirabeau écrivait: «Je doute que l'histoire ancienne ni moderne fasse mention d'aucun exemple d'opiniâtreté, d'audace et de constance qu'on puisse mettre à côté de la découverte et traversée de cet univers du nord au sud, de l'embouchure du fleuve Saint-Laurent à celle du Mississipi par l'intérieur des terres.»* (Cité par Margry, Découvertes et établissements des Français... I: V).

Fait trop oublié et depuis longtemps. En 1837, Michel Chevalier écrira: «Nous avons oublié nous-mêmes qu'il fut un temps où nous pouvions prétendre à devenir les rois du nouveau monde. Nous n'avons plus souvenance des hommes généreux qui se dévouèrent pour nous en assurer la domination.» (Ibidem: V.). *Pour celui qui écrit ces lignes le temps*

*est passé des vastes projets. En cette année 1956-
1957, la Providence lui a réservé les trop longs
loisirs d'un convalescent. Il a employé de son mieux
les heures où le travail lui a été possible.*

À côté d'exposés historiques ou tableaux d'histoire, l'on trouvera quelques textes originaux,
sources des narrations. L'auteur a voulu y joindre des
notes et des références. Appareil documentaire qui
pourra peut-être servir un jour ou l'autre aux travail-
leurs qui peuvent encore compter sur leur jeunesse.

Dirai-je enfin qu'en réunissant ces pages
éparses, et tout en respectant l'objectivité historique,
j'ai songé quelque peu à mes petits compatriotes, les
jeunes Canadiens français? Ils cherchent des héros.
Et ils les cherchent souvent en de pitoyables contre-
façons empruntées à l'étranger. J'ai cru que cette
histoire où des hommes de leur race cédant, sans
doute, à des impératifs économiques et politiques,
mais aussi aux sortilèges d'une nature exaltante et à
la volonté de faire plus grand qu'eux-mêmes, j'ai
cru, dis-je, que ces magnifiques exemplaires d'humanité pourraient peut-être réapprendre à la jeunesse
de chez nous, la véritable notion de l'héroïsme et le
goût des grands et beaux risques.

L'Auteur

PREMIÈRE PARTIE

PREMIERS MIRAGES

Visions de
JACQUES CARTIER
SAMUEL DE CHAMPLAIN

1 — Vision de Jacques Cartier

Ferons-nous le bilan de cette première expédition de 1534? Le 5 août, dans le détroit de Saint-Pierre, au nord d'Anticosti, un conseil s'était tenu des capitaines, pilotes, maîtres et compagnons, à bord du vaisseau de Cartier. Allait-on s'en retourner ou foncer encore plus avant dans le mystère? Nulle grave décision, ainsi le voulaient à l'époque les *Us et Coutumes de la mer*, ne pouvait être prise sans consulter l'équipage[1]. Depuis quelques jours marées et «ventz d'avaulz» tenaient les voiliers en échec; dans les parages de Terre-Neuve, ce serait bientôt la saison des tourmentes. Si l'on était d'avis de rebrousser chemin, il fallait le faire le plus tôt possible, ou se résigner à l'hivernement en ce coin de terre inconnu. L'équipage se prononça pour le retour. De quelle âme Cartier a-t-il accueilli la décision de son équipage? N'emportait-il avec lui qu'une grande déception?

Sans doute, à sa rentrée en France, nul chroniqueur ne pousserait le cri de triomphe de Pierre Martyr, le 13 septembre 1493, lorsqu'il écrivait au comte de Tendilla et à l'archevêque de Grenade: «Enlevez vos esprits, savants vieillards! Colomb annonce qu'il a découvert des merveilles...!»[2] Des merveilles, le navigateur malouin n'en rapportait aucune. Parti à la recherche de l'or et du passage à Cathay, il n'avait trouvé ni l'un ni l'autre. Le passage, il l'avait cherché un peu dans toutes les directions. Aussitôt passé le détroit de la baie des Châteaux, en vain a-t-il fouillé les anses et les havres de la côte du Labrador. Partout il s'est heurté à une baie close ou à une barrière de roc. Subitement il s'était jeté dans la direction du sud. Le mirage d'une terre l'avait attiré; mais, sans doute aussi, peut-on présumer, l'influence de quelques cartes jetées en son bagage: les cartes des Verazzani avec leur rétrécissement du continent au haut de la péninsule floridienne. Ce passage vérazzanien, Jean Alphonse, le futur pilote de Roberval, ne croira-t-il pas le flairer un jour, au fond d'une baie, un peu en cette direction, «par les 42° degrés entre la Norimbègue et la Floride»? Le pilote eût même voulu qu'on se munît d'un «petit navire de soixante-dix tonneaux afin de découvrir la côte de la Nouvelle-France qui est en arrière de la Floride»[3]. Du côté du sud-ouest, Cartier s'était heurté, comme sur la côte du Labrador, à la terre ferme. Un moment, l'illusion s'était dressée devant lui, assez consistante pour faire battre son cœur. À l'entrée de la baie des Chaleurs, il donna à un cap le nom de Cap d'Espérance, «pour l'espoir que abvions, dit-il, de y trouvés passaige». Le passage n'était qu'une baie. Et Cartier ne peut s'empêcher de confesser que lui et les siens en furent tout «dollans et masriz»[4]. Hélas! sa mauvaise chance lui jouerait encore plus malin tour: à la sortie de Gaspé, elle lui cacherait l'entrée du fleuve. Erreur au premier abord malaisément explicable. Comment, ni à la baie des Chaleurs, ni surtout à Gaspé (Honguedo), où, prisonnier des vents, il séjourne au milieu des Indiens pendant huit jours, comment Cartier n'a-t-il rien appris de la grande route fluviale qui s'ouvrait là, au bout de la presqu'île? Comment n'en a-t-il rien su des deux Indiens qu'il emmenait à bord, Taignoagny et Domagaya? Silence d'autant plus étrange, de la part des deux captifs, que, là-haut, depuis Stadaconé jusqu'à Hochelaga, s'échelonnaient des gens des villages de leur nation et qu'eux-mêmes étaient de la région de Stadaconé[5]? Faut-il parler d'impuissance à se faire comprendre de ces sauvages, impuissance qui aurait fait oublier de les interroger? Assurément, en ces premières rencontres des blancs et des Indiens, la distance jetée par les langues va loin. L'année suivante, à Hochelaga, ne verrons-nous point Cartier, si anxieux de percer alors le secret du continent, confesser: «mais par défaut de langue, ne pûmes avoir connaissance combien il y avait jusqu'au dit pays»? Plus simplement rappelons-nous que, trompés tant de fois par ces passages qui se rétrécissaient en impasses, souvent, les vaisseaux, pour gagner du temps, s'étaient hâtés d'une pointe à l'autre. Or là-bas, vers le nord-est, une terre venait de surgir: l'île d'Anticosti. Pour comble, de la pointe de Gaspé à cette terre du nord, un banc de brouillards, effet de mirage assez fréquent, paraît-il, dans le Golfe, fit croire, comme l'écrit Cartier, à une rive ininterrompue, rive d'une large baie en demi-cercle[6]. L'explorateur manqua le fleuve, comme tant d'autres avant lui avaient manqué le détroit de Canso, le détroit de Cabot, le détroit de Belle-Isle.

Tout n'est pas perdu cependant. S'il n'a point trouvé le «passage», Cartier l'a pressenti, semble-t-il, au nord d'Anticosti, dans ce chenal Saint-Pierre, aux fortes marées et aux rudes courants, que ces vaisseaux n'ont pu remonter. N'est-ce point à de semblables signes que Jean Alphonse, quelques années plus tard, croira tenir le fameux passage aux bouches du Saguenay? «Je crois que cette Rivière vient de la mer du Cathay», nous confie-t-il en son routier; «car dans cet endroit il sort un fort courant, et il y court une marée terrible». Ce sera bien, en tout

15

cas, droit vers ce chenal Saint-Pierre, qu'à son prochain voyage, aussitôt franchi le détroit de Belle-Isle, Cartier cinglera.

Le navigateur pouvait se flatter de gains moins problématiques. Sans trop le savoir peut-être, il vient d'ouvrir un immense pays à la pénétration européenne. Rien ne nous assure, à vrai dire, que Cartier soit le découvreur du détroit de Belle-Isle. Depuis longtemps, a-t-on présumé, la chasse aux morues et à la baleine avait entraîné des navires de pêche en ce goulet[8]. À peine sorti lui-même du passage, Cartier allait rencontrer à la rivière Saint-Jacques (baie Shecatica), un «grant navire» de La Rochelle égaré en ces lieux et que l'on remit sur sa route. Au reste, certain document du tribunal de Saint-Malo parle explicitement, à propos de l'expédition, et le 19 mars 1534, d'un voyage aux Terres Neufves, «passez le destroict de la baie des Chasteaulx»[9]. Impossible d'en disconvenir: l'existence d'un détroit, en la région de Belle-Isle, était donc chose bel et bien connue avant 1534. On ne saurait non plus, du moins de façon absolument certaine, considérer le Malouin comme le premier explorateur du Golfe Saint-Laurent. Humboldt se plut à voir, en certain tracé de la carte de Juan de La Cosa, la côte nord du Golfe Saint-Laurent en attribua donc à Jean Cabot la priorité de cette exploration. Les lettres patentes fournies par le roi du Portugal à Faguendes en 1521[10] justifient aussi quelques doutes légers, il est vrai, mais plus encore que ces lettres, la carte de Gaspar Viegas[11]. Dressée en 1534, l'année même du voyage de Cartier, la carte de Viegas présente, entre le sud de Terre-Neuve et l'île du Cap Breton, un évasement profond où d'aucuns ont cru soupçonner le Golfe Saint-Laurent, et d'autant qu'au fond du Golfe, un *R*.

(Rio) *des poblas* ferait croire à l'embouchure du grand fleuve d'Hochelaga. L'autorité de la carte de Viegas paraît, il est vrai, plutôt à la baisse. Mais n'a-t-on pas vu M. Prowse, sur le témoignage pourtant discret de quelques autres cartes, conduire une expédition anglaise bien au delà du golfe, la mener dans le couloir du fleuve, dresser même, devant les yeux de ces explorateurs fortunés, le mirage du lac Ontario? Et ceci en l'an 1499 ou 1500. Avant M. Prowse, le Rev. George Patterson n'avait-il pas cru à la probabilité d'une expédition portugaise à Hochelaga, antérieure à celle de Cartier[12]? Un autre, et c'est Jean-Antoine Desmarquets, auteur des *Mémoires chronologiques pour servir à l'Histoire de Dieppe*, fait remonter le Saint-Laurent par Thomas Aubert et Jean Verrassen (Jean Verazzano, laisse-t-il présumer), jusqu'à quatre-vingts lieues, et dès 1508, à bord du navire *La Pensée*[13]. Et tels seraient bien, selon Desmarquets, les vrais découvreurs du fleuve. Mais ce sont là, pour le dire tout net, hypothèses fragiles où le document compte moins que les fantaisies d'une imagination d'humeur assez voyageuse.

Au reste, quel vague en ces tracés ou en ces délinéations d'une carte comme celle de Viegas, si on les met en regard des données abondantes et lumineuses de l'explorateur français! Pour se rendre compte du progrès accompli, il n'est que de comparer, par exemple, la carte de Ribero de 1529, qui s'en tient encore aux données espagnoles et portugaises, à la carte du dieppois Jehan Roze, exécutée après le premier voyage du Malouin[14]. Jusqu'à ce dernier les cosmographes de France avaient emprunté à l'hydrographie lusitano-espagnole leurs connaissances géographiques du continent. À partir de Jacques Cartier cette dépendance sera renversée. Et nul doute que, s'il n'a pas découvert le détroit de Belle-Isle, Cartier en ait fait une réalité géographique. Terre-Neuve a cessé d'être ce qu'elle avait paru jusqu'alors: une terre orientale soudée au Labrador et faisant jusqu'au Cap-Breton la barrière orientale du continent. Elle apparaîtra désormais pour ce qu'elle est: un simple débris projeté dans la mer à l'heure du débouchement formidable de l'estuaire laurentien, ou, si l'on admet la théorie de Wegener sur la dérive des continents, un vaste traînard laissé en arrière par la vieille Amérique, dans sa marche vers l'ouest. L'insularité de Terre-Neuve, dès lors soupçonnée, ne va même que trop s'affirmer, puisque, pendant longtemps, la cartographie lui donnera figure d'archipel, et par la seule faute, semble-t-il, d'inexplorations incomplètes qui feront prendre ses nombreuses baies pour autant de détroits[15]. Avec le premier voyage de Cartier, l'écran de Terre-Neuve vient donc de se déchirer. Derrière cette terre, une autre réalité géographique a été aperçue et explorée en toute son ampleur: le vaste golfe, en attendant qu'au fond de ce golfe, s'ouvre, vers l'intérieur du continent, une route déjà pressentie, route destinée à mettre la France beaucoup mieux que sur le chemin de Cathay: sur la voie d'un immense empire.

. . . .

Tout pris qu'il soit par cette visite, (celle du village d'Hochelaga), Cartier se garde d'oublier le but de son voyage. Le jour même, sans perdre de temps, il gravit, accompagné de son escorte, le mont voisin qu'il nomme Mont-Royal. L'intention manifeste de l'explorateur est de prendre au moins une vue panoramique de ce pays dont le saut lui a fermé l'entrée. Ici encore le spectacle l'empoigne. D'ordinaire si dépouillé, le récit s'émaille de locutions, d'épithètes admiratives. Quelque bon hasard voulut que ce trois octobre fût un beau jour d'automne, un de ces jours clairs où la lumière canadienne connaît sa plus parfaite fluidité. Car le panorama qui s'offre aux yeux émerveillés, comprend, nous dit-on, trente lieues de pays. Vers le nord, une rangée de montagnes, les Laurentides, où l'on ne devina point, sans doute, les plus vieilles terres du monde, dessine la ligne de l'horizon; d'autres crêtes, les Adirondacks, semble-t-il, et les Montagnes vertes du Vermont, font de même dans la direction du sud. Entre les deux, une immense et splendide vallée: «la terre la plus belle qu'il soit possible de veoyr, labourable, vnye et plaine». Mais, en ce paysage, une attraction fascine, cela va de soi, les yeux de Cartier: le fleuve, chemin de rêve, obsédant inconnu, où se rive la pensée de l'explorateur. Au delà du saut Saint-Louis, de son reflet interminable, le Saint-Laurent sabrait la vaste plaine. «Et par le meilleu desdictes terres,... voyons icelluy fleuve tant que l'on pouvoyt regarde[r], grand, large et spacieulx, qui alloit au surouaist...»[16] Plusieurs hommes et femmes de la bourgade ont accompagné l'escorte. Cartier tente de les faire parler. Trois sauts, lui dit-on, semblables à celui où ont été laissées les barques françaises, barrent le fleuve. Ici Cartier ne peut se tenir de poser une question: entre chacun de ces sauts, quelle est l'exacte distance? «Par faulte de langue», il fut impossible de le savoir. Au moyen de signes, toutefois, les sauvages parviennent à communiquer quelques renseignements. On apprend, par exemple, que, passé le dernier saut, le fleuve devient navigable, pendant trois lunes, soit trois mois; on apprend encore l'existence d'une grande rivière qui coule là-bas, dans la direction d'une chaîne montagneuse aperçue vers le nord, et qui vient, elle aussi, comme le fleuve, de l'occident. Ce dernier renseignement avive la curiosité, mais aussi la déception de Cartier. À d'autres indications il a reconnu la voie d'eau qui conduit «au royaume et prouvynce du Saguenay». C'en est assez. Son enquête est finie. Le découvreur vient d'entrevoir un peu l'immensité du pays; il sait aussi à quelle profondeur inaccessible se dérobe l'Eldorado saguenayen. Il n'y a plus qu'à prendre le chemin du retour.

. . . .

Une distinction très nette paraît d'abord opposer l'un à l'autre le premier et le deuxième voyage de Cartier. Celui-là s'était borné à un périple du Golfe, celui-ci à la découverte du fleuve d'Hochelaga. Distinction juste quoique trop absolue. L'explorateur vient, en effet, d'ajouter à sa géographie du Golfe, deux précisions assez considérables, dont la première est l'insularité d'Anticosti (l'île de l'Assomption). Simplement indiquée à l'arrivée, par les Indiens Domagaya et Taignoagny, elle a été dûment constatée pendant le retour en France, alors que les vaisseaux ont longé la rive nord de la Gaspésie. L'autre précision, c'est l'insularité de Terre-Neuve par la découverte du détroit de Cabot. Ce détroit, on l'avait bien soupçonné au premier voyage, à certains courants et au mouvement des marées; il est devenu réalité géographique, le jour où, de la pointe du Cap-Breton, la *Grande Hermine et l'Emérillon* s'y sont engagés.

Il reste vrai, après cela, que la découverte et l'exploration du fleuve font l'objet et le grand événement de ce deuxième voyage. Avant d'y conduire ses vaisseaux, Cartier savait-il l'existence de la grande artère fluviale, en avait-il quelque vague notion? Il paraît difficile qu'il n'en eût rien appris des deux Indiens emmenés en France, originaires, on l'a vu, du pays de Stadaconé. L'impression profonde produite sur le découvreur par le vaste fleuve ressemble néanmoins à une impression de nouveauté. Au moment de franchir l'entrée du gigantesque couloir, comme il est frappé, tout d'abord, par la majesté de l'embouchure! Il note les trente-cinq à quarante lieues qui séparent les Sept-Îles des hautes montagnes de Honguedo (Gaspé), la profondeur des eaux qui va jusqu'à «deux cens brasses de parfond». Pour ajouter à l'impression de grandeur, voici que, dans les eaux de la rive nord, s'ébattent, au passage des navires, quantité de morses et de baleines[17]. L'impression ira se fortifiant jusqu'au terme du voyage, alors qu'en son épître dédicatoire au roi, le découvreur parlera du fleuve, comme du «plus grant sans comparaison, qu'on saiche jamais avoir veu».

Une voie d'eau interminable et spendide! On devine bien que Cartier a vu autre chose dans le paysage laurentien. Une première surprise que réservent les cartes de l'époque où se condensent les découvertes du Malouin, et, par exemple, l'Harléienne[18], la mappemonde de Descelliers[19], la carte de Mercator (1569)[20], c'est d'y trouver le dessin déjà presque achevé du réseau fluvial de la vallée du Saint-Laurent. Sur la rive nord, une série parallèle d'affluents sortis de la profondeur des terres apportent leur tribut au fleuve royal. Le découvreur avait déjà repéré les rivières de la région saguenayenne. Au retour d'Hochelaga, il allait découvrir le Saint-Maurice, qu'il baptiserait du nom de rivière de Foucz[21]. À Sainte-Croix, les sauvages achèveraient de compléter ces notions géographiques. Tout en lui décrivant le cours du haut Outaouais, ils donneront à Cartier quelque vague soupçon des grands lacs; ils lui montreront la rivière formant d'abord deux ou trois grands bassins, pour aboutir, de là, à une mer douce, presque infinie, dont personne n'avait jamais vu le bout. Des mêmes Indiens, Cartier apprendra encore l'existence du Richelieu. Vis-à-vis l'endroit, lui diront-ils, où, en route pour Hochelaga, vous avez laissé votre galion, une rivière s'ouvre vers le «surouaist», laquelle conduit à une terre au climat doux, sans glace ni neiges, où poussent en grande abondance les noix, les prunes, les mandes, les oranges, la cannelle et le girofle[22]. La Floride! pensera Cartier. Et, sur sa carte marine, il écrira, à cent lieues environ du Richelieu, dans la direction du sud-ouest, ces lignes où se trahissent ses faciles espoirs: «Ici, dans ce Païs, se trouvent la Canelle et le Girofle, que dans leur langue ils appellent *Canodetta*.»

Examinons davantage ces cartes dieppoises du milieu du seizième siècle, entre autres, la mappemonde de Descelliers (1546). Après le réseau fluvial de la vallée laurentienne, voici, parmi les réalités saillantes, de grandes divisions territoriales, de grands pays échelonnés sur la rive nord du fleuve. Le premier de ces pays, à l'embouchure du Saint-Laurent, et le premier que nous présente aussi la relation de Cartier, porte le nom de province de Canada. Dérivé, selon l'étymologie la plus probable, du mot huron-iroquois *cannata* ou *kannata*, et qui signifie «ville», signification que nous tenons au surplus de Cartier lui-même[23], l'expression désigne, en ce temps-là, une étendue géographique aux frontières assez flottantes. Historiens et cartographes de l'époque en prolongent parfois la limite orientale jusqu'à Gaspé et jusqu'à la baie des Chaleurs. Cartier, pour sa part, fait commencer à l'île aux Coudres la province de Canada, sans en marquer pourtant vers l'ouest l'ultime prolongement[24]. En revanche, sa relation est déjà toute pleine d'expressions destinées à s'incruster dans la géographie et dans l'histoire et qui ont presque une saveur de modernité. Les Sauvages de Canada y sont désignés sous le nom de «Canadians» dont Thevet fera bientôt «Canadéens»[25]. Le découvreur intitulera le lexique indien dont il fait suivre son récit: *Le langaige des Pays et royaumes de Hochelaga et Canada, aultrement dicte la Nouvelle France*[26].

Plus haut que le Canada s'étendait le pays d'Hochelaga, lui aussi, aux frontières imprécises. Selon la relation de Cartier et les cartes de l'époque, ce pays paraît comprendre l'ensemble de la région de Montréal. Il s'étendra même assez loin du côté de l'est, pour se prolonger, sur la planisphère de Descelliers (1550), jusqu'en la région du lac d'Angoulêmc, (Saint-Pierre) et assez loin dans la direction de l'ouest, pour que, sur la carte de Mercator (1569), on lise, au delà de l'Outaouais, le mot «Chilaga», déformation d'Hochelaga. Cette terre des grands sauts n'a révélé aucun secret à l'explorateur. Elle l'a même arrêté dans sa course vers l'ouest, comme elle fera pour bien d'autres après lui. Là cependant il a pressenti le mystère américain. Et sans doute ce mystère lui est-il apparu plus fascinant que jamais, par sa seule façon de se dérober[27].

TEXTES

Après que nous fumes sortis de ladicte ville [Hochelaga] fumes conduictz par plusieurs hommes et femmes d'icelle sur la montaigne [cy] davant dicte, qui est par nous nommée *mont Royal*, distant dudict lieu d'vn cart de lieue. Et nous estans sus ladicte montaigne, eusmes veue et congnoissance de plus de trente lieues, à l'envyron d'icelle; dont il y a, vers le nort, vne rangée de montaignes, qui sont est et ouaist gisantes, et autant devers le su. Entre lesquelles montaignes est la terre, la plus belle qu'il soit possible de veoyr, labourable, vnye et plaine. Et par le meilleu desdictes terres, voyons ledict fleuve oultre le lieu où estoient demourées noz barques, où il y a vng sault d'eaue, le plus impetueulx qu'il soit possible de veoir, lequel ne nous fut possible de passer; et voyons icelluy fleuve tant que l'on pouvoyt regarde[r], grand, large et spacieulx, qui alloit au surouaist, et passoit par auprès de troys belles montaignes rondes, que nous voyons, et estimyons qu'elles estoient à envyron quinze lieues de nous. Et nous fut dict et monstré par signes, par le troys hommes [du pais] qui nous avoyent conduictz, qu'il y avoyt troys ytieulx saultz d'eaue audict fleuve, comme celluy où estoient nosdictes barques; mays nous ne peusmes entendre quelle distance il y avoyt entre l'vn et l'autre, [par faulte de langue]. Puis, nous monstroient [par signes], que lesdictz saultz passez, l'on pouvoyt naviguer plus de troyz lunes par ledict fleuve. Et oultre nous monstroient que le long desdictes montaignes, estant vers le nort, y a vne grande ripvière qui descend de l'occident, comme ledict fleuve. Nous estimons que c'est la ripvière qui passe par le royaume et prouvynce du Saguenay; et sans que [nous] leur fissions aucune demande et signe, prindrent la chaisne du sifflet du cappitaine, qui est d'argent, et vng manche de pongnard, qui estoit de laton jaulne comme or, lequel pendoit au costé de l'vn de noz [compaignons] mariniers, et monstrèrent que cela venoyt d'amont ledict fleuve, et qu'il y avoyt des *agojuda*, qui est à dire mauvaise[s] gens, qui estoient armés jusques sus les doidz, nous monstrant la façon de leur armiures, qui sont de cordes et [de] boys, lasseez et tissuez ensemble; nous donnant à entendre que lesdictz *agojuda* menoyent la guerre continuelle, les vngs es aultres; mays par deffault de langue, ne peusmes avoyr congnoissance combien il y avoit audict pays.

Ledict fleuve commance passé l'isle de l'Assumption, le travers des haultes montaignes de Honguedo et des Sept Ysles; et y a de distance en traverse envyron trente cinq ou quarante lieues; et y a au parmy plus de deux cens brasses de parfond. Le plus parfond, et le plus seur à naviguer, est du cousté devers le su. Et devers le nort, savoir, esdictes Sept Ysles, y a d'vn cousté et d'autre envyron sept lieues loing desdictes ysles, deux grosses ripvières, qui descendent des monts du Saguenay, lesquelles font plusieurs bancqs à la mer fort dongereulx. À l'entrée desdictes ripvières, avons veu grand numbre de baillaines et chevaulx de mer.

Le travers desdictes Sept Ysles y a vne petite ripvière, qui va troys ou quatre lieues en la terre pardessus des maretz, en laquelle y a vng merveilleux numbre de tous oiseaulx de ripvières. Despuis le commancement dudict fleuve jusques à Hochelaga, y a troys cens lieues et plus. Et est le commancement d'icelluy à la ripvière, qui vient du Saguenay, laquelle sort d'entre haultes montaignes, et entre dedans ledict fleuve, auparavant que arryver à la prouvynce de Canada, de la bande devers le nort; et est icelle ripvière fort parfonde, estroicte, et fort dongereuse à naviguer.

Après ladicte ripvière, est la prouvynce de Canada, où il y a plusieurs peuples, par villaiges non cloz. Il y a aussi, es envyrons dudict Canada, dedans ledict fleuve, plusieurs ysles, tant grandes que petites; et entre aultres, y en [y] a vne qui contient plus de dix lieues de long, laquelle est plaine de beaulx et grandz arbres; et [aussi en icelle y a] force vigne[s]. Il y a passaige des deux coustez d'icelle; le meilleur et le plus seur est du cousté devers le su. Et au bout d'icelle ysle, vers l'ouaist, y a vng affourq d'eaues, [lequel est fort] beau et delectable, pour meptre navires, ouquel il y a vng destroict dudict fleuve, fort courant et parfond; mays il n'a de laize que envyron vng tiers de lieue. Le travers duquel, y a vne terre double, de bonne haulteur, toute labourée, aussi bonne terre qu'il soit possible veoyr; et là est la ville et demourance du seigneur Donnacona, et de noz deulx hommes que avyons prins le premier voiaige, laquelle demourance se nomme Stadaconé. Et auparavant que arriver audict lieu, y a quatre peuples et demourances, savoyr: Ajoaste, Starnatam, Tailla, qui est sus vne montaigne, et Sitadin. Puys, ledict lieu de Stadaconé, soubz laquelle haulte terre, vers le nort, est la ripvière et hable de saincte Croix, ouquel lieu avons esté despuis le quinziesme jour de septembre, jusques au VIme jour de may, VᵉXXXVI, ouquel lieu les navires demeurent assec, comme cy davant est dict. Passé ledict lieu, est la demourance du peuple de Tequenonday et de Hochelay, lequel Tequenonday est sus vne montaigne, et l'autre en vng plain pays.

Toute la terre des deux coustez dudict fleuve jusques à Hochelaga et oultre, est aussi belle [terre] et vnye que jamays homme regarda. Il y a aucunes montaignes, assez loing dudict fleuve, que on veoyt par sus lesdictes terres, desquelles il descend plusieurs ripvières, qui entrent dedans ledict fleuve. Toute cestedicte terre est couverte et plaine de boys de plusieurs sortes, et force vignes, exepté à l'entour des peuples, laquelle ilz ont desertée, pour faire leur demourance et labour. Il y a grand numbre de grandz serfz, dins, hours et aultres bestes. .... Il y a force loueres, byèvres, martres, regnardz, chatz sauvaiges, lièpvres, connyns, escureulx, ratz, lesquels sont gros à merveilles, et aultres sauvagines. Ils se acoustrent des peaulx d'icelles bestes, pource qu'ilz n'ont nulz aultres acoustremens. Il y a aussi grand numbre d'oiseaulx, savoir: grues, oultardes, signes, oayes sauvaiges, blanches et grises, cannes, cannardz, merles, mauvys, turtres, ramyers, chardonnereulx, tarins, seryns, lunottes, rossignolz, passes sollitaires, et aultres oiseaulx comme en France. Aussi, comme par cy davant est faicte mention et chappitres précédens, cedict fleuve est le plus habundant de toutes sortes de poissons qu'il soyt memoire d'homme avoyr jamays veu ny ouy; car despuis le commancement jusques à la fin, y treuverez, selon les saisons, la pluspart des sortes et espesses de poissons de la mer et eaue doulce. Vous treuverez jusques audict Canada, force baillaines, marsoins, chevaulx de mer, adhothuys, qui est vne sorte de poisson, duquel jamays n'avyons veu ny ouy parler. Ilz sont blancs comme neige, et grandz comme marsoins, et ont le corps et la teste comme lepvriers; lesquelz se tiennent entre la mer et l'eaue doulce, qui commance entre la ripvière du Saguenay et Canada*.

Notes

1. Voir abbé H.-A. Verreau, *Mémoire de la Société Royale*, (1897): 131.

2. Cité par Louis Bertrand, *Histoire d'Espagne* (Paris, 1932), 394.

3. *Voyages de découverte au Canada entre les années 1534 et 1542, par Jacques Quartier, le Sieur de Roberval, Jean Alphonse de Xaintoigne, etc.*, (Société littéraire et historique de Québec, Québec, 1843), 84, 86; H. P. Biggar, *The Voyages of Jacques Cartier* (Archives du Canada, Ottawa, 1924), 292-293, 298.

4. H. P. Biggar, *The Voyages of Jacques Cartier* (Archives du Canada, Ottawa, 1924), 54.

5. Nous voyons, par le récit du second voyage de Cartier, que les Indiens de Stadaconé faisaient des expéditions du côté de Honguedo. (Biggar, *The Voyages of Jacques Cartier*, 178).

6. H. P. Biggar, *The Voyages of Jacques Cartier*, 68.

7. *Voyages de découverte au Canada entre les années 1534 et 1542...* 84, 86; H. P. Biggar, *A Collection of documents...* 292-293, 298.

8. Harrisse, *Découverte et évolution cartographique de Terre-Neuve et des pays circonvoisins* (Paris et Londres, 1900), 135.

9. H. P. Biggar, *A Collection of documents...* 43.

10. H. P. Biggar, *Les Précurseurs de Jacques Cartier* (Archives du Canada, nᵒ 5, Ottawa, 1913), 127-131.

11. Harrisse, *Jean et Sébastien Cabot* (Paris, M.D.CCC.LXXXII), 183-185; *id.*, *Découverte et évolution cartographique de Terre-Neuve et des Pays circonvoisins* (Paris, Londres, MDCCCC), 88-106, 130-135. Voir aussi, sur cette carte et le peu de cas qu'elle mérite, au sujet de son dessin du Golfe Saint-Laurent, W. F. Ganong, *Mémoire de la Société royale*, 1933, section II: 177-179.

12. Voir *The Canadian Historical Review* (1929): 161-162, article de H. P. Biggar, sur «Exploration of the Gulf of St. Lawrence, 1499-1525, by G. R. F. Prowse», et le peu d'autorité de cet ouvrage; Rev. Geo. Patterson, *Mémoire de la Société royale*, 1890, section II: 156-158.

13. N.-E. Dionne, *La Nouvelle-France, de Cartier à Champlain* (Québec, 1891), 108.

14. Voir ces cartes: Biggar, *The Voyages of Jacques Cartier*, 1, 64. Voir quelques commentaires sur la carte de Roze, W. F. Ganong, *Mémoire de la Société royale*, 1933, section II: 179-180. Voir encore Ganong, «The Cartography of the Gulf of St. Lawrence from Cartier to Champlain», *Mémoire de la Société royale*, 1889, section II: 17-58. Voir aussi l'abbé A. Anthiaume, *Cartes marines. Constructions navales. Voyages de Découverte chez les Normands, 1500-1650* (2 vol., Paris, 1916), II: 53-55, où il est dit que le *Booke of Idrography* contient deux cartes de Roze: l'une qui ne donne que le résultat du premier voyage de Cartier, l'autre, le résultat des deux. Ce Jehan Roze, né à Dieppe, d'un père écossais, fut un contemporain de Pierre Descelliers, «père de l'hydrographie et de la cartographie françaises».

15. Harrisse, *Découverte et évolution cartographique de Terre-Neuve et des Pays circonvoisins*, (Paris et Londres, MDCCCC), 24, 29, 35, 169.

16. Biggar, *The Voyages of Jacques Cartier* (Ottawa, 1924), 168-169.

17. Biggar, *The Voyages of Jacques Cartier*, 106, 193.

18. On nomme de ce nom, parce qu'autrefois elle fit partie des collections harléiennes (ou harléyennes) une magnifique carte, anonyme, dressée après 1542, entièrement rédigée en français. De l'avis d'un grand nombre, cette carte appartient à l'école de Pierre Descelliers. Elle est conservée aujourd'hui au British Museum.

19. Pierre Descelliers, prêtre, d'Arques, bourg près de Dieppe, est considéré comme le créateur de l'hydrographie française. Contemporain de Cartier, il vivait non loin de celui-ci, en Normandie. Il est auteur de deux mappemondes, entre autres, où apparaissent les résultats des voyages de Cartier. Voir Abbé Anthiaume, *Pierre Descelliers, Père de l'Hydrographie et de la Cartographie françaises* (Rouen, 1926).

20. Gérard Mercator, auteur d'une mappemonde dressée à Louvain (1538), d'un globe (1541), d'une autre mappemonde (1569).

21. Ce «Fouez» est mis là pour «Foix», croit-on, nom d'une famille française bien connue, à laquelle le gouverneur de la Bretagne se trouvait alors allié.

22. Biggar, *The Voyages of Jacques Cartier*, 203, 246, 260.

23. On s'est livré, à ce sujet, aux hypothèses les plus fantaisistes. Sur la présomption d'explorations espagnoles antérieures à celle de Cartier, Charlevoix fait dériver le mot de «Acanada»! (Il n'y a rien ici; il n'y a point de mines), par quoi les premiers explorateurs auraient exprimé leur déception. On a encore imaginé cette autre dérivation de source espagnole: *Cabo de Nada* (Cap où il n'y a rien). Voir Biggar, *The Voyages of Jacques Cartier*, notes, pages 104-105 et 245, ou encore *Id., A Collection of Documents relating to Jacques Cartier and The Sieur de Roberval* (Ottawa, 1930), XXI; N.-E. Dionne, *Jacques Cartier* (Québec, 1889), 237-240.

24. Jean Alphonse Saintonge fera commencer le Canada à une lieue au-dessus de l'Île d'Orléans, (Biggar, *The Voyages of Jacques Cartier*, 295.)

25. Biggar, *The Voyages of Jacques Cartier*, 161, 227; Charles de la Roncière, *Jacques Cartier* (Paris, 1931), 101-104, 117.

26. Biggar, *The Voyages of Jacques Cartier*, 241.

27. Extraits de *La Découverte du Canada — Jacques Cartier*, par Lionel Groulx ptre, (Montréal, 1934), aux pages 160-167, 191-193, 199-204.

 * (Extraits de: H. P. Biggar *The Voyages of Jacques Cartier* (Publications of the Public Archives of Canada, N° 11, Ottawa, 1924), 168-171, 193-199. Voir aussi: Marie-Claire Daveluy, «Cartier — Champlain Les Relations des Jésuites», notes biographiques et bibliographiques sur Cartier, dans *Centenaire de l'Histoire du Canada de François-Xavier Garneau* — Deuxième semaine d'histoire à l'Université de Montréal, 23-27 avril 1945 (Montréal, 1945), 204-214.

2 — *Visions de Champlain**

Le long de la rade de l'ancien Port-Royal (Annapolis), un monument saisit l'œil: celui de Pierre de Guast, sieur de Monts, buste de gentilhomme coiffé du large chapeau à plumes, au socle imposant. Le monument est dédié au «pionnier de la civilisation en Amérique du Nord, qui a découvert et exploré le fleuve adjacent, en 1604, et établi sur ses rives le premier poste européen au nord du Mexique». Somptueuse inscription! Le mérite du fondateur doit-il faire oublier pour autant la part du hasardeux en l'imprévoyante aventure? C'est proprement vers l'inconnu que s'en viennent, au printemps de 1604, les deux vaisseaux de France qui portent le sieur de Monts, Champlain, Jean de Biencourt, sieur de Poutrincourt, quelques gentilshommes, l'abbé Nicolas Aubry, un ministre calviniste, cent vingt colons et artisans. De la côte océanique où pointent les navires, que savent l'un ou l'autre des chefs de l'entreprise? Ces rivages, depuis le 40° jusqu'au 46° viennent d'être inclus dans le territoire du monopole. Champlain connaît l'exploration de Verazzano et paraît avoir lu, à cette époque au moins, quelques bribes des voyages de Cartier[1]. De Monts en est à sa seconde traversée. Ce qu'il a exploré toutefois, au temps de Chauvin, en compagnie de Pont-Gravé, c'est le golfe et les environs de Tadoussac. Quels motifs le font se diriger maintenant vers un point plus méridional de la côte de l'Atlantique? Motifs assez vagues et imprécis qui reposent sur des données géographiques encore plus imprécises peut-être. Au dire de Champlain, l'austère visage du Canada, vers les bouches du Saguenay, aurait laissé à M. de Monts l'idée d'un «fascheux pays»[2]. Or, justement, en l'année 1603, lors de leur voyage de reconnaissance pour le compte du commandeur de Chastes, Champlain et Pont-Gravé ont rencontré à l'île Percée, à l'occasion de la traite, des Indiens venus des pays du sud. Le sieur Prévert de Saint-Malo se trouvait là, lui aussi, fraîchement arrivé d'une tournée de trafic sur les côtes d'Acadie. De Prévert et des Indiens du sud, Champlain a recueilli des renseignements qui l'ont fait songer. Là-bas, sur l'océan, plus bas que Terre-Neuve, rapportaient ces Indiens, un pays «beau et plat» existait, d'un climat plus doux, riche en forêts et en mines de cuivre; par le moyen des routes d'eau, l'on s'y pouvait rendre; de la grande rivière de Canada, un autre fleuve, débouchant sur la côte, menait, par l'intérieur des terres, jusqu'auprès du lac des Iroquois. Quelle merveille! pensa, ce jour-là, Champlain qui se prit à soupçonner que la côte de Floride s'ouvrait peut-être au passage en question. Quelle route beaucoup plus sûre que le Saint-Laurent, pour les vaisseaux, sans compter, souligne l'explorateur, «un accourcissement de plus de trois cens lieuës»[3]. Ces propos ont été rapportés à M. de Monts. C'en fut assez. L'année suivante, sur ces vagues espoirs, de Monts mettait le cap sur l'Acadie. Il n'en savait «l'assiette ny la température, plaisante Champlain, que par l'imagination & la raison, qui trouue que plus vers le Midy il y fait plus chaud»[4]. En pleine mer, le chef de colonie n'est pas même fixé sur le lieu de son atterrissage. Les deux vaisseaux s'étaient donné rendez-vous à Canceau: celui du sieur de Monts se dirige vers le port au Mouton, plus au midi, et croit-on, d'abord plus facile[5]. On y arrive le 19 mai. Chose à peine croyable. Champlain reçoit l'ordre de partir, en barque, à la recherche d'un abri plus sûr pour les vaisseaux et d'un lieu propre à un établissement. Un long mois s'écoulera à contourner la péninsule acadienne, à explorer la Baie française. On dirait une croisière de désœuvrés ou d'amateurs. Dans les derniers jours de juin, pas avant, ces chercheurs de gîte jetteront enfin leur dévolu sur une île de la baie de Passamaquoddi, à l'entrée de la rivière Scoudic[6]. Île toute petite d'à peine douze à quinze acres, poste stratégique toutefois, à l'orée de la rivière, île facile à fortifier en raison de ses falaises, et située à mille pas à peine de la terre ferme. À proximité, deux ruisseaux se déchargent dans la baie en forme de croix[7]. Particularité géographique qui valut à ce premier établissement d'Acadie le nom symbolique et lourd d'infortune du premier établissement de Cartier sur le Saint-Laurent: Sainte-Croix. En cette fin d'été de l'année 1604, le bruit des haches et des marteaux, des chutes d'arbres, réveillèrent soudain l'antique solitude. Les colons défrichaient l'île, s'étaient mis à «charpenter». Tous se hâtaient, vu la saison avancée. En peu de temps l'îlot sauvage se trouva transformé. Jetons un coup d'œil sur la vignette que Champlain nous a laissée de l'établissement: le tout ne manque pas d'un certain air. Les deux rangées parallèles de bâtiments, les toits aigus à multiples pignons, les cheminées normandes avec leur panache de fumée, et surtout le logis de M. de Monts, logis «d'une belle et artificielle charpenterie», surmontée de la bannière blanche, donnent à cette première fleur de civilisation éclose dans la sauvagerie, un aspect de force et d'audace souriante. Il n'y manque pas même la décoration des jardinages. Pendant que les uns charpentaient, d'autres ont jardiné. L'automne s'annonce déjà proche: sur la terre ferme et aux sauts de la rivière, à trois lieues de l'île, M. de Monts n'a pas laissé de faire commencer, là aussi, des défrichements. On y a semé du blé et toutes sortes de graines[8].

Quelqu'un a écrit: «Ce sera le Latium de notre moderne Enée». Hélas! Latium dont l'histoire n'aurait rien de virgilien ni d'épique. Le choix de l'île apparut bientôt ce qu'il était: une lamentable erreur. Sable aride, soleil à brûler toute pousse; absence d'eau douce, manque de bois de chauffage; de l'eau de pluie pour arroser ou s'abreuver ou obligation d'aller chercher sur la terre ferme et sa provision d'eau et sa provision de bois; obligation aussi de traverser en barque pour se rendre aux défrichés trop éloignés. Graves inconvénients que l'hiver allait durement faire sentir. Pour comble, le «père Grissart», le mot est de Lescarbot[9], vint cette année-là fort hâtivement. Le six octobre les premières neiges l'annoncèrent. Il prit par surprise les colons encore imparfaitement logés. Charriées par les courants, les glaces gênèrent ou interrompirent les relations avec la terre ferme. Pour boisson, il fallut se contenter, trop souvent, de cidre gelé, distribué non au litre, mais au poids. Au milieu de cette misère, l'hideux scorbut fit son apparition. Sur 69 hivernants, il en emporta 36, sans se priver de maltraiter horriblement presque tous les autres. Le 15 juin 1605, lorsqu'au Latium de Sainte-Croix, un vaisseau de France parut, une salve de canon et le son des trompettes l'accueillirent. Joie bruyante qui criait, en réalité, le désarroi des âmes. Sur l'île, Pont-Gravé ne trouvait plus qu'une trentaine de malheureux, dégoûtés, à demi désespérés, en train de reprendre la mer. En quelques jours toute la belle «charpenterie» de Sainte-Croix, hormis le magasin, fut démolie; deux barques entreprirent de charrier ces épaves sur l'autre rive de la Baie Française, à Port-Royal[10].

Au cours de l'exploration de la Baie, l'année précédente, Champlain avait remarqué l'endroit. Frappé de la magnificence du port, «l'un des beaux ports, dit-il, que i'eusse veu en toutes ces costes» — huit cents pas de largeur à l'entrée, profondeur de vingt-cinq brasses, deux lieues de long, une de large, en état d'abriter facilement 2,000 vaisseaux, — l'explorateur l'avait baptisé d'un nom qui dit bien son admiration: Port-Royal[11]. De Monts espère trouver en ce lieu de latitude moins élevée, une «demeure beaucoup plus douce et tempérée». Les bâtiments de Sainte-Croix sont donc en partie remis debout[12]. Pont-Gravé et Champlain restent à la garde du nouveau poste, en compagnie de quarante à quarante-cinq hommes[13]. Les autres, c'est-à-dire une bonne part des hivernants de Sainte-Croix, qui en ont assez de la colonisation, se rembarquent pour la France, avec M. de Monts. Grâce aux Indiens qui apportent de la viande fraîche, les gens de Port-Royal passent ce deuxième hiver moins misérablement. Le scorbut emporte plus du quart du groupe: douze personnes[14]. Par bonheur l'hiver suivant, celui de 1606-1607, se montre encore plus clément. Grâce cette fois à l'«Ordre de bon temps», une idée de Champlain, Ordre de maîtres d'hôtel ou de chasseurs, qui, à tour de rôle, s'engagent à pourvoir la table de venaison, sept personnes seulement succombent au «mal de terre»[15].

Le désolant, en la nouvelle entreprise, c'est encore la part de l'imprévoyance et de l'aventure. À Sainte-Croix comme à Port-Royal, ne peut s'empêcher d'observer Champlain, «personne n'y cognoissoit rien»[16]. On fixe le siège de l'établissement à l'entrée de la rivière de l'Equille[17] (aujourd'hui: rivière Annapolis). Mais comme à Sainte-Croix, c'est à une lieue et demie de l'habitation, en amont de la rivière, qu'on s'en va faire les défrichements[18]. Port-Royal n'est d'ailleurs qu'une seconde halte dans la recherche d'un domaine colonial. Poutrincourt et ses compagnons ne se résignent à s'y fixer en 1606 que, faute de temps, faute de pouvoir encore chercher ailleurs; en attendant, comme dit Lescarbot, «qu'il y eust moyen de faire plus ample découverte»[19]. Au reste, depuis leur arrivée dans la Baie française, les regards de ces colonisateurs restent fascinés par l'attirance des pays du sud. Dans l'Enée du Latium acadien, on dirait qu'il y a le remuant, l'aventureux personnage d'Ulysse. Jusqu'à quatre fois, dans la direction de la Floride, il va reprendre une patiente odyssée, cherchant où abriter ses dieux lares. La première fois qu'il se met en route, c'est à l'automne de 1604, à peine commencée l'installation de Sainte-Croix. M. de Monts envoie Champlain, sur une patache de 17 à 18 tonneaux, faire l'exploration de la côte de Norembègue. Le printemps suivant, à peine fini le dur hiver de Sainte-Croix, deuxième exploration le long de la même côte, sous la conduite de M. de Monts, cette fois, à la recherche toujours d'«un lieu plus propre pour habiter & de meilleure temperature»[20]. L'installation de Port-Royal à peine terminée, nouveau départ de Pont-Gravé et de Champlain, le 1er mars 1606, «pour aller descouvrir le long de la coste de la Floride». Cette fois, un coup de vent brise la barque à la sortie du port[21]. Mais, à l'automne de la même année, quatrième exploration sous le commandement, cette fois-ci, de Poutrincourt. Et que cherchent tous ces explorateurs? La même chose: un domaine colonial. Et ce domaine, ils veulent qu'il réunisse tout un ensemble de qualités: un ciel clément, un terroir fertile, un bon havre, une route de pénétration à l'intérieur du continent. Ils se livrent donc à une inspection minutieuse de la côte; ils contournent les pointes, les caps, ils s'enfoncent dans les estuaires; en route ils font connaissance avec les principales tribus indiennes, notent leurs façons de vivre, s'informent en particulier de la rigueur de l'hiver.

De ces voyages, résumerons-nous les résultats? Ils nous vaudront quelques croquis, quelques cartes de Champlain: dessins les plus nets tracés jusqu'alors de la côte américaine. L'explorateur fera aussi s'évanouir une tenace légende: celle de la ville de Norembègue. Depuis trois quarts de siècle, ce nom mystérieux, assez diversement orthographié, figurait dans les cartes, les cosmographies, les récits de voyages harcelant les imaginations. D'un assez commun accord l'on désignait par là les vastes territoires qui s'étendent de la Nouvelle-Écosse à la Floride ou à la Virginie d'aujourd'hui. L'accord se faisait surtout pour auréoler ce nom de Norembègue de légendes aussi séduisantes que fantaisistes[22]. Historiens et cartographes français y plaçaient un pays relativement civilisé, une capitale vaste et fortifiée, des habitants beaux de corps et de visage, en possession de fil de coton, parlant une langue assez proche du latin. D'autres, d'imagination encore moins sobre, disaient y avoir vu, ou presque vu, une ville aux murs d'or, un sol couvert de pierres précieuses, un Eden gratifié d'une fontaine de Jouvence, où l'homme et la femme, au milieu d'arbres en fleurs ou chargés de fruits, s'ébattaient dans une jeunesse et une beauté éternelles: sans doute, une survivance ou une réplique de cette fameuse ville de Cibola, tant cherchée, au cœur de l'Amérique, par les aventuriers espagnols du début du seizième siècle[23]. Un peu de la légende persistera même jusqu'en nos jours. Ayant cru découvrir, en effet, dans *Norembègue*, une déformation de *Norœnbygdh* (contrée des Norrains ou des Norvégiens) des historiens se plairont à voir, dans ce pays mystérieux, une colonie précolombienne, d'origine scandinave[24]. La réalité apparut moins brillante à Champlain. Il ne trouva ni la ville aux murs d'or, ni le paysage, ni l'homme paradisiaques, mais quelques cabanes couvertes d'écorce d'arbre, des sauvages demi-nus, vivant de chasse, de pêche, de maïs, grossiers cannibales, à peine différents de ceux de la grande rivière de Canada. Et comme ces sauvages parlaient assez mal le latin, on ne put converser. Champlain en conçut quelque mauvaise humeur: «Je m'asseure, écrit-il, que la plus-part de ceux qui en font mention (de la grande ville), ne l'on veuë, & en parlent pour l'auoir ouy dire à gens qui n'en sçauoient pas plus qu'eux...; je ne veis aucune ville, ny village, ny apparence d'y en auoir eu...»[25]

Les explorateurs trouvèrent-ils au moins ce qu'ils cherchaient? Une couple de lieux au plus parurent les attirer: l'entrée de la rivière de Chouacoet (aujourd'hui Saco), lieu «fort plaisant & aussi agreable que l'on en puisse voir»[26]; puis, le fort Fortuné (aujourd'hui Stage Harbour, de Chatham, Massachusetts). C'est «un lieu fort propre pour y bastir, et jetter les fondemens d'une République», observe Champlain, qui constate toutefois le peu de profondeur et l'entrée peu sûre du port[27]. Prenez note toutefois qu'en cet automne de 1060, Poutrincourt et Champlain sont descendus jusqu'au 44°, soit un demi-degré plus bas que n'avait fait M. de Monts en 1604[28]. Quelle Providence,à cette minute suprême, baissa tout à coup le rideau devant eux, retarda même ces explorateurs juste assez pour les empêcher de toucher le point? Ils rebroussèrent chemin vers Port-Royal, sans soupçonner que le havre spacieux, la grande voie d'eau vers l'intérieur si ardemment cherchés, ils étaient venus tout près d'y toucher, là, quelques lieues à peine en avant de leur patache. Qu'en effet, au lieu de recommencer à neuf toute l'exploration, ils l'eussent reprise, selon le désir exprimé de Champlain, au point où l'avait laissée, deux ans auparavant, le sieur de Monts, et qu'arrivait-il? Cette grande économie de temps et de chemin donnait une considérable avance aux explorateurs; rien ne les empêchait de descendre, à coup sûr, jusqu'à Long Island, puis, de là, infailliblement, aux bouches de l'Hudson[29]. Et l'on aperçoit le dénouement: la Nouvelle-France d'Amérique avait un autre berceau que l'Acadie ou le Saint-Laurent. Et Québec pouvait être New York. De cet échec, Champlain garderait un peu de mélancolie; il en parlera plus tard comme d'un grand destin manqué. Puisque M. de Monts, dira-t-il, refusait d'aller s'établir sur le Saint-Laurent, il fallait ne pas fonder de colonie sur les côtes de l'Atlantique, sans exploration préalable et sans expérience du climat. La Providence n'eût pas alors manqué de conduire les nefs françaises vers un terroir et un ciel propices, où, malgré les infortunes politiques du chef de la compagnie, les colons se fussent bientôt passés des «commoditez de France». «Que si ces choses eussent esté bien ordonnées, concluait Champlain, les Anglois & Flamens n'auroient jouy des lieux qu'ils ont surpris sur nous, qui s'y sont establis à nos despens[30].» Champlain ignorait une chose: la fondation prochaine, en l'année 1607, de la Virginie.

Quelle belle amorce, et vingt ans avant les Kirke, au duel colonial anglo-français!

Au lieu de cette douteuse fortune, que vit-on? L'impuissance apparente des Français à s'accrocher même à l'Acadie. Le 17 juillet 1606, les vaisseaux de France, retardant par trop leur retour, la petite colonie de Port-Royal, prise de panique, s'embarquait sur deux barques, en route pour le cap Breton, à la recherche de quelque navire de pêche qui consentît à la rapatrier. Un pur hasard lui faisait rencontrer, près de l'Île-aux-Cormorans, une chaloupe du vaisseau de Poutrincourt; elle revint au logis[31]. Le printemps suivant, c'était, cette fois, la fin tout de bon. Le monopole était révoqué; la compagnie dissoute[32]. L'ordre arrivait à Poutrincourt de rentrer en France avec tous ses gens.

. . . .

Les colonisateurs français, à moins d'abandonner la partie, auront donc à s'orienter vers un autre point. Ce point, quel sera-t-il? Comment et pourquoi s'y vont-ils diriger? Questions d'importance. Les motifs qui ont conduit le sieur de Monts vers le Saint-Laurent, nous sont connus. Dégoûté des intrigues de ses rivaux, il cherchait un territoire où se dérober à l'envie. En outre, et l'on ne sait par quelle illusion, il croyait les peuples de l'intérieur plus civilisés que ceux des bords de la mer; une colonie, pensait-on, y serait donc de formation et de défense plus aisée[33]. En cette orientation nouvelle, nous trouvons toutefois l'influence prédominante d'un homme: Samuel de Champlain. Le marin nous l'a confié en l'un de ses ouvrages: c'est lui qui indiqua à M. de Monts ce nouveau domaine colonial: «Je le conseillay, a-t-il écrit, & luy donnay advis de s'aller loger dans le grand fleuve Sainct Laurent, duquel j'avois une bonne cognoissance par le voyage que j'y avois fait, luy faisant gouster les raisons pourquoy il estoit plus à propos & convenable d'habiter ce lieu qu'aucun autre»[34].

Ces raisons que Champlain fit goûter au sieur de Monts, quelles sont-elles? Il est regrettable que l'explorateur ait négligé de nous les dire. N'a-t-il vu, dans le Saint-Laurent, qu'un poste stratégique pour la traite des fourrures? Ou, dès lors, a-t-il pressenti, dans la vallée superbe qui se déployait à ses yeux, une future nouvelle France, l'avenue royale qui pouvait mener à la conquête d'un empire? À la vérité, parmi les motifs qui l'attirent, en ce coin d'Amérique, il en est qui vont s'organiser peu à peu dans son esprit et qu'il nous confiera plus tard. Mais toute de suite, il n'est pas impossible d'en deviner quelques-uns. Nous le savons par la cartographie française: il est une région américaine que les hommes de France connaissent mieux que toute autre: l'estuaire laurentien. De bonne heure, avant et après Cartier, on l'aura pas oublié, un secret instinct les y a constamment poussés. Pêcheurs de morues, chasseurs de baleines, trafiquants de fourrures y ont leurs postes favoris: Anse aux Basques, une lieue environ plus haut que les Escoumins; Tadoussac, terme alors de la navigation transatlantique, comptoir de commerce pour les Indiens du nord; Gaspé, Île de la Bonne-Adventure, Île Percée, à la fois lieux de pêche pour la morue, le maquereau, l'éperlan[35] et comptoir de fourrures pour les Indiens du golfe et du sud. Plus encore que le golfe, le fleuve paraît avoir agi sur les vaisseaux français comme un tout-puissant aspirateur. Les gros voiliers ne se risquent plus à le remonter aussi haut qu'au temps de Cartier ou de Roberval. Ils s'arrêtent

43

à Tadoussac et l'on part pour Québec en petites barques de 10 à 15 tonneaux, navigation lente qui laisse le loisir de l'exploration. C'est en barque, notons-le, qu'en 1603, Champlain entre pour la première fois dans la grande rivière de Canada, conduit par un familier de la route et du paysage: Pont-Gravé. Et détail d'importance, ce n'est pas au service d'un trafiquant qu'il accomplit ce voyage de reconnaissance. Il est l'envoyé d'un colonisateur et d'un grand colonisateur: Aymar de Chaste. L'impression première produite sur l'homme de Brouage, qui arrive pourtant des Indes occidentales, resta profonde. Champlain n'a pas le talent descriptif de l'écrivain des voyages de Cartier. Il n'a pas son burin un peu rude mais d'un si vivant pittoresque. Il y a plaisir toutefois à recueillir, en ses yeux neufs d'Européen, l'impression de la grande nature américaine, telle qu'elle lui apparut, encore parée de son intègre et sauvage beauté. Son observation se montre curieuse de toutes choses. La traite l'intéresse. Entre tant de lieux propres au commerce, Trois-Rivières le frappe par sa position avantageuse. Les sources du Saint-Maurice rejoignent ou peu s'en faut, par le lac Saint-Jean, les sources du Saguenay; Trois-Rivières est le lieu de rencontre des peuplades du nord. N'y a-t-il pas là un point tout désigné pour un comptoir de fourrures[36]?

En Champlain, il y a toutefois beaucoup plus qu'un commerçant. Le marin de Brouage est un réalisateur. Il rêve, pour son pays, de cette chose d'assez grande envergure: une nouvelle France, et il est venu à la recherche d'un lieu où la fonder. Aussi faut-il voir, comme à cette première exploration de 1603, ce chercheur de domaine colonial s'éprend de la terre nouvelle. À peine arrivé à Québec, il écrit:

«Il y a à ce détroict, du costé du Nord, une montagne assez haulte, qui va en abaissant des deux costez; tout le reste est pays uny et beau, où il y a de bonnes terres pleines d'arbres...» quelques jours plus tard, il remonte le fleuve. Presque à chaque étape, ce sont des notes comme celles-ci: «Le pays va de plus en plus en embellissant.» Un peu plus loin, à quinze lieues de Québec: «Le pays est beau & uny, et les terres meilleures qu'en lieu que j'eusse veu... Toute cette terre est noire; elle est fort tendre, & si elle estoit bien cultivée, elle seroit de bon rapport.» Un peu plus loin encore: «Plus nous allions en avant, & plus le pays est beau...» Aux environs des îles de Sorel: «Ce païs est encores meilleur qu'aucun autre que j'eusse veu[37].» Et ce sera ainsi jusqu'au saut Saint-Louis. Plus tard, à chaque voyage de l'explorateur, son enthousiasme ne cessera de grandir. Vers 1630, en tête d'une description de toutes les richesses du pays, il écrira cette phrase qui touche à l'émerveillement: «Il se peut dire... que le pays de la nouvelle France est un nouveau monde, & non un royaume, beau en toute perfection...» Puis, dans une récapitulation de toutes les ressources du commerce et de l'agriculture qu'offre ce nouveau monde, il ajoutera que «la bonté des terres, & l'utilité qui s'en peut tirer, tant pour le commerce du dehors, que pour la douceur de la vie au dedans, est telle, que l'on ne peut estimer l'avantage que les François en auront quelque jour, si les Colonies Françoises y estans establies, y sont protegées de la bien-veillance et authorité de sa Majesté[38].»

Il est bien connu, toutefois, que l'idéaliste Champlain arrivait à Québec travaillé d'autres rêves que ceux d'un colonisateur. Une grande chimère hante encore, en France, beaucoup d'esprits: l'espoir d'un passage vers la Chine par le nord américain. L'opinion de Montaigne devient désuète qui fait de l'Amérique, une terre «continente avec l'Inde orientale d'un costé»[39]; on se persuade néanmoins qu'un chemin existe de l'Occident à l'Orient, sinon par un détroit dans la région du pôle, du moins par quelque fissure à travers le continent américain. Dans un sonnet dédié au «Sieur Champlain, Géographe du Roy», Lescarbot n'a-t-il pas souhaité à l'explorateur la gloire de cette découverte?

> *Que si tu viens à chef de ta belle entreprise*
> *On ne peut estimer combien de gloire un jour*
> *Acquerras à ton nom que desja chacun prise.*
>
> *Car d'un fleuve infini tu cherches l'origine,*
> *Afin qu'à l'avenir y faisant ton séjour*
> *Tu nous faces par là parvenir à la Chine*[40].

En 1603, le sieur de la Franchise invite les muses à célébrer Champlain qui promet de

> «.............*trouver le Levant*
> *Par le Nort, ou le Su, pour aller à la Chine*[41].»

Champlain qui imprime ces vers dans l'édition de ses voyages de 1603, laisse voir par là combien la chimère lui sourit. L'en croirait-on? La faillite des Anglais et de quelques autres à trouver le passage par le pôle, voilà tout bonnement ce qui aurait induit les Français à s'établir en Nouvelle-France, comme au point de départ des routes fluviales vers la mer d'Orient[42]. Qu'il se soit épris de ce grand projet de découverte, les textes abondent pour le démontrer. Un jour que le sieur de Monts et lui entretiennent le roi de leur projet de colonie sur le Saint-Laurent, l'explorateur fait valoir, avant toute chose, pour sa part, «le moyen de trouver le passage de la Chine, sans les incommoditez des glaces du Nort, ny les ardeurs de la zone torride...[43]» Quatre ans plus tard, en 1612, il reçoit sa commission du comte de Soissons. L'ordre lui est donné, et, à cet ordre, l'on peut croire qu'il n'est pas tout à fait étranger, d'explorer aussi haut que possible les rivières qui se jettent dans le Saint-Laurent, «pour aller par dedans ledit païs de la Chine & Indes Orientales...[44]» Rêveur tenace, Champlain nourrira la chimère jusqu'à la fin de sa vie. Dans l'édition de ses voyages de 1632, il estime encore que, pour n'avoir pu se faire «par un lieu», la découverte peut se faire, avec le temps, «par un autre... pourveu que Sa Majesté vueille assister les entrepreneurs d'un si loüable dessein»[45].

Pour l'aider, l'entretenir en ses rêveries, il faut bien l'avouer, Champlain avait trouvé un grand complice: le pays avec ses vastes plongées sur l'horizon. Dès le premier contact, Champlain a subi le prestige de l'immense et mystérieuse contrée. Le premier mot de son récit de voyage de 1615 est pour nous parler de «l'extréme affection» qu'il a «toujours euë aux descouvertures de la nouvelle France»[46]. Et, à vrai dire, quelles larges fenêtres sur l'inconnu se sont déjà ouvertes pour lui, dès le voyage de 1603. Pendant que le vent ou les rames emportent sa barque vers le saut Saint-Louis, en route, il a appris le cours du Saguenay, le cours du Saint-Maurice, la jonction des sources de ces deux fleuves par le lac Saint-Jean[47]; les rapports des sauvages lui font deviner la mer d'Hudson; des peuples chasseurs du haut Saint-Maurice s'y rendraient en moins de six journées[48]; il sait de même, pour y avoir navigué en barque cinq à six lieues, le cours du Richelieu; par les sauvages, il a encore appris les sources de la rivière iroquoise, et voire l'existence d'un fleuve lointain qui va déboucher à la côte de Floride[49], et qui ne peut être que l'Hudson. Notions qu'il pourra compléter en son voyage de 1609 au pays des Iroquois, alors qu'il explorera d'un bout à l'autre la future rivière Richelieu, le lac Champlain, apprendra l'existence du lac Saint-Sacrement et, à quelques lieux, la présence des sources du fleuve qui se jette à la côte de Norembègue: l'Hudson. Au delà du saut Saint-Louis, franchi par terre et à peine dépassé, les connaissances de l'explorateur restent, il est vrai, moins précises. Quel prestigieux panorama dessinent toutefois en son imagination les descriptions des Indiens interrogés par lui! Pour cette fois, c'est tout le cours du Saint-Laurent qui lui est révélé; et, c'est aussi, en dépit de contours peu nets, l'entier bassin des grands lacs, le régime radiaire des eaux du centre américain; et surtout, à quatre cents lieues peut-être du saut, cette mer «si grande qu'on n'en voit pas la fin», mer salée, au dire des Indiens, et où Champlain a bien de la peine à ne pas soupçonner la fameuse mer du sud, la mer de Chine[50].

Que fallait-il de plus pour attacher Champlain au pays du Saint-Laurent? Ce qu'il en apprendra, après son retour de 1608, ne pourra que fortifier sa volonté d'enracinement. Il lui faudra peu d'années, comme l'on sait, pour prendre, du bassin laurentien au delà du saut Saint-Louis, une connaissance personnelle, assez précise et complète. Le premier des explorateurs français, il a compris, dès 1603, tout le parti que l'on pouvait tirer du canot indien, la plus ingénieuse des inventions de nos sauvages: petite embarcation d'écorce de bouleau qu'il nous décrit longue de huit ou neuf pas, large d'un pas ou d'un pas et demi, s'amenuisant en pointe à chaque bout, «comme la navette d'un Tessier», dira Sagard, renforcée «par le dedans de petits cercles de bois bien

& proprement faicts», si légère qu'un homme l'emporte sur son dos, assez résistante néanmoins pour «porter la pesanteur d'une pipe»[51]. Qu'importent maintenant les sauts, même le grand saut d'Hochelaga! «En se gouvernant par le moyen desdicts sauvages et de leurs canots, écrit triomphalement l'explorateur, l'on pourra veoir tout ce qui se peut, bon & mauvais, dans un an ou deux[52].» Diverses circonstances l'empêcheront de s'enfoncer dans l'ouest, aussitôt qu'il l'eût voulu. En attendant il dépêche au devant de lui des avant-coureurs: Etienne Brûlé qu'il confie en 1610 aux Algonquins[53]; l'année suivante, à ce qu'il semble, Nicolas de Vignau[54]. En 1613 il peut enfin se mettre en route lui-même[55]. Parti, cette année-là, à la recherche de la mer du Nord, que Vignau prétendait avoir découverte, il n'atteindrait pas, hélas! ce rivage où, selon l'imposteur, la lame battait la carcasse d'un vaisseau anglais[56]. La randonnée s'arrêterait brusquement au lac des Allumettes, l'imposture aussitôt reconnue. Son véritable voyage d'exploration vers l'ouest, Champlain le fera pendant l'automne de 1615 et l'hiver suivant. Pour ce coup, ce sera presque l'entier périple de la péninsule ontarienne qu'il accomplira. L'Outaouais remonté jusqu'à la baie Georgienne, il faisait la découverte de la mer douce (lac Huron), visitait le pays des Hurons; une excursion de guerre au pays des Iroquois l'amenait par le lac Simcoe, le lac à l'Esturgeon, la rivière Trent, la baie de Quinté, à traverser le lac Ontario, dans la direction d'Oswego[57]. Une querelle de sauvages lui fit manquer une excursion projetée vers le nord. De la richesse et de l'immensité du pays, et vers tous les points cardinaux, il gardait pourtant une image assez juste et surtout enivrante: de l'Orient à l'Occident, dira-t-il, quatre cent cinquante lieues, et du Midy au Septentrion, l'espace du 41° au 48° et 49° degré; du côté du nord, contrée âpre et montueuse, fortement arrosée, riche en «grandes et hautes forests», domaine de tribus errantes, propre aux grandes chasses et aux grandes pêches; du côté du midi, climat plus doux, terre plus peuplée, fort agréable par ses arbres et ses fruits[58]. En somme, l'occident seul n'avait pas révélé ses mystères, l'occident lointain, au delà de la mer douce, à trente journées de canot. Cet occident restera, dans l'esprit de l'explorateur, comme l'énigme à la pointe torturante. Anxieusement interrogés, les Indiens n'ont pu lui redire que de vagues propos apportés par des prisonniers de guerre, à savoir qu'au delà de la «mer douce», des peuples existaient, différents des peuples indiens, peuples aux cheveux blonds, semblables en blancheur aux Français. Fait bien étrange et dont «il seroit bien besoing, conclut Champlain, d'en sçavoir la verité par la veuë[59].» Ce qu'il retient et ce qui console son avide curiosité, c'est ce grand nombre d'avenues fluviales ouvertes malgré tout sur l'inconnu, et c'est, par là, l'élasticité en quelque sorte indéfinie des horizons canadiens. Un jour prochain, il célébrera «la communication des grandes rivières & lacs, qui font comme des mers traversant les contrées, & qui rendent une grande facilité à toutes les descouvertes, dans le profond des terres, d'où on pourroit aller aux mers de l'Occident, de l'Orient, du Septentrion, & s'estendre jusques au Midy»[60]. À ce moment, il sait, sans doute, par Etienne Brûlé, qu'au delà de la mer douce, un autre «grandissime lac» existe, relié à celle-ci par le «Saut de Gaston», et formant tous les deux une étendue d'eau de quatre cents lieues de long[61].

Qu'est-il besoin de chercher davantage? Il semble que nous savons maintenant pourquoi la France fera, du bassin laurentien, son principal domaine colonial en Amérique; et nous savons aussi, quel fut, en ce choix, le rôle décisif de Samuel de Champlain. L'homme est à la fois rêveur et pratique. Il fut saisi par ces deux côtés de son esprit. L'explorateur est si bien conquis qu'en son estime il va placer le pays du Saint-Laurent au-dessus de la Floride. «Le pays & coste de la Floride, écrit-il en toutes lettres, peut avoir une autre temperature de temps, plus fertille en quantité de fruicts & autres choses, que celuy que j'ay veu; mais il ne peut y avoir des terres plus unies ny meilleures que celles que nous avons veuës[62].» Bien entendu, pour Champlain, le Canada l'emporte aussi sur l'Acadie. Il est vrai que depuis l'exode de Port-Royal, en 1607, des événements graves se sont passés sur la côte de l'Atlantique. Cette année-là même, une centaine de colons envoyés par la Compagnie de Londres fondaient sur les rives de la Virginie, Jamestown, première colonie anglaise qui ait vécu, «germe d'où sont sortis les États-Unis». Six ans plus tard, en 1613, des pêcheurs virginiens se comportant en vrais flibustiers, détruisaient le récent établissement français de Saint-Sauveur à l'Île des Monts-Déserts: nouvel essai de colonisation tenté celui-ci par Madame de Guercheville et quelques amis pour soustraire les Jésuites aux ennuis qu'on leur causait à Port-Royal. Saint-Sauveur détruit, les flibustiers allaient infliger le même sort à Port-Royal[63]. Expulsés peu à peu des rives océaniques, les trafiquants de fourrures de France se voyaient refouler vers le golfe et le fleuve. Sans doute, Champlain a-t-il ces faits présents à l'esprit, lorsque, vers 1630, il écrit son plaidoyer en faveur du Saint-Laurent. Ses préférences se fondent néanmoins sur des arguments d'un caractère moins occasionnel: raisons multiples qui intéressent à la fois le commerce, la stratégie, la géographie, les découvertes et voire l'évangélisation. À son avis, le trafic de l'Acadie n'offre rien de comparable à celui qui se peut faire «par le moyen du grand fleuve Sainct Laurent»; l'Acadie, dira-t-il encore, sera toujours une colonie «mal aisée à conserver, à cause du nombre infiny de ses ports, qui ne se *peuvent* garder que par de grandes forces»; avec cela que l'Acadie n'est pas sur les routes de pénétration à l'intérieur; s'y établir, c'est s'interdire de «pénétrer par ces lieux dans les terres»; enfin ce «terroir y est peu peuplé de Sauvages»; ce qui veut dire un champ d'apostolat plutôt mince pour les évangélisateurs[64].

La France avait trouvé son domaine colonial. Et Cartier avait vu juste. Après quelques tâtonnements, ses successeurs prenaient en somme la voie que le Malouin avait montrée. Admirable instinct de découvreur qui amenait la race française vers l'un des plus beaux domaines de l'Amérique du nord: contenu entre le plateau laurentien et les Apalaches, le bassin du Saint-Laurent mesure une superficie de 35,000 milles carrés, d'une largeur variable de 80 à 120 milles, mais d'une moyenne rarement inférieure à 60 milles; sol fertile, réseau fluvial et bassins d'eau propres à faciliter les communications et l'alimentation humaine, animale, industrielle. Destinée à faire l'objet d'âpres et longues disputes entre deux nations de l'Europe, cette portion du continent portait d'avance, comme inscrit à sa surface, le destin d'un grand peuple.

. . . .

En 1635 Champlain a environ soixante-cinq ans. L'âge n'a pas diminué en lui l'ampleur de la vision[65]. Jusqu'à la fin il sera l'explorateur sur qui le mystère américain garde des prises souveraines. De l'esplanade du Fort Saint-Louis, il suit les horizons, à mesure qu'ils reculent; et nul n'est si lointain qu'il ne le scrute passionnément. Depuis longtemps, enchaîné à Québec par le désarroi de toutes choses, il a dû suspendre ses découvertes. Pour tromper son inaction, il fait des plans. Les «descouvertures», il les croit nécessaires au peuplement du pays, à l'augmentation du trafic. Il n'ignore point que bien peu y sont propres; il y faut, comme il dit, «un courage masle». Il regrette aussi qu'on ne sache attirer «par quelques honneurs et bienfaits», les hommes de résolution qui osent embrasser l'héroïque métier. À toute aventure lointaine, deux conditions lui paraissent nécessaires: un solide appui quelque part, des guides indiens. Pour ces motifs, Champlain voudrait à Québec le prestige d'une force française, et autour de Québec, des établissements de sauvages auxiliaires. En laissant aux Français leurs femmes et enfants, comme otages, ces guides seraient moins tentés de fausser compagnie[66].

Rentré au Canada en 1633 et redevenu libre de ses mouvements, avec quelle ardeur Champlain tourne de nouveau ses regards vers l'ouest. On se le figure volontiers transposant sur ses cartes les données que lui fournissent interprètes et explorateurs[67]. Ces derniers font là-bas œuvre méritoire. Mais Champlain regarde encore plus loin. Son explorateur

Etienne Brûlé est disparu vers 1632, assassiné et mangé chez les Hurons[68]. Étonnante existence que celle du «Truchement Bruslé», ainsi que l'appelle Sagard. Natif de Champigny, près de Paris, vers 1592, il arrive à Québec en 1608, à l'âge d'environ seize ans. Parti en 1610 avec les sauvages hurons sur l'avis ou l'ordre de Champlain, il sera, peut-on dire, le premier «des coureurs de bois», aventuriers que la vie indienne, avec ses mœurs libres, son charme d'inconnu, finira souvent par capter et absorber. Brûlé aura donc été le premier des Européens à remonter l'Outaouais, le premier à découvrir le lac Huron ou du moins la baie Georgienne. En 1615 il descend la Susquehanna jusqu'à l'Atlantique, c'est-à-dire jusqu'à la baie de Chesapeake[69]. Dans les années d'après il aurait encore exploré la contrée au nord du lac Érié, la rive nord du lac Huron, et découvert, à ce qu'il semble, le lac Supérieur.

Quel profit au juste aura tiré Champlain des relations de son explorateur? Sa carte de 1629 ne fournit qu'un dessin bien imprécis de la région des Lacs[70]. Une ébauche bâtie sur de l'à peu près. Trois lacs y apparaissent, le «Grand lac», le lac «Saint-Louis», (Ontario) et le lac Huron. Mais la «Mer douce», qui tient presque toute la place, se déploie dans la direction est-ouest, quand sa direction véritable est sud-nord. Point de lac Michigan; point de lac Sainte-Claire; point de lac Érié, ou celui-ci réduit à une minuscule mare d'eau. Mais la péninsule occidentale de l'Ontario, en forme de botte d'homme, dont le sommet est au pays des Hurons, le coup de pied à la Mer douce, la pointe à Détroit, la semelle au lac Érié, et le talon à Niagara, tout cet ensemble n'est que légèrement déformé. Les nations qui avoisinent la contrée huronne, la nation du Pétun, la nation Neutre, celle-ci tout près des Hurons, au sud, celle-là à l'ouest de Niagara, sont indiquées; mention est même faite des Illinois, au sud de la «Mer douce»: «Nation où il y a quantité de buffles», lit-on, en souvenir, sans doute, des peaux de buffles illinois aperçus, en 1615, par Champlain, aux mains des Outaouais. En revanche, les Puants[71], qui habitaient la grande baie de l'ouest du Michigan, la future Baie Verte, sont reportés au nord du lac Huron, près d'un lac où l'on indique une mine de cuivre[72]. Détail qui semblerait désigner le lac Supérieur. Pourtant non, le lac supérieur apparaît plus bas, à l'ouest, assez mal disposé, il est vrai, avec cette indication: «Grand Lac», et cette autre indication d'un «Sault», sur le mince bras d'une rivière, qui conduit au lac Huron. Et voilà qui paraît bien une contribution d'Etienne Brûlé. «Le Truchement Bruslé avec quelques sauvages, écrit Sagard, nous ont assuré qu'au delà de la mer douce, il y a un autre grandissime lac, qui se décharge dans icelle par une cheute d'eau que l'on a surnommé le Saut de Gaston...[73] Bruslé donne même à ce lac «quatre cent lieuës de longueur»[74].»

Mais regardons maintenant la carte de 1632, la dernière que nous ait laissée Champlain. Cette fois, Champlain semble avoir mieux utilisé les renseignements fournis par Brûlé et peut-être aussi par les premiers missionnaires Récollets et Jésuites rentrés en France avec lui en 1629. Sur cette carte de 1632, on aperçoit très bien le lac Supérieur, «Grand Lac», placé au-dessus du lac Huron, la «Mer douce», celle-ci assez mal placée, sur le plan horizontal, et absorbant le lac Michigan, totalement absent. Le lac Erié, relié à la «Mer douce», est réduit à la succession de deux petits lacs; en revanche le lac St-Louis (lac Ontario) occupe la place et l'espace qui lui reviennent. Le cours de l'Outaouais avec ses îles, ses rapides, quelques-uns de ses tributaires, est d'un dessin notablement amélioré. Et de même distingue-t-on nettement le lac Nipissing et la Rivière des Français.

En 1634 Champlain porte les yeux vers des horizons encore plus reculés. Cette année-là il convie à ses projets d'exploration un autre interprète fameux: Jean Nicolet, jeune Normand de Cherbourg[75], arrivé au pays, croit-on, en 1618, à l'âge de vingt ans. L'homme est de bonnes ressources. Il a déjà vécu deux ans chez les Algonquins de l'Île des Allumettes. À la tête de 400 Algonquins, il a négocié un jour, avec succès, la paix avec les Iroquois[76]. Il a passé sept ans chez les Nipissiriniens, où il est retourné pour tout le temps de l'occupation anglaise des Kirke. Superbe aventurier, comme Brûlé, mais de ceux que l'aventure ne gardera pas. Au reste, homme de goût raffiné, de mœurs tenant de la «vie apostolique», au témoignage des missionnaires. Volontiers, faisait-il «servir sa langue à la Religion de Jésus-Christ»[77]. Avec tout cela incomparable manieur d'hommes, sachant «tourner où il vouloit» les Indiens, avec une «dextérité qui à peine trouvera son pareil», diront encore les *Relations*; en un mot, vrai type d'ambassadeur, comme aux heures graves du Régime, en expédieront aux sauvages les gouverneurs de Québec. Champlain confie à Nicolet une mission un peu plus qu'ordinaire. Par les Nipissiriniens qui en avaient déjà entretenu Sagard, et qui allaient jusque là faire la traite, le jeune homme connaissait l'existence d'une nation établie vers le sud à plus d'une lune et demie, soit à cinq cents lieues. Ces sauvages appelés Ouinipigons, portent un autre nom, assez mystérieux: Gens-de-mer. Ils font la guerre aux Hurons, et par là gênent le commerce.

Nicolet se rendra donc en leur lointain pays; et il aura pour tâche de les amener à faire la paix. Nous sommes en 1634. Il importe d'élargir le plus possible et le plus tôt possible, le champ d'opération des Cent-Associés[78]. En route Nicolet essaiera de débrouiller l'écheveau des lacs; il nouera amitié avec toutes les nations sauvages, et s'efforcera d'orienter, vers le Saint-Laurent, le trafic de l'immense région.

Mission déjà considérable qui apparemment ne s'arrête point là. Ces «Gens de mer», de là l'origine de leur nom, passent pour entretenir des relations de commerce avec d'autres peuples fort éloignés qui viennent à eux, sur de «grands basteaux ou navires de bois», et par voie de mer. Sagard inclinait à voir en ces Ouinipigons une nation policée des bords de la mer d'Orient[79]. En dépêchant vers eux l'un de ses ambassadeurs, Champlain nourrit-il le secret espoir de découvrir de ce côté, la fameuse mer de Chine qui hante toujours son esprit? Chimère que beaucoup de ses contemporains, comme l'on sait, partagent avec lui. N'est-ce point, en la Relation de 1626, que le Père Charles Lalemant, à la suite de Sagard, assigne au Canada, pour borne vers l'occident, la mer de Chine[80]? Dans leur opinion commune, les Indiens ne font-ils pas eux-mêmes de l'Amérique une grande île? Quoi qu'il en soit, la grande robe de damas de chine «parsemée de fleurs et d'oiseaux de diverses couleurs» emportée par Nicolet en son bagage et dont il se para pour faire son entrée au village des Ouinipigons, donne singulièrement à penser. Parti en juillet 1634, Nicolet fut de retour l'été de l'année suivante. Accompagné de sept Hurons, embauchés à l'Huronie, seul Français de son groupe, le voyageur a gagné le Sault Sainte-Marie, puis Michilimakinac; de là, en suivant de près la rive droite du lac Michigan, son canot l'a conduit au fond de la Baie Verte, terme fixé à sa course. Accueilli avec enthousiasme par les Ouinipigons, il peut parler de paix devant une assemblée de quatre à cinq mille hommes; et sa chance lui vaut de s'acquitter heureusement de sa mission. Il n'y avait plus qu'à prendre le chemin du retour. Mais Nicolet se laisse gagner par le mirage des horizons. Et le voici donc qui, par la rivière des Renards, pousse une pointe jusqu'à un village des Mascoutins, et de là, à ce que l'on appelle aujourd'hui le Northern Illinois. De ce lieu, il le sait, trois jours au plus le séparent d'un portage qui le jetterait dans le Wisconsin, et, par ce fleuve, «dans la mer». Il prenait pour la mer les eaux du bassin du Mississipi[81]. Quelle tentation dut être la sienne. Hélas, le printemps s'avançait. Il fallut reprendre le chemin de Québec, pour s'y retrouver avant le départ des vaisseaux de France. Odyssée audacieuse! La plus audacieuse peut-être de toutes celles de l'ancien régime. D'un seul coup, par ce jeune Normand de trente-six ans, l'exploration française vient de faire un bond en avant de plus de quatre cents lieues[82].

Grâce à Nicolet, Champlain, on peut le présumer, aura pu apporter à ses cartes de précieuses corrections. Il aura pu dessiner, en sa vraie position, le grand bassin d'eau qui portera tant de noms: grand lac des Algonquins, lac des Puants, lac des Illinois, lac Dauphin, pour garder enfin celui de Michigan. Et voilà, comme se clôt, avec la mort du fondateur de Québec, l'ère des explorations dans la région des lacs. Les gains en valent la peine. Tous les bassins de la mer intérieure sont repérés ou soupçonnés. Et sur la plupart de ces bassins planent les plus ambitieux espoirs, l'espoir de Nicolet entre autres de trouver la mer au sud du lac Michigan[83]. La mer, personne ne doute qu'elle ne soit là, à proximité, après une courte navigation de trois jours sur un grand fleuve[84]. Et ce serait peut-être le lieu de rappeler ici l'apport des Jésuites des missions huronnes à l'exploration du temps de Champlain. Munis, dirait-on, de bottes de géants, ils découvrent, articulent rapidement les charnières qui relieront les lacs au Mississipi, le réseau du Saint-Laurent au réseau de l'ouest et à celui des eaux mexicaines[85]. Mais ceci viendra dans la période qui va suivre.

Le 15 août, Nicolet de retour à Québec, renouvelait son engagement avec les Cent-Associés[86]. Le même jour Champlain écrivait sa dernière lettre, à ce qu'il semble, à Richelieu. Manifestement les récits de l'explorateur l'ont transporté. De nouveau il entreprend l'éloge de l'immense pays: «de plus de quinze cent lieues de longitude». Il vante encore une fois ces terres dont la beauté «ne sauroit estre trop prisées n'y louées...» Mais surtout, et c'est là le grand intérêt de cette lettre, Champlain se persuade que la France peut encore prétendre à l'entière possession du continent. Qu'on lui envoie seulement cent vingt hommes armés à la légère. Avec cette petite troupe, et deux à trois mille sauvages alliés, il se fait fort de compter les Iroquois. Dans un an la puissance française n'aura pas seulement accru les conquêtes de la foi; elle sera en possession d'un «traficq incroyable». Bien mieux, coupé de leur commerce avec les nations iroquoises, Anglais et Flamands se verront contraints à se retirer sur les côtes, puis finalement à «abandonner le tout»[87].

TEXTES

I

«Le mercredy, dix-huictiesme jour de Iuin, nous partismes de Tadousac, pour aller au Sault.

. . . .

Nous vinsmes mouiller l'ancre à Quebec, qui est un destroict de ladite riuière de Canadas, qui a quelque trois cens pas de large. Il y a à ce destroict, du costé du Nort, vne montaigne assez haulte, qui va en abaissant des deux costez; tout le reste est pays vny & beau, où il y a de bonnes terres pleines d'arbres, comme chefnes, cyprés, boulles, sapins & trembles, & autres arbres fruictiers sauuages, & vignes; qui faict qu'à mon opinion, si elles estoient cultiuées, elles seroient bonnes comme les nostres. Il y a, le long de la coste dudict Quebec, des diamants dans des rochers d'ardoyse, qui sont meilleurs que ceux d'Alençon. Dudict Quebec iusques à l'isle au Coudre, il y a 29 lieuës.

. . . .

Le lundy, 23. dudict mois, nous partismes de Quebec, où la riuiere commence à s'eslargir quelques-fois d'vne lieuë, puis de lieuë & demye ou deux lieuës au plus. La pays va de plus en plus en embellissant; ce sont toutes terres basses, sans rochers, que fort peu. Le costé du Nort est remply de rochers & bancs de sable; il faut prendre celuy du Su comme d'vne demy lieuë de terre. Il y a quelques petites riuieres qui ne sont point nauiguables, si ce n'est pour les canots de sauuages, auxquelles il y a quantité de saults. Nous vinsmes mouiller l'ancre iusques à Saincte Croix, distante de Quebec de quinze lieuës; c'est vne poincte basse, qui va en haulsant des deux costez...

Du costé du Nort, il y a vne riuiere qui s'appelle Batiscan, qui va fort auant en terre, par où quelques-fois les Algoumequins viennent; & vne autre du mesme costé, à trois lieuës dudict Saincte Croix sur le chemin de Quebec, qui est celle où fut Jacques Cartier au commencement de la descouuerture qu'il en feit, & ne passa point plus outre. Laditte riuiere est plaisante, & va assez auant dans les terres. Tout ce costé du Nort est fort vny & aggreable.

. . . .

Plus nous allions en auant, & plus le pays est beau.

. . . .

Le vendredy ensuyuant, nous partismes de ceste isle, costoyant tousiours la bande du Nort tout proche terre, qui est basse & pleine de tous bons arbres, & en quantité, iusques aux Trois Riuieres, où il commence d'y auoir temperature de temps quelque peu dissemblable à celuy de Saincte Croix, d'autant que les arbres y sont plus aduancez qu'en aucun lieu que i'eusse encores veu. Des Trois Riuieres iusques à Saincte Croix il y a quinze lieuës. En ceste riuiere, il y a six isles, trois desquelles sont fort petites, & les autres de quelques cinq à six cens pas de long, fort plaisantes, & fertilles pour le peu qu'elles contien-nent. Il y en a vne au milieu de laditte riuiere qui regarde le passage de celle de Canadas, & commande aux autres esloignées de la terre, tant d'vn costé que d'autre de quatre à cinq cens pas. Elle est esleuée du costé du Su, & va quelque peu en baissant du costé du Nort. Ce seroit à mon iugement vn lieu propre à habiter, & pourroit-on le fortifier promptement, car sa scituation est forte de soy, & proche d'vn grand lac qui n'en est qu'à quelques quatre lieuës; lequel ioinct presque la riuiere de Saguenay, selon le rapport des sauuages, qui vont prés de cent lieuës au Nort, & passent nombre de saults, puis vont par terre quelques cinq ou six lieuës, & entrent dedans un lac, d'où ledict Saguenay prend la meilleure part de sa source, & lesdicts sauuages viennent dudict lac à Tadousac. Aussi que l'habitation des Trois Riuieres seroit vn bien pour la liberté de quelques nations, qui n'osent venir par là, à cause desdicts Irocois leurs ennemis, qui tiennent toute laditte riuiere de Canadas bordée; mais, estant habitée, on pourroit rendre lesdicts Irocois & autres sauvages amis, ou à tout le moins sous la faueur de laditte habitation, lesdicts sauuages amis, ou à tout le moins sous crainte & danger, d'autant que ledict lieu des Trois Riuieres est un passage. Toute la terre qui ie vis à la terre du Nort est sablonneuse. Nous entrasmes enuiron vne lieuë dans laditte riuiere, & ne pusmes passer plus outre à cause du grand courant d'eau. Auec vn esquif, nous fusmes pour veoir plus auant; mais nous ne feismes pas plus d'vne lieuë, que nous rencontrasmes vn sault d'eau fort estroict, comme de douze pas, ce qui fut occasion que nous ne peusmes passer plus outre. Toute la terre que ie veis aux bords de laditte riuiere, va en haussant de plus en plus, qui est remplie de quantité de sapins & cyprez, & fort peu d'autres arbres.

. . . .

Le samedy ensuyuant, nous partismes des Trois Riuieres, & vinsmes mouiller l'ancre à vn lac, où il y a quatre lieuës. Tout ce pays depuis les Trois-Riuieres iusques à l'entrée dudict lac, est terre à fleur d'eau, & du costé du Su quelque peu plus haulte. Laditte terre est trés bonne, & la plus plaisante que nous eussions encores veuë. Les bois y sont assez clairs, qui faict que l'on pourroit y trauerser aisément.

. . . .

Nous fusmes dans la riuiere des Iroquois quelques cinq ou six lieuës, & ne peusmes passer plus outre auec nostre barque, à cause du grand cours d'eau qui descend, & aussi que l'on ne peut aller par terre, & tirer la barque, pour la quantité d'arbres qui sont sur le bord. Voyans ne pouuoir aduancer dauantage, nous prinsmes notre esquif, pour veoir si le courant estoit plus adoucy; mais, allant à quelques deux lieuës, il estoit encores plus fort, & ne peusmes aduancer plus auant. Ne pouuant faire autre chose, nous nous en retournasmes en notre barque. Toute ceste riuiere est large de quelques trois ou quatre cens pas, fort saine. Nous y veismes cinq isles, distantes les vnes des autres d'vn quart ou demye lieuë ou d'vne lieuë au plus, vne desquelles contient vne lieuë, qui est la plus proche; & les autres sont fort petites. Toutes ces terres son couuertes d'arbres, & terres basses comme celles que i'auois veuës auparauant; mais il y a plus de sapins & de cyprez qu'aux autres lieux. La terre ne laisse d'y este bonne, bien qu'elle soit quelque peu sablonneuse. Ceste riuiere va comme au Sorouest.

Les sauuages disent qu'à quelques quinze lieuës d'où nous auions esté, il y a vn sault qui vient de fort hault, où ils portent leurs canots pour le passer enuiron vn quart de lieuë, & entrent dedans vn lac, où à l'entrée il y a trois isles, & estans dedans, ils en rencontrent encores quelques vnes. Il peut contenir quelques quarante ou cinquante lieuës de long, & de large quelques vingt-cinq lieuës, dans lequel descendent quantité de riuieres, iusques au nombre de dix, lesquelles portent canots assez auant. Puis, venant à la fin dudict lac, il y a vn autre sault, & rentrent dedans vn autre lac, qui est de la grandeur dudict premier, au bout duquel sont cabannez les Iroquois. Ils disent aussi qu'il y a vne riuiere qui va rendre à la coste de la Floride, d'où il y peut aueoir dudict dernier lac quelques cent ou cent quarante lieuës. Tout le pays des Iroquois est quelque peu montagneux, neantmoins païs très bon, tempéré, sans beaucoup d'hyuer, que fort peu.

Enfin nous arriuasmes cedict iour à l'entrée du sault, auec vent en poupe, & rencontrasmes vne isle qui est presque au milieu de laditte entrée, laquelle contient vn quart de lieuë de long, & passasmes à la bande du Su de laditte isle, où il ny auoit que de trois à quatre ou cinq pieds d'eau, & aucunes fois vne brasse ou deux; & puis tout à vn coup n'en trouuions que trois ou quatre pieds. Il y a force rochers & petites isles où il n'y a point de bois, & sont à fleur d'eau. Du commencement de la susditte isle, qui est au milieu de laditte entrée, l'eau commence à venir de grande force; bien que nous eussions le vent fort bon, si ne peusmes-nous, en toute nostre puissance, beaucoup aduancer; toutesfois nous passasmes laditte isle qui est à l'entrée dudict sault. Voyant que nous ne pouuions auancer, nous vinsmes mouiller l'ancre à la bande du Nort, contre vne petite isle qui est fertille en la pluspart des fruicts que i'ay dict cy-dessus. Nous appareillasmes aussitost nostre esquif, que l'on auoit fait faire exprés pour passer ledict sault, dans lequel nous entrasmes ledict Sieur du Pont & moy, auec quelques autres sauuages que nous auions menez pour nous montrer le chemin. Partant de nostre barque, nous ne fusmes pas à trois cens pas, qu'il nous fallut descendre, & quelques matelots se mettre à l'eau pour passer nostre esquif. Le canot des sauuages passoit aysément. Nous rencontrasmes vne infinité de petits rochers, qui estoient à fleur d'eau, où nous touschions souuentes fois.

. . . .

Venans à approcher dudict Sault auecq nostre petit esquif & le canot, ie vous asseure que iamais ie ne veis vn torrent d'eau desborder auec vne telle impetuosité comme il faict, bien qu'il ne soit pas beaucoup haut, n'estant en d'aucuns lieux que d'vne brasse ou de deux, & au plus de trois. Il descend comme de degré en degré, & en chasque lieu où il y a quelque peu de hauteur, il s'y fait vn esbouillonnement estrange de la force & roideur que va l'eau en trauersant ledict Sault, qui peut contenir vne lieuë. Il y a force rochers de large, & enuiron le milieu, il y a des isles qui sont fort estroites & fort longues, où il y a sault tant du costé desdittes isles qui sont au Su, comme du costé du Nort, où il fait si dangereux, qu'il est hors de la puissance d'homme d'y passer vn bateau, pour petit qu'il soit.

. . . .

Voyans que nous ne pouuions faire dauantage, nous en retournasmes en nostre barque, où nous interrogeasmes les sauuages que nous auions, de la fin de la riuiere, que ie leur feis figurer de leurs mains, & de quelle partie procedoit sa source. Il nous dirent que passé le premier sault que nous auions

veu, ils faisoient quelque dix ou quinze lieuës auec
leurs canots dedans la riuiere, où il y a vne riuiere
qui va en la demeure des Algoumequins, qui sont à
quelques soixante lieuës esloignez de la grand'riviere, & puis ils venoient à passer cinq saults, lesquels peuuent contenir du premier au dernier huict
lieuës, desquels il y en a deux où ils portent leurs
canots pour les passer. Chasque sault peut tenir quelque demy quart de lieuë, ou vn quart au plus; & puis
ils viennent dedans vn lac, qui peut tenir quelques
quinze ou seize lieuës de long. Delà ils rentrent
dedans une riuiere qui peut contenir vne lieuë de
large, & font quelques lieuës dedans; & puis rentrent
dans vn autre lac de quelques quatre ou cinq lieuës
de long; venant au bout duquel, ils passent cinq
autres saults, distans du premier au dernier quelque
vingt-cinq ou trente lieuës, dont il y en a trois où ils
portent leurs canots pour les passer, & les autres
deux, il ne les font que traisner dedans l'eau, d'autant
que le cours n'y est si fort ne mauuais comme aux
autres. De tous ces saults, aucun n'est si difficile à
passer, comme celuy que nous auons veu. Et puis ils
viennent dedans vn lac qui peut tenir quelques 80
lieuës de long, où il y a quantité d'isles; & que au
bout d'iceluy l'eau y est salubre & l'hyuer doux. À
la fin dudit lac, ils passent vn sault qui est quelque
peu éleué, où il y a peu d'eau, laquelle descend. Là,
ils portent leurs canots par terre enuiron vn quart de
lieuë pour passer ce sault; de là entrent dans vn autre
lac qui peut tenir quelques soixante lieuës de long,
& que l'eau en est fort salubre. Estant à la fin ils
viennent à vn destroict qui contient deux lieuës de
large, & va assez auant dans les terres. Qu'ils
n'auoient point passé plus outre, & n'auoient veu la
fin d'vn lac qui est à quelques quinze ou seize lieuës

d'où ils sont esté, ny que ceux qui leur auoient dict eussent veu homme qui le l'eust veu; d'autant qu'il est si grand, qu'ils ne se hazarderont pas de se mettre au large, de peur que quelque tourmente ou coup de vent ne les surprinst. Disent qu'en esté le soleil se couche au nord dudict lac, & en l'hyuer il se couche comme au milieu; que l'eau y est trés mauuaise, comme celle de ceste mer.

Ie leur demandis si depuis cedict lac dernier qu'ils auoient veu, si l'eau descendoit tousiours dans la riuiere venant à Gaschepay: ils me dirent que non; que depuis le troisiesme lac elle descendoit seulement, venant audict Gaschepay; mais que depuis le dernier sault, qui est quelque peu hault, comme i'ay dict, que l'eau estoit presque pacifique, & que ledit lac pouuoit prendre cours par autres riueres, lesquelles vont dedans les terres, soit au Su, ou au Nort, dont il y en a quantité qui y refluënt, & dont ils ne voyent point la fin. Or, à mon iugement, il faudroit que si tant de riuieres desbordent dedans ce lac, n'ayant que si peu de cours audict sault, qu'il faut par nécessité qu'il reffluë dedans quelque grandissime riuere. Mais ce qui me faict croire qu'il n'y a point de riuiere par où cedict lac reffluë, veu le nombre de toutes les autres riueres qui reffluënt dedans, c'est que les sauuages n'ont vu aucune riuiere qui prinst son cours par dedans les terres, qu'au lieu où ils ont esté: ce qui me faict croire que c'est la mer du Su, estant sallée, comme ils disent. Toutesfois il n'y faut pas tant adiouster de foy, que ce soit auec raisons apparentes, bien qu'il y en aye quelque peu.

Voylà au certain tout ce que i'ay veu cy-dessus, & ouy dire aux sauuages sur ce que nous les auons interrogez.

. . . .

Quand à l'estenduë, tirant de l'Orient à l'Occident, elle contient prés de quatre cent cinquante lieuës de long, & quelque quatre-vingt ou cent lieuës par endroicts de largeur du Midy au Septentrion, soubs la hauteur de quarante & vn degré de latitude, iusques à quarante huit & quarante-neuf degrez. Ceste terre est presque vne isle, que la grande riuiere de Saint Laurens entoure, passant par plusieurs lacs de grande estenduë, sur le riuage desquels il habite plusieurs nations, parlans diuers langages, qui ont leurs demeures arrestées, tous amateurs du labourage de la terre, lesquels neantmoins ont diuerses façons de viures, & de mœurs, & les vns meilleurs que les autres. Au costé vers le Nort, icelle grande riuiere tirant à l'Occident quelque cent lieuës par de là vers les Attigouautans. Il y a de tres-hautes montagnes, l'air y est temperé plus qu'en aucun autre lieu desdites contrées, & soubs la hauteur de quarante & vn degré de latitude: toutes ces parties & contrées sont abondantes en chasses, comme de Cerfs, Caribous, Eslans, Dains, Buffles, Ours, Loups, Castors, Regnards, Foüines, Martes, & plusieurs autres especes d'animaux, que nous n'auons pas par deça. La pesche y est abondante en plusieurs sortes & especes de poisson, tant de ceux que nous auons, que d'autres que nous n'auons pas aux costes de France. Pour la chasse des oyseaux, elle y est aussi en quantité, & qui y viennent en leur temps, & saison: Le pays est trauersé de grand nombre de riuieres, ruisseaux, & estangs, qui se deschargent les vnes dans les autres, & en leur fin aboutissent dedans ledict fleuue Sainct Laurent, & dans les lacs par où il passe: Le païs est fort plaisant en son Printemps, il est chargé de grandes & hautes forests, & remplies des bois de pareilles especes que ceux que nous auons en France, bien est-il vray qu'en plusieurs endroicts il y a quantité de païs deserté, où ils sement des bleds d'Inde: aussi que ce pays est abondant en prairies, pallus, & marescages, qui sert pour la nourriture desdicts animaux. Le pays du Nort de ladite grande riuiere est fort aspre & montueux, soubs la hauteur de quarante-sept à quarante-neuf degrez de latitude, remply de rochers forts en quelques endroicts, à ce que j'ay peu voir, lesquels sont habitez de Sauuages, qui viuent errants parmy le pays, ne labourans, & ne faisans aucune culture, du moins si peu que rien, & sont chasseurs, estans ores en vn lieu, & tantost en vn autre, le païs y estant assez froid & incommode. L'estenduë d'icelle terre du Nord soubs la hauteur de quarante-neuf degrez de latitude, de l'Orient à l'Occident a six cents lieuës de longitude, qui est aux lieux dont nous auons ample cognoissance. Il y a aussi plusieurs belles & grandes riuieres qui viennent de ce costé-là, & se deschargent dedans ledit fleuue, accompagnez dvn nombre infiny de belles prairies, lac, & estangs, par où elles passent, dans lesquels y a abondance de poissons, & force isles, la pluspart desertes, qui sont delectables à voir, où en la pluspart il y a grande quantité de vignes, & autres fruicts Sauuages. Quand aux parties qui tirent plus à l'Occident, nous n'en pouuons, sçauoir bonnement le traget, d'autant que les peuples n'en ont aucune cognoissance, sinon de deux ou trois cents lieuës, ou plus, vers l'Occident, d'où vient ladicte grande riuiere qui passe entr'autres lieux, par vn lac qui contient prés de trante iournées de leurs canaux, à sçauoir celuy qu'auons nommé la Mer douce, eu esgard à sa grande estenduë, ayant prés de quatre cent lieuës de long: aussi que les Sauuages auec lesquels nous auons accez, ont guerre auec autres nations, tirant à l'Occident dudit grand lac, qui est la cause que nous n'en pouuons auoir plus ample cognoissance, sinon qu'ils nous ont dict plusieurs fois que quelques prisonniers de cent lieuës leur ont rapporté y auoir des peuples semblables à nous en blancheur, & autres choses, ayans par eux veu de la chevelure de ces peuples, qui est fort blonde, & qu'ils estiment beaucoup, pource qu'ils les disent estre comme nous. Je ne puis que penser là dessus, sinon que ce fussent gens plus civilisez qu'eux, & qu'ils disent nous ressembler: il seroit bien besoing d'en sçauoir la vérite par la veuë, mais il faut de l'assistance, il n'y a que le temps, & le courage de quelques personnes de moyens, qui puissent, ou vueillent, entreprendre d'assister ce desseing, affin qu'vn jour on puisse faire vne ample & parfaite découuerture de ces lieux, affin d'en auoir vne cognoissance certaine.

Pour ce qui est du Midy de ladite grande riuiere, elle est fort peuplé, & beaucoup plus que le costé du Nort, & de diuerses nations ayans guerres les uns contre les autres. Le pays y est fort aggreable, beaucoup plus que le costé du Septentrion, & l'air plus temperé, y ayant plusieurs especes d'arbres & fruicts qu'il n'y a pas au Nort dudit fleuue, aussi y a-t-il beaucoup de choses au Nort qui le recompense, qui n'est pas du costé du Midy: Pour ce qui est du costé de l'Orient, ils sont assez cogneus, d'autant que la grand'Mer Occeanne borne ces endroicts-là, à sçauoir les costes de la Brador, terre-Neufue, Cap Breton, la Cadie, Almonchiguois, lieux assez communs, en ayant traité à suffire au discours de mes voyages precedents, comme aussi des peuples qui y habitent, c'est pourquoy ie n'en feray mention en ce traicté, mon subiect n'estant que faire vn rapport par discours succint & veritable de ce que i'ay veu & recogneu de plus particulier*.

Le Canot

II

Au commencement de tout, nous rencontrons, non pas la route, comme dirait Demolins, mais un véhicule: la petite voiture indienne, le canot d'écorce de bouleau, l'invention «la plus spirituelle» du sauvage, selon le mot d'un ancien chroniqueur[88]. Le canot a rendu possible le coureur de bois. Au maniement du canot, amarré sur toutes les grèves, le petit Canadien, l'observation est de Charlevoix, s'exerce «dès la bavette». Cet exercice fait partie de ses premiers jeux. Le jour où l'enfant devenu jeune homme sentira sous ses genoux, bercée par la vague, la fragile et merveilleuse embarcation, si admirablement faite pour la course, qui pourra bien l'empêcher de rêver de voyages, d'aventures lointaines? Observez qu'il habite un pays où n'existent encore que les routes d'eau: routes coupées de fréquentes cataractes, ouvertes, à vrai dire, à la seule embarcation indienne. Le canot, le jeune Canadien a appris qu'avec un simple couteau, le moins habile peut partout, dans toute la région américaine où règne le bouleau, le fabriquer le long du chemin. Il sait que la fabrication du véhicule n'exige aucun ferrement, pas le moindre clou, mais rien que du bois et des filaments de bois pour coudre et fixer les pièces. Il sait encore qu'avec son squelette de varangues en bois de cèdre et sa légère enveloppe d'écorce, deux hommes, un homme parfois, peuvent le porter au-dessus des ca-

71

taractes, dans les sentiers des portages, aussi facilement qu'un article de voyage. Pour la manœuvre du véhicule, rien que de simple également et rien de plus aisé à fabriquer: un unique instrument, l'aviron: bout de rame en bois d'érable, mais sans tolets, sorte de ralonge de la main, souple, libre comme elle, capable de vigoureuses plongées où s'actionnent tous les muscles des biceps et du torse, capables aussi d'effleurements imperceptibles ou de glissements silencieux. Pendant toute une époque, ne l'oublions pas, plus encore que la jeunesse d'aujourd'hui ne se passionne pour une raquette de tennis, un volant d'auto, une manette d'avion, la jeunesse canadienne d'autrefois s'est passionnée pour l'aviron d'érable. «Ils naissent tous canoteurs, dira d'eux Frontenac, et sont endurcis à l'eau comme des poissons»[89]. Écoutez-les chanter ce refrain de leur crû:

> C'est l'aviron qui nous mène, qui nous mène;
> C'est l'aviron qui nous mène en haut.

En haut! Entendons l'expression comme cette jeunesse, j'en suis sûr, se plaît à l'entendre: c'est-à-dire pas seulement les pays d'en haut; mais d'autres sommets qui s'appellent, en son imagination: vie libre, élargie, richesse, gloire, richesse des trafiquants de fourrure, gloire des explorateurs. L'aviron, c'est, pour la jeunesse de jadis, la baquette magique par quoi s'ouvrent devant elle le monde des mystères et des pactoles et les pays enchantés[90].

Lionel Groulx, ptre

(Extrait d'une conférence inédite: *Le seigneur de l'aviron*)

Le Canot.

Notes

* Extraits de cours inédits de l'auteur.
1. Abbé C.-H. Laverdière, *Oeuvres de Champlain*, (5 vol., Québec, 1870), V: 11; II: 27. Voir ce que prétend là-dessus Marc Lescarbot, *Histoire de la Nouvelle-France* (3 vol., Paris, 1866), II: 309, 327, et ce qu'il faut penser de son affirmation, Laverdière, *Oeuvres de Champlain*, II: 27.
2. Laverdière, *Oeuvres de Champlain*, V: 49.
3. Laverdière, *Oeuvres de Champlain*, II: 48-60.
4. *Ibid.*, V: 49.
5. *Ibid.*, III: 7.
6. Laverdière, *Oeuvres de Champlain*, III: 50-54; V: 9-26.
7. Lescarbot, *Histoire de la Nouvelle-France*, op. cit., II: 436.
8. Laverdière, *Oeuvres de Champlain*, III: 26-28, 40; V: 66-68. Lescarbot, *Histoire de la Nouvelle-France, op. cit.*, II: 449-450.
9. Lescarbot, *Histoire de la Nouvelle-France, op. cit.*, II: 450.
10. Lescarbot, *ibid.*, II: 478; Laverdière, *Oeuvres de Champlain*, III: 41, 43, 45, 76.
11. Laverdière, *Oeuvres de Champlain*, III: 17-18; V: 61.
12. Voir le croquis de Champlain, Laverdière, *ibid.*, III: 78-79.
13. Laverdière, *Oeuvres de Champlain*, III: 78.
14. *Ibid.*, III: 80.
15. *Ibid.*, III; 120-121. Lescarbot, *Histoire de la Nouvelle-France, op. cit.*, II: 554.
16. Laverdière, *Oeuvres de Champlain*, V: 54.
17. Voir, pour l'explication de ce nom, Laverdière, *Oeuvres de Champlain*, III: 77, note.
18. Laverdière, *ibid.*, III: 89.
19. *Ibid.*, III: 89. Lescarbot, *Histoire de la Nouvelle-France, op. cit.*, II: 478.
20. Laverdière, *ibid.*, III: 45.
21. *Ibid.*, III: 81-84.
22. Voir Harrisse, *Découverte et évolution cartographique de Terre-Neuve* (Paris, Londres, 1900), 145-161, 219. Laverdière, *Oeuvres de Champlain*, III: 31, note. Lescarbot, *Histoire de la Nouvelle-France, op. cit.*, II: 470-472. Etienne Micard, *L'effort persévérant de Champlain* (Paris, 1929), 54.

23. John Gilmary Shea, *Discovery and exploration of the Missis-sipi Valley* (New York, 1852), VII-XVII

24. Harrisse, *Découverte et évolution cartographique de Terre-Neuve* (Paris, Londres, 1900), 149.

25. Laverdière, *Oeuvres de Champlain*, V: 69, 72, 75.

26. *Ibid.*, V: 82-83.

27. *Ibid.*, III: 103.

28. Voir *The Works of Samuel de Champlain* (6 vol., éd. Champlain Society, 1922-1935), I: 432, note, une légère correction de ces données.

29. *The Works of Samuel de Champlain* (Ed. Champlain Society), I: Plate LXXIX, et 432, note.

30. Laverdière, *Oeuvres de Champlain*, V: 54.

31. Laverdière, *Oeuvres de Champlain*, III: 85-88.

32. *Ibid.*, III: 121-122, note.

33. *Ibid.*, III: 5, 6.

34. *Ibid.*, V: 127.

35. Denys, *Description géographique et historique des costes de l'Amérique septentrionale avec l'Histoire naturelle du Païs* (Éd. Société de Champlain 1908), 506.

36. Laverdière, *Oeuvres de Champlain*, II: 30-31.

37. Laverdière, *Oeuvres de Champlain*, II: 25-26, 28-33.

38. Laverdière, *Oeuvres de Champlain*, V: 2, 3.

39. *Essais de Montaigne* (Ed. Albert Thibaudet, Paris, 1933), 211.

40. Marc Lescarbot, «Les Muses de la Nouvelle France», Appendice du vol. III de: *Histoire de la Nouvelle-France* (Paris, 1866), 52.

41. Laverdière, *Oeuvres de Champlain*, II: V.

42. Laverdière, *Oeuvres de Champlain*, III: 3-4.

43. Laverdière, *Oeuvres de Champlain*, III: 5.

44. *Ibid.*, V: 233; En 1621, lorsque les Français de Québec rédigent, pour le roi, le premier «cahier du pays», parmi les raisons d'intéresser Louis XIII à la Nouvelle-France, figure l'opportunité d'«un passage favorable pour aller à la Chine», Gabriel Sagard Théodat, *Histoire du Canada... (4 vol., Paris, 1865), I: 88.*

45. Laverdière, *Oeuvres de Champlain*, V: 37-38.

46. *Ibid.*, IV: 1.

47. Laverdière, *Oeuvres de Champlain*, II: 21-22.

48. *Ibid.*, III: 179, 252.

49. *Ibid.*, II: 30-35; III: 252.

50. *Ibid.*, II: 42-48.

51. Laverdière, *Oeuvres de Champlain*, II: 9-10. — F. Gabriel Sagard Théodat, *Le grand Voyage au Pays des Hurons* (Paris, 1865), I: 89.

52. Laverdière, *Oeuvres de Champlain*, II: 40.

53. *Ibid.*, V: 178.

54. *Ibid.*, V: 199.

55. *Ibid.*, V: 198.

56. Laverdière, *Oeuvres de Champlain*, III: 292-319. Mais Vignau avait-il fait autre chose que rapporter des récits de sauvages? On peut à ce sujet comparer le récit de Vignau à celui que feront plus tard aux missionnaires les Indiens du Nord du lac Supérieur.

57. Laverdière, *Oeuvres de Champlain*, IV. Voir aussi sur les résultats de ce voyage, James H. Coyne, *Exploration of the Great Lakes 1669-1670... (Toronto, 1903), XIV. Champlain aurait hiverné (aurait établi ses quartiers généraux) en 1615-1616, à Cahiagué. Où était situé Cahiagué? (Voir MSRC, 1947, T. F. McIllivray. On the location of Champlain's Cahiagué — près du village, croit-on de Warminster, à neuf milles d'Orillia).*

58. Laverdière, *Oeuvres de Champlain*, IV: 69-73.

59. *Ibid.*, IV: 72.

60. Laverdière, *Oeuvres de Champlain*, V: 3.

61. Sagard, *Histoire du Canada*, III: 589.

62. Laverdière, *Oeuvres de Champlain*, II: 52.

63. Laverdière, *Oeuvres de Champlain*, V: 117-122.

64. *Ibid.*, V: 125-126.

65. Pour ce qu'il sait alors de l'Ouest des Grands Lacs, voir C. W. Butterfield, *History of the Discovering of the North West, by John Nicolet in 1634, with a sketch of his life* (Cincinnati, 1881), 35-37.

66. Laverdière, *Oeuvres de Champlain*, VI: 36-37, 43-45.

67. La dernière édition des *Oeuvres de Champlain*, celle de 1632, nous ne l'ignorons point, nous renseigne assez hypothétiquement sur les actes et projets de l'homme. Cette édition de 1632, c'est l'opinion de Laverdière, d'Harrisse, (Voir préface au 5e vol. des *Oeuvres de Champlain*, V, VI, VII, VIII), de O. H. Marshall; de Winsor, (Voir, de ce dernier, *Narrative and Critical History of America*, vol. IV: 133), serait plutôt de 1633. Elle n'aurait pas été rédigée au moins partiellement par Champlain, ou, du moins, elle n'aurait pas été revisée par

lui. Elle serait plutôt le résultat d'une compilation préparée à Paris, en vue d'influencer l'opinion à la veille du traité de Saint-Germain-en-Laye. Quoi qu'il en soit, le contenu de cette édition, les cartes qui l'accompagnent, n'ont pu être inventées à Paris. L'ouvrage témoigne de l'état des découvertes en Nouvelle-France à cette époque. Et la principale source d'information à qui l'attribuer, si ce n'est à Champlain?

68. C. Willshire Butterfield, *History of Brulé's Discoveries and Explorations, 1610-1626* (Cleveland, Ohio, 1898), 185 pages. Benjamin Sulte, «Etienne Brûlé», MSRC (1ère section), 1907: 97-126. — «Je vis pareillement l'endroit où le pauvre Estienne Bruslé avait été barbarement et traîtreusement assommé...» (P. de Brébeuf, *Relations des Jésuites*, 1635, (Thwaites, 73 vol., Cleveland, MDCCCXCVI-MDCCCCI), VIII: 92. Voir encore, *Ibid.*, VIII: 98, 102; X: 36, 78, 238, 304, 308, 310; XII: 86, 88. — Sagard, *Le grand Voyage au Pays des Hurons*, (2 vol., Paris, 1866), I: 152; II: 240, 253, 258, 260; *Id., Histoire du Canada...* (3 vol., Paris, 1866), II: 338, 429, 430-432; III: 589, 800.

69. On trouvera, dans le *Journal de Montcalm* (Coll. Casgrain), p. 197, des détails intéressants sur la branche ouest de la Susquehanna.

70. Il en faut dire autant de la carte de Jean Boisseau (éditée à Paris en 1643), et qui n'est, à vrai dire, qu'un décalque de la carte de Champlain.

71. Ce nom de «Puants» provient du mot algonquin «ouinipeg» qui signifie eau puante, eau de la mer salée. Ces sauvages portaient ce nom parce qu'on les croyait proches de la mer du sud-ouest. «Ces peuples sont appelés les Puants, non pas à raison d'aucune mauvaise odeur qui leur soit particulière, mais à cause qu'ils se disent être venus des costes d'une mer fort éloignée vers le Septentrion, dont l'eau estant salée, ils se nomment les Peuples de l'eau puante.» (*Relation des Jésuites* (Éd. Thwaites), XXXIII: 150). Voici en la *Relation* de 1659, XLV: 218, une autre explication: «D'autres l'appellent le lac des Puants, non qu'il soit salé comme l'eau de la mer, que les sauvages appellent Ouïnipeg, c'est-à-dire eau puante; mais pour ce qu'il est environné de terres ensoufrées, d'où sortent quelques sources qui portent dans ce lac la malignité que leurs eaux ont contractées aux lieux de leur naissance.»

72. Voir Laverdière, III: 210-211, voyage de 1610 que Champlain, s'en allant vers l'Outaouais, rencontra vingt-cinq milles au-dessus de Québec un Algonquin et Montagnais. L'Algonquin lui remit une pièce de cuivre pur d'un pied de long, lequel cuivre, se trouvait, disait l'Indien, en grande quantité, sur la rive d'une rivière, puis d'un grand lac.

73. Voir Butterfield, *Brulé's Exploration*, 160: que ce nom de Gaston (d'après une légende explicative de Champlain) rappellerait un frère de Louis XIII.

74. Sagard, *Histoire du Canada*, III: 589.

75. Ferland, *Notes sur les registres de Notre-Dame de Québec* (Québec, 1854), 23.

76. C. W. Butterfield, *History of the Discovering of the North West by John Nicolet in 1634, with a sketch of his Life* (Cincinnati, 1881), 113 pages in-8.

77. *Relations des Jésuites* (Éd. Thwaites), XI: 252. Voir encore sur Nicolet: Tanguay, *A travers les registres*, 8; Archange Godbout, *Les Pionniers de la région trifluvienne*, 1ère série (Les éditions du Bien Public, Trois-Rivières, 1934), 13-14; *Relations des Jésuites* (Éd. Thwaites), VIII: 100, 246, 256, 264, 266, 295, 296; IX: 42; XII: 150-152, 162, 176, 178, 202, 252; XVIII: 236; XXIII: 276-278; *Journal des Jésuites*, 42.

78. Les Puants, leur baie, son étendue, voir La Potherie, *Histoire de l'Amérique septentrionale* (4 vol., Paris, 1753). II: 69-77.

79. Sagard, *Le Grand Voyage du Pays des Hurons*, (2 vol. Paris, 1866), I: 75.

80. *Relations des Jésuites* (Éd. Thwaites), IV: 190; VI: 176. — Sagard, *Le Grand Voyage du pays des Hurons*, I: 75.

81. Abbé Auguste Gosselin, *Les Normands au Canada, Jean Nicolet et le Canada de son temps, 1618-1642* (Québec, 1905). — Benjamin Sulte, *Mélanges d'histoire et de littérature* (Ottawa, 1846), 426, 436. — *Relations des Jésuites* (Éd. Thwaites), VIII: 295-296; XXIII: 276-278. — Aegidius Fauteux, «La dette de l'Amérique envers la Nouvelle-France», *Les Cahiers des Dix*, (Montréal, 1939), 19-28. — Butterfield, *History of the Discovery of the Northwest by Jean Nicolet, 63-72.*

82. À quelle date Nicolet est-il revenu à Québec en 1635? On sait que la paix conclue par lui chez les Ouinipigons fut violée dans les premiers jours de juin de 1635 (Voir *Relations* de 1636 (Éd. de Québec), 92). On peut donc conjecturer que

cette violation fut commise après le départ de Nicolet de la Baie.

83. *Relations des Jésuites* (Éd. Thwaites), XVIII: 236.
84. *Relations des Jésuites* (Éd. Thwaites), IV: 190.
85. Rochemonteix, *Les Jésuites et la Nouvelle-France au XVIIe siècle* (3 vol., Paris, 1895), I: 320-321, 333.
86. Abbé Auguste Gosselin, *Jean Nicolet et le Canada de son temps* (Québec, 1905), 213.
87. *Collection de manuscrits relatifs à la Nouvelle-France* (4 vol., Québec, 1883), I: 112-113. Plan de guerre à retenir puisqu'il sera le premier de tant d'autres pour régler le duel anglo-français en Amérique du Nord. Notons aussi comme le facteur iroquois apparaît dès lors à Champlain avec son importance, son rôle majeur.
* Abbé C.-H. Laverdière, *Oeuvres de Champlain* (6 vol., Québec, 1870), II: 22; 25-27, 28, 29-31, 32, 34-35, 37-43; IV: 69-73. Voir aussi: Marie-Claire Daveluy, «Cartier — Champlain — Les Relations des Jésuites», notes biographiques et bibliographiques, dans: *Centenaire de l'Histoire du Canada de François-Xavier Garneau — Deuxième semaine d'histoire du Canada, 23-27 avril 1945.* (Montréal, 1945), 200-240. — Justine Winsor, *Narrative and critical History of America* (4 vol., Boston and New York, 1884), IV: 103-134.
88. Selon Franquet, c'est aux Trois-Rivières que l'industrie du canot florissait particulièrement. Un spécialiste fabriquait le véhicule pour les pays d'en haut et l'expédiait en grande quantité à Montréal. Voir description de ces canots (*Voyages et Mémoires sur le Canada* (Québec, 1889), 17. Les canots achetés pour l'expédition du Chevalier de Troyes en 1686 sont payés 10,75 et 60 livres (AC, C[11] A-8: 393). Si nous en croyons La Potherie, le canot aurait été inventé par les Nipissiniriens après l'arrivée des Français — *Histoire de l'Amérique septentrionale* II: 50.
89. *Rapport de l'Archiviste de la Province de Québec pour les années 1926-1927* (Québec, 1927): 47.
90. Voir autres descriptions du canot: Pierre Boucher, *Histoire véritable et naturelle des Mœurs et Productions du Pays de la Nouvelle-France vulgairement dite le Canada* (Québec, 1849), 47. — Chevalier de Baugy, *Journal d'une expédition*

contre les Iroquois en 1687 (Paris, 1883), 146-147. — J C B, *Voyage au Canada dans l'Amérique septentrionale* (Québec, 1887), 50, note. — Éloge du canot par Dollier de Casson, Margry, *Mémoires et documents...* I: 173-174.

DEUXIÈME PARTIE

GRANDS JALONS

Premières expansions

CHAPITRE PREMIER

La terre et ses horizons*
au temps de la génération de
l'enracinement
(1635-1660)

«Tout État et même toute installation humaine est l'amalgame d'un peu d'humanité, d'un peu de sol et d'un peu d'eau»[1], a écrit Jean Brunhes complétant un mot de Ratzel. Entendons, par cette formule, les réactions réciproques, en histoire, de la terre et de l'homme. Explication insuffisante du donné historique, la géographie en explique pourtant quelque chose. Indépendant, inaccessible tant que l'on voudra, en ses parties plus secrètes ou plus hautes, l'homme n'échappe pas entièrement aux prises du carré de globe où s'écoule sa vie. L'homme dépasse la terre; mais la terre à son tour, dépasse l'homme en quelque façon. Elle le modèle autant qu'elle en est modelée, s'élevant ainsi jusqu'au rang d'un personnage historique, dont constamment il faut marquer le rôle.

Je suppose un homme de France, s'en venant, au temps jadis au Canada, en qualité de colon. L'entrée du golfe franchie, le voilier continue de filer à tire d'ailes. Mille kikomètres passeront avant qu'il jette l'ancre. Malgré soi le nouveau venu se pose cette question: où allons-nous? Pourquoi cette colonie si loin de la mer? Pour peu, en effet, que le voilier range le sud de la grande baie, les terres invitantes ne manquent point le long de la route. À droite voici la future île Saint-Jean, gracieuse image d'Eden, qui enchanta les yeux de Cartier; à gauche, la côte du Nouveau-Brunswick, la baie des Chaleurs, pays d'aspects plus souriants, plus riches que la Nouvelle-Angleterre. Autres avantages appréciables: situées aux abords de l'Atlantique, ces contrées commandent l'entrée du Saint-Laurent, le «grand appareil respiratoire» du Canada. Ces simples faits s'imposent pourtant à l'esprit du voyageur: le navire qui l'emporte vers l'occident, navire d'un type particulier, appartient à une compagnie de commerce. Au terme de la traversée, Québec, avec sa petite flotte affairée de barques et de canots, son personnel de trafiquants, l'agitation trépidante de ses magasins, lui présente la physionomie d'un comptoir. Le colon de France commence alors à comprendre: ce poste de colonisation où il s'en vient, quels motifs, en somme, l'ont fait choisir? Son aptitude à une colonie de peuplement et la qualité du sol, ont compté, pour une part, dans le choix de Champlain. D'autres raisons sont intervenues d'ordre stratégique et commercial. Agent d'une compagnie adonnée à la fois au commerce et à la colonisation, le fondateur de Québec, ne l'oublions pas, revêt en son personnage, cette double fonction, ce double souci. Aire terrestre d'assez peu d'étendue, avec façade sur un bassin infesté de contrebandiers, mais bassin trop ouvert, trop vaste et, par cela même revêche à toute entreprise de police, la région méridionale du golfe s'éliminait d'elle-même. Bien différente la région du fleuve entre Tadoussac et Québec, Québec et Montréal. D'une largeur grandiose à son estuaire, 70 kilomètres entre Anticosti et la côte gaspésienne, «à peine en voit-on les rives navigeant au milieu»[2], le Saint-Laurent se rétrécit graduellement à la façon d'un vaste entonnoir. Large encore de quarante kilomètres en face de la pointe des Monts, un seul kilomètre le mesure passée l'île d'Orléans. Ce rétrécissement, encore accusé par l'éperon de son promontoire, fait de Québec la porte «majestueuse et sévère» d'un pays, un boulevard incomparable. Et comme poste de commerce, quel égal eût-on alors trouvé dans toute l'Amérique du Nord? Il se pouvait targuer d'attirer à soi le plus riche réservoir de fourrures du continent: toutes les sources du castor venant du septentrion par le Saguenay et par le Saint-Maurice, toutes celles de l'Ouest, par le Saint-Laurent et par l'Outaouais; et même, aux heures de paix iroquoise, toutes les sources du sud, par la Chaudière et le Richelieu. Une loi impérieuse a donc déterminé le choix du premier champ de colonisation de la Nouvelle-France: la loi de l'économique. Du point de vue militaire, le poste prend même sa valeur stratégique en fonction du grand et unique commerce du pays: le commerce des pelleteries.

Avec les yeux du colon de France de tout à l'heure, voyons encore de plus près ce berceau d'une colonie. Un premier caractère a frappé l'arrivant: la solitude de ce coin du monde. Peu ou point de traces d'hommes. À peine quelques menues grappes humaines accrochées ici et là, pour quelques jours, à un point ou l'autre du fleuve; de rares flottilles qui filent comme des ombres; sur les rives bruissantes de vie au temps de Cartier, le désert et le silence. La guerre, fléau permanent, a refoulé les tribus vers le nord, vers l'extrême-ouest. Et voici un autre aspect de ce champ de colonisation: l'aspect d'une terre libre. La Relation de 1640 le constate: «depuis l'embouchure du fleuve St Laurens jusques à cette isle (l'île de Montréal), tous les Sauvages sont errans»[3]. Nous verrons même les nouveaux-venus, les Européens, s'appliquer à rendre sédentaire le vagabond, s'efforcer d'inculquer à l'autochtone, sur un coin de son pays, le sens de la propriété et de la patrie. Ce vide, cette absence d'occupants, quel avantage pour le colon de France. Il pourra s'établir sans contrainte, sans obstacle du côté de l'homme. Sa terre, il n'aura pas à la conquérir; il n'aura qu'à la prendre.

Au reste il ne lui faut compter qu'avec deux réalités géographiques, deux réalités redoutables, il est vrai, et si puissantes qu'elles emplissent le paysage, si même elles ne le font tout entier: le fleuve et la forêt. Le fleuve! Nous ne répéterons plus en quels termes les hommes de l'époque en ont parlé. Il les a frappés par ses dimensions, son énorme volume d'eau. Si l'on y fait bien attention, la contexture physique de l'Amérique du Nord est ainsi ordonnée qu'elle peut se rattacher tout entière, comme à son épine dorsale, au Saint-Laurent: régions du nord, régions de l'ouest, régions du sud et du sud-est. Et même région de l'est, région du littoral ou pays des Anglo-Américains qui, par les sources de l'Hudson, rejoint les affluents du Saint-Laurent. Notons-le toutefois, le fleuve dont il est question en ce moment, c'est le fleuve entre Québec et Montréal, celui qui va tant influer sur la colonie naissante. D'une navigation difficile plus haut et plus bas que ces deux endroits, si large et si profond en aval de la capitale qu'il y est sujet «à des tempêtes comme l'Océan», disait le Père Chaumonot[4]; d'un cours heurté, scandé de chutes et de rapides, en amont de Montréal, quel rythme différent que celui de son cours, d'un poste à l'autre; il coule paisible, d'une sérénité relative. Ce Saint-Laurent qu'on a dit «en pleine enfance», frayant malaisément sa voie dans le vaste corridor à peine évacué par la mer, s'accorde, sur une longueur de près de 200 milles, le cours régulier d'un vieux fleuve pacifié. Ici et là quelques étranglements, des élargissements envasés, tel le lac Saint-Pierre; dans l'ensemble, une largeur moyenne qui invite au voisinage des deux rives; des eaux assez profondes pour livrer passage aux voiliers océaniques; assez calmes pour souffrir une petite embarcation comme le canot indien. Quel rôle immense attend une pareille voie d'eau, cet axe de vie se déployant sur une telle distance!

Route accommodante, le fleuve et ses affluents se présentent, en outre, dans le Canada de jadis, avec le caractère de la seule route possible. Dans le paysage, le Saint-Laurent se conjugue, en effet, avec un autre facteur géographique: la forêt. La forêt du Nouveau-Monde, forêt vierge, impénétrable par toute autre voie que la voie d'eau, réalité qui, après le fleuve, a le plus obsédé l'œil et l'imagination des premiers Français. Le pays n'est «qu'une forest infinie», «une forest perpétuelle», disaient déjà, en 1611, les missionnaires de l'Acadie. Le Père Paul Le Jeune date sa Relation de 1632: «Du milieu d'un bois de plus de 800 lieues d'estendue, à Kébec». Cette silve majestueuse, comme l'on aimerait la reconstituer en son intégrale et antique beauté. Production d'un climat tempéré et humide, elle couvre de son immense revêtement végétal l'entier bassin du Saint-Laurent, fauve chevelure qui ne s'évanouit, avec la sécheresse croissante, qu'à l'ouest des Grands Lacs, aux bords de la Rivière-Rouge. Logée entre la forêt hudsonienne au nord et l'apalachienne au sud, la forêt laurentienne tient de l'une et de l'autre, riche néanmoins de ses essences caractéristiques: et, par exemple, sur les altitudes venteuses, dans les tourbières froides, les conifères nordiques, épicéa, mélèze, sapin baumier, pin des rochers; et selon la déclivité du plateau laurentien et la dépression approchante du fleuve, d'autres espèces plus exigeantes: cèdre blanc, épinette rouge, sapin américain, et surtout, dans les sols sablonneux, le pin rouge, résineux et dur, et le roi géant de cette forêt, le pin blanc; et tous entremêlés ci et là de familles d'arbres à feuilles caduques: le bouleau jaune, le charme, le frêne, le hêtre, le tilleul, le chêne, le noyer; en particulier, l'orme et l'érable à sucre, le premier, merveilleux parasol pour les futurs horizons des champs, le second, destiné à devenir une sorte d'arbre national.

En cette forêt laurentienne, observons tout de suite quelques particularités qui intéressent la prochaine histoire. Plus elle descendait vers le fleuve et vers le premier domaine du colon français, plus, avons-nous vu, elle se faisait hautaine, cramponnée au sol; plus s'y multipliaient les bois géants et durs, les grands feuillus et les grands enracinés. Caractères qui nous indiquent déjà l'âpre mérite du défricheur. Riche en essences précieuses pendant des siècles, la forêt laurentienne fournira la presque totalité du bois de commerce abattu dans l'est du continent. À l'époque où nous sommes, sa principale richesse dérive d'une autre source: sa faune. Née d'emprunts à l'Eurasie et à l'Amérique du Sud, aux temps préhistoriques, cette faune ne représenterait plus, pour une large part, que des espèces animales dégradées, encore mal adaptées à leur milieu nouveau. Sûrement, au cours de son évolution, a-t-elle perdu un peu de sa richesse ancienne, et par l'extinction ou par l'émigration de ses espèces de grande taille. Pour la fourrure de luxe, quelle mine néanmoins à défier la prodigalité! De ce réservoir apparemment inépuisable que ne borne point la forêt laurentienne, mais qui déborde dans l'hudsonienne et l'apalachienne, ni l'imprévoyante destruction des blancs, ni les ravages du déboisement ne paraîtront avoir raison. Toute une époque existera au Canada, où le castor sera roi, comme ailleurs le pouvaient être, les épices, le thé, le café, le coton. Article principal d'exportation pendant le régime français, la fourrure constituera, jusqu'au début du dix-neuvième siècle, la moitié en valeur des exportations canadiennes.

À cette description sommaire du futur habitat, il suffit, pour en tenir toute la vertu agissante, d'ajouter quelques notes sur le climat. Climat nuancé, selon la structure et le relief du pays, les étés chauds y alternent avec des hivers froids, entre lesquels se glissent deux saisons intermédiaires: un printemps souvent tardif, un automne assez long. Indubitablement froids, avec leurs neiges, leurs glaces, les hivers, plus que tout le reste de l'année vont agir sur la vie, les coutumes du colon de France, sur la vie même de la colonie. C'est merveille toutefois comme les austérités du pays n'auront pas l'heur de décontenancer le nouveau venu. Avec quelle bonne humeur, il y va même résister. Écoutez, par exemple, les propos du Père Vimont, en sa *Relation* de 1642: «Des filles tendres & délicates qui craignent un brin de neige en France, ne s'estonnent pas icy d'en voir des montagnes. Un Frimas les enrumoit en leurs maisons bien fermées, & un gros & grand & bien long hiver armé de neiges & de glaces depuis les pieds jusques à la teste, ne leur fait quasi autre mal, que de les tenir en bon appétit.» Le bon Père, qui n'oublie jamais son rôle de propagandiste, fait même cet honneur à l'hiver du Canada de le préférer à l'hiver de France. «Votre froid humide et attachant, continue-t-il, est importun, le nostre est plus piquant: mais il est quoy & serain & à mon advis plus aggreable quoy que plus rude[5].» Le dur hiver ne forcera pas moins l'homme de France à modifier son costume, sa maison, ses bâtiments de ferme, ses cultures. Tout un travail d'adaptation s'imposera. Seule l'expérience fera connaître ce que l'on appelle alors le «génie du lieu». «Les saisons de cultiver, observe en 1642 le même Père Vimont, sont icy plus courtes qu'en France, quoy que nous soyons en mesme degré d'élévation que la Rochelle[6].» Entre Québec et Montréal la saison végétative aura beau durer environ 150 jours; les six mois de neige rendront coûteux l'hivernement du cheptel. Emprisonné dans les glaces, le fleuve fera du Canada, à façade maritime, un pays pratiquement continental, coupé, pendant cinq mois, de ses communications avec la métropole.

L'action possible d'un tel pays sur ses habitants n'est plus à chercher. Dure contrée, en somme, qui fera appel à l'endurance des muscles, mais plus encore à l'énergie de la volonté, à la fertilité de l'esprit, aux ressources humaines tendues à l'extrême limite. Et d'abord, qui n'aperçoit l'âpre, l'épuisant corps à corps qui va s'engager entre l'homme et la forêt? Rien ici du sol de la prairie ou de la steppe, sol facile à conquérir. Rien, non plus, pas un arpent, pas un pied, d'un pays déjà fait, comme au Mexique ou comme en Amérique méridionale. L'Algonquin du

Saint-Laurent, nomade grand seigneur, a dédaigné toute culture. C'est lentement, pied à pied, que le colon délogera, culbutera la forêt tenace, souveraine du sol depuis des millénaires. Sa terre, il la fera, non pas la charrue aux poignets, comme l'ont chanté les poètes; mais d'abord la hache à la main. Avant le paysan ou l'habitant, il y aura le défricheur; et, avant le défricheur, cet athlète qui s'appelle le bûcheron. Pour le colon de la Nouvelle-France, nul espoir par conséquent, de la richesse rapidement acquise. Ses premières cultures, ses premiers blés pousseront entre les brûlis. Pendant longtemps il n'aura le droit de demander au sol que sa subsistance, pas même toute sa subsistance. À ce prix quelle âme de terrien il aura chance de se forger. De France, il avait déjà apporté un penchant inné: le goût extraordinaire du paysan de là-bas pour son lopin de terre. Le rectangle de sol gagné ici à coups de hache vaudra à ses yeux l'immense prix qu'il lui aura coûté. Les fils de paysan le savent: sa terre, il l'aimera plus qu'un propriétaire; il l'aimera avec la fierté, l'orgueil d'un conquérant.

* *
*

Pourquoi faut-il que d'autres forces, d'autres prestiges viennent travailler ce terrien en sens contraire? En son champ de colonisation trop vaste, son mode de groupement éveille une première inquiétude. D'une part, nombre de contraintes l'invitent à se tasser. La forêt agit naturellement dans le sens de la compression. Parfaitement impénétrable par l'absence de routes de terre, elle force à s'aligner le long des chemins d'eau, les seuls chemins. Même tenté de s'élancer à travers la forêt, le colon, du côté du nord, se verrait encore contenu, à peu de distance du fleuve. Depuis la rive du Labrador, puis bientôt, à quelques milles le long du Saint-Laurent, se profile vers l'ouest, ce que l'on a appelé le «bouclier canadien» ou le plateau laurentien. Bloc de roches dures et anciennes, revêtu d'une abondante végétation forestière, mais passé au laminoir des glaciers, et pour cela même, d'un sol mince et pauvre, longtemps cette chaîne de montagnes s'opposera à l'expansion agricole. Sur la rive sud, d'un sol plus riche, plus accessible, voici surgir d'autres barrières. Là plane et s'agite la plus troublante menace de l'époque. Une rivière y coule sous le signe du casse-tête, la rivière Richelieu, baptisée aussi d'un autre nom qui sème alors l'épouvante: «rivière des Iroquois». Chemin promis à l'histoire, où va s'inscrire plus qu'ailleurs, le destin de la Nouvelle-France. Aux sources du Richelieu se forme, en effet, dès ce moment, le coin de l'envahisseur, lequel ne sera pas seulement le guerrier des cinq cantons. Le Richelieu restera l'une des grandes routes d'invasion, celle par laquelle trop souvent viendra le Bostonnais[7]. Point névralgique, région qui ne va s'ouvrir au défrichement que par des colons-soldats et sous la protection d'une chaîne de forts. En son paysage se profileront des manoirs d'aspect militaire, un vrai donjon comme celui des Le Moyne de Longueuil. Plus tard, c'est encore le long de cette ligne stratégique, que le génie élèvera d'imposants travaux de défense. Ainsi, à tout prendre, et pour nous résumer, la géographie, l'environnement invitaient les établissements français à se tasser, à se restreindre dans l'espace.

Mais il fallait compter, avons-nous dit, avec le commerce. Or le commerce a fixé ses comptoirs aux lieux qui étaient pour lui les points de grande circu-

lation: Tadoussac, Québec, Trois-Rivières, Montréal.
Et tout de suite, pour les colons, quelle considérable
dispersion! Forcément ils subiront l'attirance des
comptoirs et, en ce temps de guerre, celle des forts.
Six cents âmes au plus en 1645, 2,000 peut-être en
1660, loin de se grouper de proche en proche, dans
un rayon proportionné à leur insignifiance numéri-
que, ces pionniers se trouveront partagés en trois
groupes, à une distance moyenne, l'un de l'autre, de
près de cent milles. Et encore n'est-ce là que le
moindre éparpillement. Ces colons, comme il sera
facile de les déraciner, de les pousser au nomadisme
indien! Par une rencontre singulière, la forêt, agent
de compression, conspire avec le fleuve en ce travail
de déracinement. Car si la forêt, en ces commence-
ments, constitue le principal réservoir de richesse, le
fleuve, les rivières déroulent les chemins qui conduisent à cette richesse. Or il n'y a qu'à considérer, sur
une carte, le nombre et la longueur immense de ces
chemins pour comprendre jusqu'à quel point la forêt
elle-même dispersera. Pour vaste, en effet, que
puisse paraître entre Québec et Montréal, le champ
de colonisation, ce serait n'en percevoir qu'à demi
l'action sur l'homme que de séparer la terre de ses
horizons, de l'ensemble des mirages qui ont flotté
devant les yeux des premiers colons. Un simple coup
d'œil sur le réseau fluvial, un simple moment de
réflexion font deviner l'extraordinaire influence de
ce milieu géographique où, par les deux bouts du
Saint-Laurent et par tous ses affluents, partaient des
chemins qui, en ce temps-là, semblaient s'en aller
vers l'infini.

Ce milieu de fascination, attardons-nous un peu
à le reconstruire. Et commençons d'abord à proximi-

té même du champ de colonisation, sur chacune des rives du Saint-Laurent.

De bonne heure, l'on peut constater l'attirance des horizons du nord. Vers eux s'enfonçaient des voies d'active circulation humaine, voies qui pouvaient conduire, disait-on, vers la mer du Septentrion, mer tant cherchée depuis Champlain, comme toutes les mers, du reste, celle du sud, celle de l'ouest, appelées, croit-on, à ouvrir la porte de l'Extrême-Orient. Le Saint-Maurice, qui débouche sur Trois-Rivières, poste de traite le plus achalandé de l'époque, sollicite, l'un des premiers, les explorateurs. Les hautes sources du fleuve mauricien ne courent-elles pas à travers un immense territoire de chasse, celui d'où provient la plus grande partie du castor convoyé par les Hurons qui l'y vont troquer? Depuis longtemps, une nation indienne, pacifique et religieuse, établie là-haut, appelle chez elle les missionnaires. Le 27 mars 1651, quatre Français partent pour le pays des Attikamègues. Ils ont à leur tête le Père Jacques Buteux, extraordinaire marcheur. Outre sa course vers le nord, le missionnaire ne va-t-il pas accomplir, ce même été, à pied, en canot ou en petite barque à rames ou à voiles, une croisière dont les points de relâche seront Trois-Rivières, Québec, Tadoussac, Percé, Québec, puis encore Trois-Rivières? Partis à la fin de mars, à la fonte des neiges, le Père Buteux et ses compagnons remontent le Saint-Maurice, jusqu'à 300 milles. En ces apparentes solitudes, ils trouvent plus de nations, dira le missionnaire, qu'on n'en pourrait baptiser en quarante ans. Et quel n'est pas l'étonnement de ces Français d'apercevoir sur une hauteur, «une belle et haute croix», érigée là depuis longtemps, comme un jalon pour appeler la civilisation des Blancs! Les voyageurs rentrent aux

Trois-Rivières, le 18 juin; mais, au bout de leur course, ils ont planté un rêve: celui de retourner le printemps suivant et, cette fois, de pousser jusqu'à la mer du Nord[8].

Une autre percée, dans la même direction septentrionale, ne tarda pas à se faire: la percée par le Saguenay, vers la région qui, dans l'esprit de Cartier, de Roberval, de Champlain, avait laissé de si séduisantes énigmes. Resté, par Tadoussac, le terme de la navigation transatlantique, poste de traite pour les Indiens du septentrion, le fjord saguenayen continuait d'attirer par ses rives d'un grandiose sauvage, par les mouvements étranges de ses eaux, par leur profondeur insondable, au dire de la légende, et surtout par la liaison de ses hautes sources avec d'autres voies fluviales, celles qui se déchargent vers le pôle nord. Dès 1640, et même dès le temps de Champlain[9], c'est chose connue dans la colonie, que les sauvages de Tadoussac entretiennent des relations avec une nation de terres lointaines, la nation du Porc-Epic, et, par celle-ci, avec des sauvages «encore plus retirez»[10]. À l'été de 1647, une excursion s'organise. À bord d'un petit canot, le Père de Quen s'embarque sur le Saguenay aux «rives escarpées de montagnes affreuses», en route pour le pays des Porcs-Épics. Cinq jours de navigation héroïque, coupée de dix portages, et le Père atteint ceux qu'il cherche, sur les bords d'un grand lac: lac de cinquante lieues d'étendue ou environ, «si grand, dit-il, qu'à peine en voit-on les rives». Qu'était-ce que cette vaste cuvette alimentée par une quinzaine de rivières, au milieu d'un pays plat, relevé de montagnes à trois, quatre ou cinq lieues? Les sauvages l'appelaient le lac Piagouagami; les missionnaires l'appelleront le lac Saint-Jean. Les Porcs-Épics accueillirent «comme un homme venu du ciel», le «premier François qui ait jamais mis le pied dessus leurs terres»[11]. Ainsi qu'au pays des Attikamègues du Saint-Maurice, à l'entrée du lac, une grande croix, bien arborée, indiquait déjà la présence en ces lieux de sauvages chrétiens. À partir de ce jour, la voie du Saguenay est ouverte. Les missionnaires prendront l'habitude d'y monter assez régulièrement: le Père Druillettes, par un nouveau chemin en 1650[12], puis encore le Père de Quen, en 1652. Dans la pensée de tous le lac Saint-Jean n'est pourtant qu'une étape. Et à ce point de l'exploration, rien de plus intéressant que de voir comment les données, les notions, les ouvertures sur l'inconnu, se multiplient, s'éclairent l'une l'autre. En 1648 voici le Père Ragueneau qui place la mer du nord «à plus de trois cens lieues» seulement, en droite ligne du pays des Hurons[13]. En 1655 un missionnaire formait le rêve d'aller voir bientôt les terres ou les bois de la mer «du costé du nord». Là vivraient des sauvages de langue montagnaise qui n'ont encore vu d'Européen, qui font bouillir leur viande en de longs plats d'écorce, qui ignorent tout du fer, dont tous les outils sont d'os, de bois ou de pierre, «comme faisoient autrefois nos Sauvages»[14]. Puis, en 1658, mettant à profit une masse de renseignements fournis par des sauvages et deux voyageurs français, un missionnaire décrit par le menu tous les chemins qui mènent à la mer du Nord, par le Saguenay, le Saint-Maurice, le lac Nipissing, etc. Il énumère cinq de ces chemins. Il indique, en même temps, la merveilleuse liaison de tous les affluents du Saint-Laurent dans la région septentrionale[15]. Un missionnaire du Saguenay recueillera, à l'été de 1660, de la bouche d'un Algonquin, d'autres renseignements non moins captivants. Cet Algonquin, grand voyageur, parti du lac Michigan en 1658, s'est rendu, par la voie du nord, jusqu'à la Baie d'Hudson, puis, de là, est redescendu du côté de Tadoussac. Cette même année 1660, Médard Chouart, dit Des Groseilliers et Pierre-Esprit Radisson, de retour d'un voyage aux Pays d'en haut, ont apporté à Québec leur part de renseignements obtenus des sauvages et de leurs propres explorations. Et quelle part considérable! Celle-ci, entre autres, que le vrai centre du commerce de la fourrure réside à l'ouest et au nord-ouest du lac supérieur, c'est-à-dire dans la contrée dépendante de la Baie d'Hudson, laquelle il faut atteindre, non en canot, ni par la route difficile des grands lacs, mais en bateau et par l'océan pour ensuite remonter à l'intérieur des terres par deux rivières (les rivières actuelles d'Albany et de Hayes). Et combien d'autres renseignements sur les liaisons de la mer du Sud, de la mer de l'Ouest et de celle du Nord[16].

En combinant ces diverses données, on n'hésitait plus à croire, en Nouvelle-France, à la contiguïté des trois mers. On connaissait l'existence de deux d'entre elles; il n'y avait plus qu'à localiser celle de l'ouest[17]. Cette mer du couchant, une nation indienne du 47° degré de latitude et du 273° de longitude, n'assurait-elle pas qu'on la pouvait découvrir «à dix journées vers l'ouest»? L'auteur de la *Relation* croit même pouvoir fixer la distance exacte à laquelle se trouve le Japon du port Nelson sur la Baie d'Hudson, soit 1,420 lieues. Mais un passage existe, croit-on, passage franchissable en août et septembre, de la mer du Nord à celle du couchant[18]. D'où ce nouvel allèchement présenté aux explorateurs.

Un ordre du marquis d'Argenson, cédant lui-même à une pressante invitation d'Indiens du Nord venus à Québec, détermine un voyage d'exploration. Le 1er juin 1661, les Pères Gabriel Druillettes et Claude Dablon, un lieutenant d'infanterie, le jeune Denis Le Neuf de La Vallière, fils du gouverneur des Trois-Rivières, puis Denis Guyon, François Guyon, son frère, Després, Guillaume Couture et François Pelletier, accompagnés d'une quarantaine de canots, qui retournent en leur pays, entreprennent pour ce coup le voyage à la mer du Nord[19]. Deux relâches, l'une à Chicoutimi, l'autre au lac Saint-Jean, et les explorateurs se jettent en pays inconnu. Jusqu'où la caravane s'avança-t-elle? La *Relation* des deux Jésuites au Père Jérôme Lalemant est datée de «Nekouba, à cent lieuës de Tadoussac, dans les bois, sur le chemin de la mer du Nort»[20]. Nékouba, à la source de la rivière de ce nom, c'est le lieu d'une foire indienne bien connue, le rendez-vous des Indiens du Saguenay et des Indiens du septentrion. Les explorateurs ont rencontré là des représentants de huit ou dix nations dont les unes n'ont jamais vu de Français. La *Relation* note l'aspect farouche du pays: sol sec, aride, sablonneux, monts pelés, végétation chétive, des violettes qui viennent «cinq mois après celles de France»; avec tout cela pas l'ombre de culture, des habitants qui vivent de chasse et de pêche comme les oiseaux de proie; et, pour comble, un ciel lourd, gris, enfumé par les feux de forêt sévissant à l'état de cataclysme. En réalité les explorateurs sont à mi-chemin entre Tadoussac et la Baie d'Hudson, aux environs du lac Nikaubau, à la division des eaux du bassin laurentien et du bassin hudsonien. Par malheur, un émoi soudain, la rumeur d'une incursion iroquoise qui aurait détruit une nation voisine, la nation des Écureuils, disperse les guides indiens. Il faut rebrousser chemin. Les explorateurs rentrent à Tadoussac; mais eux aussi, au bout de leur course, ont arboré leur rêve: celui de trouver prochainement le passage vers la fameuse mer du Japon et de la Chine: «Nous sçavons, écrivent les deux Jésuites, que nous avons à dos la Mer du Nort» et que «c'est cette Mer qui est contiguë à celle de la Chine, & qu'il n'y a plus que la porte à trouver[21].» Cette porte, un autre tente de la trouver, par un autre chemin: celui du Golfe et de l'Atlantique. Le 2 mai 1657, sur un petit bâtiment de trente tonneaux, accompagné de quelques Français et de deux guides hurons, Jean Bourdon lève l'ancre à Québec, en route pour la mer du Nord. Une mission de la cour charge l'explorateur d'aller prendre possession de la région, au nom du roi de France. Bourdon explore minutieusement la côte du Labrador, passe le détroit de Belle-Isle, puis remonte vers le Nord, mais pour rebrousser chemin, lui aussi, au 55ème degré de latitude, au cap Harrisson, sur la côte du Labrador. D'énormes banquises lui barrent la route. Les Esquimaux lui ont tué ses deux Hurons[22].

Du côté de la rive sud, l'expansion française se verra plus contenue. Retraçons pourtant quelques poussées assez hardies. Le Père Druillettes, l'apôtre des Abénaquis, autre prodigieux marcheur qu'on trouve dans toutes les directions, à l'extrême nord, au sud, à l'est, à l'ouest, s'en ira, un jour de 1646, par la rivière Chaudière, jusqu'aux sources du Kennébec et de là, jusqu'à l'Atlantique[23]. «Le P. Gabriel Druillettes, dira Bancroft, fut le premier européen qui entreprit le long et pénible voyage du Saint-Laurent aux sources du Kennébec; puis, descendant ce fleuve jusqu'à son embouchure, dans un canot d'écorce, il continua sa course en pleine mer, le long de la côte[24].» L'autre poussée dans la région méridionale se produira plus à l'ouest. Répandus en chacune des nations iroquoises, pendant la courte paix de 1655 à 1658, les missionnaires explorent largement le sud du lac Ontario. De sorte qu'à la fin de cette période de 1660, l'on saisit bien de quelles puissantes images, ou plutôt de quels sortilèges, dispose le nouveau pays sur l'esprit d'une poignée d'hommes. Non seulement le fleuve, par son cours massif et souverain, son embouchure ouverte sur l'infini, invite aux songes sans mesure; tous les affluents principaux du Saint-Laurent, ceux de la rive nord et ceux de la rive sud, le Saint-Maurice, le Saguenay, la Chaudière, le Richelieu, sont devenus des routes d'exploration. Et toutes ces routes apparaissent comme des têtes de chemin au bout desquels s'agitent des espoirs de conquêtes illimitées.

Que dire des horizons qui s'ouvrent par les routes de l'ouest? Un fait ne peut manquer de frapper, en la première histoire de la colonie laurentienne: le précoce établissement d'une seconde base d'opération, à près de 1,000 milles de Montréal, à quarante et cinquante jours de voyage en canot. Quelle attirance, quelles raisons décisives ont entraîné si tôt et si loin les premiers Français débarqués au pays, ont déterminé cet écartèlement de la Nouvelle-France? L'un des traits majeurs de l'Amérique du Nord, et destiné à marquer si profondément la vie coloniale, c'est, au centre du continent, la présence des Grands Lacs. Oeuvre des glaciers excavateurs fouillant une région déjà déprimée, la vaste Méditerranée intérieure couvre une superficie de pas moins de 239,000 kilomètres carrés, soit environ la moitié de la France. Partagée en cinq cavités, qui communiquent les unes avec les autres, on dirait sur la carte, une famille de poulpes gigantesques projetant leurs tentacules en tous sens. Cette mer a pour rôle, en effet, de fournir le nœud des communications fluviales au centre de l'Amérique. Par ses déversoirs de jadis vers le sud, anciens émissaires à peine asséchés, elle ouvre des chemins faciles vers l'immense vallée du Mississipi, relie la région tropicale à la région boréale. En l'histoire de la Nouvelle-France, son rôle principal sera pourtant de relier l'est à l'ouest. Elle le fait d'abord par un système de canaux à trois paliers: le lac supérieur se déversant, par le saut Sainte-Marie, dans les lacs Michigan et Huron, ceux-ci, par la rivière Sainte-claire, dans le lac Erié; le lac Erié dans le lac Ontario par le Niagara. Les lacs ouvrent toutefois le chemin vers l'est, principalement par deux organes d'évacuation incomparables: le Saint-Laurent et la rivière des Algonquins, la future Outaouais, celle-ci déversoir des eaux du nord, mais en liaison facile avec les mers intérieures par le lac Nipissing et la rivière des Français. Comment ne pas songer à ce qu'auraient pu devenir, en une amérique civilisée de vieille date, ces deux voies impériales? On songe de même au parti qu'en aurait pu tirer une nation européenne en puissance de faire une grande œuvre coloniale. Nul besoin de décrire, sur l'imagination des aventuriers français, les prises irrésistibles de ces deux routes: l'une, à cause de ses grands lacs, plus dangereuse aux fragiles embarcations, mais plus courte et si majestueuse par ses paysages, si invitante par son climat, ses belles terres; l'autre, en dépit de la fougue de ses cascades, moins redoutable, parce que plus éloignée de la zone iroquoise, et surtout plus proche des Indiens du Nord et des pays de chasse. L'une et l'autre pouvant porter, à la rigueur, les petites pirogues, vers l'est, jusqu'au golfe et jusqu'à la mer; et vers l'ouest, jusqu'à la pointe extrême du lac supérieur et bien au delà, soit plus qu'à mi-chemin de l'Atlantique aux Rocheuses. Qu'après cela l'attirance vienne moins du nord et du sud que de l'ouest et de l'ouest lointain, il est bien superflu de l'expliquer. Riche pays de traite, champ de mission incommensurable, tel se révélait le pays des Grands Lacs. À l'entour des mers douces, une épaisse forêt fournissait un gibier abondant; les lacs constituaient d'inépuisables réservoirs de poissons. Dans les larges plaines alluviales, de nombreuses nations avaient établi leurs foyers. De ces nations de l'occident, l'une entre autres, venue, dès le commencement, au devant des Français, jusqu'à Montréal et jusqu'à Québec, avait sollicité Champlain d'aller en son pays. Les Hurons sont reconnus, du reste, pour de grands trafiquants. Ils «trafiquoient quasi par tout le Pays», nous affirme Pierre Boucher[25]. De bonne heure, des employés de la traite, des missionnaires se sont rendus chez eux. Tous y ont eu la révélation d'un monde. Alors avec une audace, un entêtement superbe, une poignée d'hommes entreprit la conquête des Grands Lacs, se mit à percer, à refouler tout à l'entour l'horizon américain. À travers quelles vicissitudes, quelles étapes, ont-ils accompli ce labeur colossal? C'est ce que nous voudrions dire.

Nous repartons de la carte de Champlain, celle où le fondateur de Québec, aidé de ses explorateurs et des missionnaires, avait résumé ses découvertes. Une autre équipe va reprendre ces explorations, se lancer à la poursuite des mêmes chimères. Et quelle serait-elle cette équipe? Nous l'avons vu plus haut, des missionnaires presque seuls ont déclenché les explorations au sud et au nord de l'estuaire laurentien. Il en ira de même dans la région des Lacs. Les explorations resteront principalement des expéditions de missionnaires à la recherche des âmes plus

que des régions nouvelles. Et l'histoire des découvertes, à cette époque, a, sans contredit, pour source
principale, les *Relations* des Jésuites. Pendant toute
cette période de 1635 à 1663, l'on cherche en vain
les explorateurs officiels. Non point qu'aux missionnaires ne se mêlent quelques Français. Les Jésuites
mènent avec eux des engagés et des «donnés», ces
derniers ainsi appelés parce qu'ils se sont véritablement «donnés» au service des religieux. En 1639, par
exemple, 27 engagés partagent la vie des Pères au
pays des Hurons[26]. La *Relation* de 1641 indique la
présence d'une cinquantaine de Français, en la région, en comptant les Pères. C'est qu'outre les missionnaires et leurs familiers, d'autres aussi «vont aux
Hurons», selon l'expression d'alors: employés de la
traite, soldats du camp volant organisé à la suite de
l'arrêt royal de 1648. En 1648, ces voyageurs aux
pays d'en haut s'embarquent au nombre de 30, dont
12 soldats; ce nombre passe à 34 l'année suivante.
En 1648, il y aura 42 Français aux Hurons[27]. Et parmi
ces Français, l'on relève des noms comme ceux-ci:
Jean et Charles Amiot, Jean Boyer, Nicolas Lefau-
connier, François Petitpré, François Marguerie, Do-
minique Scot, Guillaume Couture, Nicolas Giffard,
Pierre Boucher, Chouart des Groseillers[28]. Quelques-uns de ces Français courent de magnifiques
randonnées. Et quand en son *Histoire véritable et
naturelle*... Pierre Boucher écrira: «La Nouvelle-
France est un très grand pays... je vous assure... que
j'ay veu la plus grande partie de tout ce que je dis»,
on pourra le croire sur parole. Mais ces voyageurs
agissent pour le compte de la compagnie ou pour leur
compte personnel, nullement à titre d'explorateurs.
En réalité tout ce monde pivote autour des missions.
Et voilà qui explique que le pays des Hurons, où sont

établis les missionnaires, soit devenu à l'ouest, le premier foyer de vie européenne, la première base d'où a rayonné l'aventure française.

Cette aventure, suivons-là. Les missionnaires, il va de soi, se portent tout d'abord vers les nations indiennes qui les touchent. Et comme ils vont vite! De 1634 à 1640, ils parcourent la péninsule entre les lacs Huron, Erié et Ontario. Le Père de Bréfeuf pénètre chez les Pétuns en 1634. En 1639, il jette les yeux sur les voisins des Pétuns, à douze lieues environ, à l'ouest des Hurons[29], puis, sur la «nation des Neutres», à trente lieues celle-ci, au nord du lac Erié, «maîtresse porte pour les pays méridionaux», disait le Père Jérôme Lalemant. On y est pendant l'hiver de 1639-40. C'est à ce moment, en 1640, que les Pères Chaumonot et Brébeuf fixent au lac Érié sa forme et sa position définitives[30]. Ont-ils connu la chute Niagara? Il paraît bien impossible que, rayonnant en toute cette région, ils aient ignoré le prodigieux phénomène. Se peut-il même qu'il ait échappé au Récollet de La Roche d'Aillon, celui qui hiverna chez les Neutres en l'année 1626? Le premier toutefois, et dans la *Relation* de 1648, le Père Ragueneau, parlera de la chute d'eau «d'une effroyable hauteur» qui, du lac Érié, se jette «dans un troisième lac, que nous appellerons le Lac Saint Louys»[31].

L'exploration de leur péninsule n'empêche pas les Jésuites de se tenir les yeux sur tous les points cardinaux. Au mois de mai 1641, deux des leurs, les Pères Pijart et Charles Raymbault s'attachent aux Nipissiriniens, Indiens nomades qui courent les bois entre le lac Huron et la baie d'Hudson. Cette même année, les Pères Raymbault et Jogues visitent le saut de Gaston et saisissent l'exacte position du lac Supérieur. La Mère de l'Incarnation écrira l'automne suivant: «On a découvert quantité de peuples du côté du nord, lesquels parlent algonquin et montagnais.» C'étaient là les espaces explorés. Mais, encore cette fois, comme les rêves vont bien au delà! À certaines heures les projets pullulent et l'enthousiasme déborde. Écoutez-en la confidence du Père Vimont en 1640. Le temps viendra et il est déjà venu, lui semble-t-il, où le Fils de Dieu, mis en possession de son héritage, «commandera depuis la mer du nord, jusques à la mer du sud, *& a flumine eosque «sc. usque» ad terminos orbis terrarum*, & depuis le grand fleuve de S. Laurens, qui est le premier de tous les fleuves, jusques aux derniers confins de la terre, jusques aux dernieres limites de l'Amerique, et jusques aux Isles du Japon, *& ultra*, & au delà...»[32] Cependant, à d'autres heures, entre les années 1640 et 1645, par exemple, on dirait les missionnaires comme écrasés sous le poids de leur œuvre, tant les horizons s'élargissent à une vitesse vertigineuse et vers tous les points. «Si nous n'avions que les Hurons à convertir..., écrivait en 1645 le Père Jérôme Lalemant, mais nous ne sommes qu'à l'entrée d'une terre qui, du costé de l'Occident jusqu'à la Chine, est remplie de nations plus nombreuses que les Hurons. Vers le midi, nous voyons d'autres Peuples innombrables...»[33] La Mère de l'Incarnation qui a entendu parler d'une mission prochaine chez les Gens-de-mer, écrit de son côté (10 septembre 1646): «Et même l'on va risquer de courir sur une grande mer qui est au-delà des Hurons, par laquelle on prétend trouver le chemin de la Chine. Par le moyen de cette même mer, qui est douce, on espère encore découvrir plusieurs pays sur les côtes et dans les terres[34].»

À se déployer si largement ces horizons n'arrachent-ils pas une illusion aux missionnaires? Jusqu'alors, ils avaient cru leur pays des Hurons le centre d'un monde; ils s'aperçoivent que ce monde, ils n'en tiennent que la bordure. Très tôt, la nécessité leur apparaîtra de chercher d'autres bases d'opération, de fixer ailleurs une autre étape de leurs conquêtes. À l'automne de 1641, après dix-sept jours de navigation, le long des rives est et nord du lac Huron, les Pères Jogues et Raymbault abordent au saut de Gaston, moins un saut, en vérité, que des rapides violents d'une demi-lieue, joignant un lac à l'autre[35]. Des sauvages de l'endroit les y ont appelés. Devant les religieux se déploie cette autre mer dont ont parlé Brûlé et Nicolet: mer superbe, en forme d'arc, d'une longueur de 200 lieues et d'une largeur de 80, plus vaste encore que toutes celles alors connues, mer divine à qui les Indiens offrent des sacrifices[36], et dont les rives, surtout celles du nord, tirées en droite ligne, gardaient «abrupt et rigide», leur modelé glaciaire. «Ce lac supérieur, dira bientôt le Père Ragueneau, s'étend au nord-ouest, c'est-à-dire entre l'occident et le septentrion.» «Lac Supérieur»[37] Le chroniqueur n'entendait désigner par là qu'une position géographique: un lac au-dessus de la mer douce[38]. Lac Supérieur restera le nom de la nouvelle mer. Mais de cet observatoire, que ne découvrent pas les deux Jésuites? On leur parle de nations sédentaires partout répandues autour du lac, d'une entre autres, à dix-huit journées du saut, dans la direction nord-ouest ou ouest, nation qui ne parlerait ni l'algonquin, ni le huron, et qui ne peut être que les Sioux. Le saut de Gaston, c'est aussi la porte du lac Michigan, et sur les rives de ce dernier lac, les missionnaires le savent depuis Nicolet, grouillent des légions de peuplades indiennes. Toutefois, vers les unes et les autres, ils s'en rendent compte: point

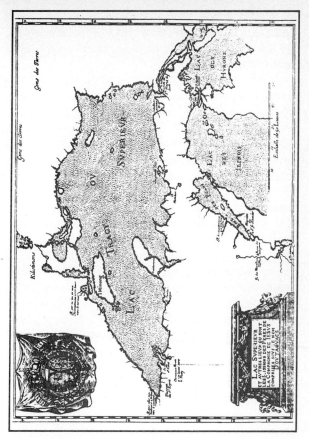

Carte du lac Supérieur, et parties des lacs Huron et Michigan,
telle qu'établie par les Pères Jésuites.

de passage si ce n'est par la nation du Saut. C'est par cette nation, observera plus tard le Père Ragueneau, qu'«il faudrait avoir le passage, si on vouloit aller plus outre...»[39].

En cette année 1641, une autre étape de l'avance française est donc en préparation. Les Lacs ne sont pas, comme on l'a cru au temps de Champlain, le rivage d'un océan ou la limite occidentale de l'Amérique. Ils ne sont que le seuil d'un autre monde. Ainsi cette conséquence s'impose. D'avance possible du côté du nord, de l'ouest et du sud, il n'y en aura désormais, les missionnaires s'en rendent compte, qu'à la condition de fixer, à la décharge du Lac Supérieur, un autre point stratégique, une autre étape des conquêtes de la croix[40].

À ce rythme jusqu'où ne fussent pas allées les robes noires? Auraient-ils attendu à l'année 1665 pour pénétrer à la baie du Tonnerre, dans la région du nord-ouest? Auraient-ils remis à 1673 la découverte du Mississipi? En 1640, les Pères Brébeuf et Chaumonot, en leur expédition chez les Neutres, apprennent, de la bouche des Anciens, l'existence d'une Nation occidentale qui vit à peu de distance de la mer. Cette nation y pêcherait les huîtres. Les mêmes vieillards décrivent aux Pères cette pêche et aussi certaine chasse d'animaux aquatiques aussi gros et aussi légers à la course que les orignaux[41]. Le Père Raymbault, qui meurt en 1642, «méditait le chemin de la Chine»[42]. Rêves de grands aventuriers, mais d'aventuriers de la foi qui font trouver juste le mot de Bancroft: la Nouvelle-France fut «une création de l'enthousiasme religieux». Nous savons quelle effroyable rafale de barbarie vint emporter ou retarder tous ces projets. Le 10 juin 1650, à la tête d'une caravane de 300 Hurons affolés, les missionnaires quittaient leur dernier refuge de l'île Saint-Joseph sur la baie Georgienne, pour prendre la route de Québec. Pendant dix ans, l'ouest resterait fermé aux missions. Devant la terreur, les rives de la rivière des Algonquins, déjà désertes jusqu'à l'île des Allumettes, se vidèrent jusqu'aux Lacs. Le pays ontarien fut complètement évacué. Toute la ligne fluviale du sud, lignes des lacs Erié, Ontario et du Saint-Laurent, échappait aux Français. Le refoulement indien, poussé par l'épouvante en toutes les directions, s'opéra surtout vers le sud-ouest, au fond du lac Michigan.

Aussi est-ce de là que viendrait, un jour, la reprise des relations avec la colonie laurentienne. En 1653, un canot chargé de pelleteries et monté par trois Outaouais, arrive aux Trois-Rivières. Partis de l'île huronne, dans la baie des Puants, ces audacieux ont navigué, depuis le lac Supérieur, par les chemins de l'extrême nord, pour tomber enfin dans le Saint-Maurice[43]. Les Français n'allant plus vers eux, les Indiens, disaient-ils, iront vers les Français. L'exploit, on le devine, fit parler; il secoua d'un frisson d'envie la jeunesse française. En 1654, non plus un canot isolé, mais 120 sauvages de l'île huronne, venus de quatre cents lieues, dit la *Relation*, apportent une charge de pelleteries à Montréal et aux Trois-Rivières[44]. Bravement ils ont défié l'Iroquois et fait route par la rivière des Algonquins. Parmi eux dominent en nombre les Outaouais. De ce jour, la rivière prendra le nom de rivière des Outaouais, qu'elle a gardé[45]. Il en sera de même de la traite. On l'appelait naguère «la traite des Hurons»; elle s'appellera désormais la traite des Outaouais. Ce nouvel exploit surexcite les jeunes aventuriers. D'aucuns répètent que les meilleures pelleteries viennent de ces quartiers. Qui y enverrait trente Français, dit-on encore, y trouverait amplement de quoi se rembourser. Pour exciter davantage les imaginations, on assure que, du lac des Puants à la mer de Chine, l'on ne compterait guère plus de neuf journées de chemin[46]. La fièvre des pays d'en haut ressaisit donc tout de bon la jeunesse de la colonie. Et cette fièvre nous vaudra quelques-unes des plus remarquables odyssées de ce temps-là. Deux jeunes Français, envoyés, dit-on, par le gouverneur, M. de Lauzon, s'embarquent avec les Outaouais. Ils reviennent, en 1656, à la tête, cette fois-ci, d'une flottille de cinquante canots montés par 250 sauvages qui apportent, au nez des Iroquois, cent mille écus de pelleteries[47]. Où et jusqu'où les deux aventuriers ont-ils poussé leur aventure? Le compagnon de Des Groseilliers se serait-il rendu jusqu'au Mississipi? D'aucuns l'ont cru. Ou tous deux n'auraient-ils voyagé que dans la région bornée à l'est par l'Ohio et par la rive orientale du Wisconsin, à l'ouest par le pays illinois, au nord par le lac Supérieur? La *Relation* de 1655-1656 paraît faire grand état des connaissances rapportées par les deux jeunes Français. À la vérité leur itinéraire est de ceux qu'on ne peut facilement établir. Il reste cependant qu'une fois les Hurons dispersés, et avec eux les nations circonvoisines, il fallait bien aller chercher la fourrure où les anciens pourvoyeurs s'étaient réfugiés: c'est-à-dire au delà du Michigan, dans la région du Wisconsin. De ces deux jeunes Français, l'un, avons-nous dit, était Médard Chouart, dit des Groseilliers. L'autre, dont l'identité a donné lieu à beaucoup de discussions, ne serait-il pas Eustache Lambert? Dans *Visages du vieux Trois-Rivières* (Trois-Rivières, 1955), M. Raymond Douville a fourni sur ce point controversé, une opinion fort acceptable.

Il est bien démontré, en tout cas, que ce compagnon de Médard Chouart ne fut pas son beau-frère, le fameux Pierre-Esprit Radisson[48]. À certains égards, conte merveilleux que l'histoire de ce Radisson arrivé aux Trois-Rivières, semble-t-il, en 1651, vers l'âge de seize ans, capturé cette année-là même ou l'année suivante, par les Iroquois, dûment torturé puis adopté par un chef agnier. Le jeune captif vivra de la vie des Indiens, fera des excursions, la petite guerre avec eux, portant sur la tête l'ornement de plumes d'aigle. Deux fois il s'évade. La première fois, il est repris. La seconde évasion le mène à Orange, puis de là, en Hollande, de la Hollande à La Rochelle. Il rentre à Québec en 1654 ou 1655. Il revient au pays, mutilé par la torture iroquoise, mais son éducation indienne, peut-on dire, brillamment achevée. Il a pu acquérir surtout une rare connaissance de la psychologie indienne: ce qui lui sera d'un précieux appoint au cours de ses voyages et aventures. En 1657, il accompagne les Pères Ragueneau et Duperron, qui, avec un groupe de Hurons et de Français, s'en vont se joindre à l'essai de colonisation en pays iroquois à Ganentaa. L'année suivante, Radisson sera naturellement de la célèbre évasion; il semble même qu'il en ait été l'un des principaux organisateurs[49].

Ce ne sera donc qu'en 1659, pas avant, que Radisson commencera, en Nouvelle-France, sa carrière de coureur de bois. Elle ne durera que trois ans. Et il ne fera, ce que l'on oublie trop souvent, qu'un seul voyage dans les pays d'en haut: le voyage de 1659-1660. C'est en août 1659 qu'avec son beau-frère, Médard Chouart dit des Groseilliers, il se met en route vers l'ouest avec une flotille d'Outaouais, par la voie ordinaire: l'Outaouais, la Mattawan, le lac

Nipissing, la rivière des Français. Après avoir franchi le Saut Sainte-Marie, les deux voyageurs aboutissent à la pointe Chequamegon, sur la rive sud du lac Supérieur. Là, pendant que leurs compagnons indiens s'en vont vers les forêts du Wisconsin, visiter leurs familles, les deux Français élèvent un petit fort dans la baie de Chequamegon. Seuls dans l'immense solitude au bord du grand lac, les jeunes aventuriers ne peuvent se retenir d'exprimer, par un mot, un mot de Radisson, leur état d'esprit, leur joie de se sentir affranchis de toute contrainte sociale: «Nous étions des Césars, sans personne pour nous contredire. (We were Cesars, being nobody to contradict us.)» Avec leurs compagnons indiens revenus les joindre, Groseilliers et Radisson partent passer l'hiver dans les bois du Wisconsin, au lac Courte-Oreille, à ce que l'on peut présumer, à mi-chemin de la baie des Puants et du lac Supérieur. C'est au printemps qu'ils feront leur longue course chez les Sioux où ils auraient passé six semaines, puis, de retour au lac Supérieur, ils rendront visite à la tribu des Cris, au nord du lac. Comment établir le terme de leurs expéditions tant à l'ouest qu'au nord? Si nous en croyons les *Voyages* de Radisson, les deux coureurs auraient marché douze jours pour retrouver leurs amis indiens du Wisconsin. D'autres indices permettraient de fixer le rendez-vous avec les Sioux quelque part dans le Minnesota d'aujourd'hui, à l'est ou au sud-ouest du lac au Couteau (Knife-Lake), à peu de distance de l'endroit où Greysolon du Lhut atteignait lui-même en 1679. Partis au printemps de la pointe Chekamegon, Des Groseilliers et Radisson se rendaient chez les Cris. Ont-ils poussé leur course jusqu'à la Baie d'Hudson, par une rivière qui pourrait être la rivière Albany? Quoi qu'en ait laissé entendre Radisson, il faut répondre: non. Le temps à la disposition des deux aventuriers ne leur permettait pas un si long voyage. Au printemps de 1660, il leur faut retourner au lac Supérieur, et de là, avec une flottille indienne chargée de 200,000 livres de fourrure, descendre à Montréal où ils abordent le 20 août[50]. Reçus en triomphateurs à Montréal et aux Trois-Rivières, pour ce qu'ils apportent de soulagement à la colonie, les deux aventuriers reçoivent, à Québec, une réception bien différente. Des Groseilliers est jeté en prison. Puis, lui et son compagnon se voient mis à l'amende, par le gouverneur d'Argenson, après qu'on leur eut confisqué une partie de leurs profits. Conduite maladroite des autorités. Les deux aventuriers avaient pris le chemin de l'ouest sans la permission du chef de la colonie. Ils eussent mérité amnistie à une heure où quiconque allait dans l'ouest chercher des fourrures, ne le faisait qu'au risque de sa vie.

Là s'arrête, en Nouvelle-France, la carrière de Radisson coureur de bois. À l'automne de 1660, Des Groseilliers part pour la France implorer la justice du roi. Le plaideur rapporte de là-bas une fiche de consolation qui ressemble fort à une écaille d'huître. De 1662 à 1665 l'on retrace Des Groseilliers et Radisson en Nouvelle-Angleterre, à Boston probablement. Qu'y cherchent-ils? Des associés ou des protecteurs pour disputer aux Français le commerce du castor, par le truchement des Iroquois[51]. Sous peu, on les trouvera en Angleterre au service des marchands aventuriers de la Compagnie de la baie d'Hudson qu'ils aideront à fonder leur prodigieuse fortune. Radisson ne risquera plus que quelques excursions sur l'une ou l'autre des rivières qui aboutissent à la baie du Nord, y disputant le castor aux voyageurs ou coureurs de bois canadiens. Y a-t-il, en l'histoire de l'aventurier, de quoi fonder son titre de «roi des coureurs de bois»? Il semble qu'on l'ait couronné un peu vite. D'autres ont fait et refait les mêmes courses et y ont passé leur vie: Greysolon du Lhut, par exemple, Nicolas Perrot, La Vérendrye, ou encore pour n'en nommer que quelques-uns, Jean-Baptiste Chouart, fils de Médard. Bien avant Henry Kelsey, dont on veut faire le premier Blanc à pénétrer dans l'ouest de la Baie, en 1690, au service de la Compagnie de la baie d'Hudson, le fils de Des Groseilliers explorait déjà ce pays dès 1685: jeune homme alors fameux parmi les Indiens qui admirent son intrépidité et qu'il gouverne à volonté[52].

Le mérite de Radisson et de son compagnon de voyage en 1659-1660 aura été, dans leur course chez les Cris, d'avoir deviné l'avenir du bassin hudsonien, foyer par excellence du plus beau castor. Il aura été aussi d'avoir rapporté des Pays d'en haut tout un butin de renseignements dont nous avons vu le profit qu'en ont su tirer les *Relations* des Jésuites de 1659-1661. Les deux coureurs auront aussi contribué, pour leur part, à développer, dans la colonie, le rêve d'un empire français de fondation possible, sinon urgente en Amérique. Déjà, à Québec, parmi les gouvernants, ambitions et projets prennent le champ. Le gouverneur d'Avaugour y va l'un des premiers. En son mémoire du 4 août 1663, où il plaide pour la fortification de Québec, entrée ou porte du «plus grand État dans le monde», jusqu'où ne porte-t-il pas ses regards? Québec fortifié, «peut être considéré comme la clé de voûte de dix provinces, ainsi qu'on le pourra constater par un brouillon de cartes (inclus dans le mémoire)... Et ces dix provinces, établies selon le même procédé que Québec assureraient la sécurité de cent autres. En un mot, que le Roi se détermine à l'établissement de ces dix provinces, et il pourrait se considérer comme le maître de l'Amérique...»[53]

* *
*

À l'aide des renseignements fournis par Radisson et Groseilliers, le Père Druillettes dressera une carte ou du moins un crayon de ces régions lointaines. Carte malheureusement perdue, elle était censée décrire le nord du lac Supérieur mais surtout le sud-ouest du lac des Puants. La langue huronne, affirmait-on, dès ce temps-là, «s'entend bien cinq cents lieues du côté du sud»[54]. Rien n'empêche de mesurer maintenant, en toute son étendue, l'œuvre accomplie par les Français de la première génération, celle que j'ai appelée la «génération de l'enracinement». Lorsque les Argonautes, la vallée du Rhône franchie, commencèrent à s'aventurer vers le nord, pays des frimas et des brumes, il suffit, au dire d'Apollonius, d'un cri de Junon pour leur faire tourner le dos à ce que la déesse appelait les Portes et l'empire de la Nuit. À l'heure de quitter les pays de soleil pour se mettre en marche vers le Rhin et la contrée des Suèves, une semblable terreur s'empara des légionnaires de César. L'intervention du proconsul ne fut pas de trop pour réprimer les larmes des uns et empêcher la désertion des autres. En ce nouveau-monde, une poignée de Français qui n'étaient ni des Argonautes, ni des légionnaires romains, n'eut peur ni de l'effrayante immensité, ni des démons de la forêt et des fleuves, ni des hommes qui mangeaient les hommes. On prend une carte, celle de 1660 qui figure dans l'*Historia canadensis* du Père du Creux[55]; on y ajoute ce qu'y permettent d'ajouter les

117

derniers explorateurs; et l'on constate que les traits de la Nouvelle-France sont déjà fixés. En moins de trente ans, une vingtaine d'hommes ont dessiné, sur le sol d'Amérique, une ébauche d'empire, mis la main sur toutes les clés du continent inconnu, dessiné, pour un siècle, la courbe essentielle de l'histoire d'Amérique.

Quelle avance l'on tenait sur les Hollandais et les Anglais encore rivés aux côtes de l'Atlantique! Parmi eux, à peine, à cette époque, un ou deux explorateurs isolés se risquent-ils dans l'aventure. On cite, par exemple, tel Anglais, accompagné de son serviteur et de vingt Abénaquis, qui, un jour de 1640, aborde à Québec, en quête, dit-il, du passage de la mer du Nord, et que M. de Montmagny renvoie en Angleterre par Tadoussac et la France[56]. Indéniablement la région des colonies du sud n'offre pas à la course d'aussi pressantes invitations que la Nouvelle-France. Les historiens n'en ont pas moins fort exagéré le rôle de barrière des Alleghanys. Cette chaîne montagneuse n'a rien, après tout, d'infranchissable, ni au nord, ni même au centre où abondent les dépressions[57]. Le pays n'est pas dépourvu, non plus, de tout réseau fluvial. À neuf milles environ au-dessus d'Albany, la rivière Mohawk se jette dans l'Hudson, navigable, celui-ci, pour les grands voiliers, jusqu'à 130 milles de sa source. Par la route de la Mohawk, de la Wood Creek, du lac Oneida, de la rivière Oswego, on peut atteindre le lac Ontario, du moins en dehors des périodes de sécheresse; par la rivière Alleghany et la French Creek, le Potomac communique avec le lac Erié. Au vrai, les trafiquants d'Orange et de Boston ont adopté une méthode de commerce qui leur est propre. Ils attendent chez eux les convois de castor; ils ne vont pas les chercher.

Les profits de cette méthode se révèlent considérables. L'avance anglaise s'accomplit au sud, dans un espace restreint, et forcément à pas mesurés. Colons de la Virginie et colons de la Nouvelle-Angleterre se voient pressés, contenus par des nations sédentaires et, pour s'établir, seront contraints à de longues et sanglantes disputes de territoires. L'avance française procède à bonds de géants, en des espaces qui ne laissent pas de la déborder constamment. La politique indienne des Français en deviendra plus facilement humaine. Pour eux point de disputes de territoires, ni sur le Saint-Laurent, à peine occupé, du golfe au poste de ville-Marie, par quelques nations errantes, ni même dans la région des Lacs. Partout l'immensité des espaces déserts, entre les postes et à l'entour de ces postes, empêchera les Français de prendre figure d'usurpateurs.

D'autre part, il faut le dire tout de suite, la gloire des explorations françaises ne laisse pas d'avoir son envers. L'inconvénient saute aux yeux de cet empire en formation, de sa constitution organique des plus hasardeuses: l'image d'un haltère: deux blocs géographiques à l'un et à l'autre bout d'une immense tige. «Nous sommes des amphibies, des habitants de la mer autant que de la terre ferme», disaient d'eux-mêmes les anciens Gaulois[58]. La Nouvelle-France à deux tronçons, avec sa colonie laurentienne et son pays des Grands Lacs, à mille milles l'un de l'autre, exposait à former pis qu'une race d'amphibies: deux races d'hommes, ayant chacune ses habitudes de vie: l'une sédentaire, rêvant de vie calme, de sol à remuer, de grains à faire pousser, prenant pour centre du monde, l'horizon du foyer, le manoir du seigneur ou le clocher de l'église; l'autre, éprise de liberté et de nomadisme, passionnée d'espace et de course, rêvant toujours de paysages neufs, se jetant dans les bois et dans la grande nature avec une ivresse de jeune daim. Que, par des méthodes de peuplement trop hésitantes, trop parcimonieuses, la région des Lacs n'arrive point à constituer sa propre population, ses colonies à elle; que, pour le commerce et les découvertes, elle ne puisse lever chez elle ses équipes de relève, mais qu'elle vienne les chercher constamment dans l'est, et l'on pressent quelle menace est en train de se former contre la petite colonie laurentienne. Quelque chose pourrait bien dominer toute son histoire qui serait le duel de la terre et de l'eau: de la terre qui enracine et qui retient; de l'eau qui ensorcèle et qui entraîne. Les anciens Grecs, a écrit quelque part Gonzague de Reynold, avaient «le génie de la curiosité». Leur expansion dans le monde méditerranéen n'a point procédé des seules raisons économiques. La curiosité, l'envie de courir, de voir toujours du nouveau ne sont-elles pas entrées pour quelque chose dans la psychologie du coureur de bois canadien?

Notes

*   Extrait d'un cours public inédit à l'Université de Montréal.

1. Jean Brunhes, *Géographie humaine* (3ᵉ éd., 3 vol., Paris, 1925), I: 72.

2. *Relations des Jésuites* (Éd. Thwaites), IX: 158.

3. *Relations des Jésuites* (Éd. Thwaites), XVIII: 78.

4. *Relations des Jésuites* (Éd. Thwaites), XVIII: 14.

5. *Relations des Jésuites* (1642) (Éd. Thwaites), XXII: 40. Voir pour ces notions de géographie, Henri Baulig, *Amérique septentrionale*, 1ère partie, Généralités — Canada, de «Géographie universelle» t. XIII, (Paris, 1935). — Raoul Blanchard, *L'Amérique du Nord* (Paris, 1933); du même auteur, *L'Est du Canada français* (2 vol., Paris et Montréal, 1935); Benoît Brouillette, *La Chasse des animaux à fourrure au Canada* (Paris, 1934).

6. *Relations des Jésuites* (Éd. Thwaites), XXII: 40; XXIII: 270.

7. En 1638 le Delaware a vu s'établir, à proximité du pays des Andastes, la Nouvelle-Suède, celle-ci bientôt absorbée par la Nouvelle-Hollande, cette dernière qui se laissera absorber à son tour par la Nouvelle-Angleterre. Voir David Saville Muzzey, *Histoire des États-Unis de l'Amérique* (Paris, 1921), 70, 73. (Traduction de A. de Lapradelle). — *Relations des Jésuites* (Éd. Thwaites), XXVIII, chapitre I: 104-115. D'après le père Ragueneau, la Nouvelle-Suède n'était qu'un «ramas» de diverses nations, la plupart peut-être Anglais et Hollandais, «qui pour quelques raisons particulieres s'estans mis sous la protection du Roy de Suède, ont appellé ce pays là, la Nouvelle Suède.» *Relations* (Éd. Thwaites), XXXIII: 136.

8. *Relations des Jésuites* (Éd. Thwaites), XXXVII: 18-66.

9. *Œuvres de Champlain* (Éd. Laverdière), II: 21-22.

10. *Relations des Jésuites* (Éd. Thwaites), XVIII: 226.

11. *Relations des Jésuites* (Éd. Thwaites), XXXI: 248-254.

12. *Relations des Jésuites* (Éd. Thwaites), XXXV: 274.

13. *Ibid., XXXIII: 66.*

14. *Ibid.*, XLI: 182-184.

15. *Ibid.*, XLIV: 236-244.

16. Grace Lee Nute, *Caesars of the Wilderness* (New York, London, 1843), 70-74.

17. Jean Delanglez, «A Mirage: The Sea of the West», *Revue d'Histoire de l'Amérique française*, I: 346-381, 541-568.

18. *Relations des Jésuites* (Éd. Thwaites), XLV: 218-234.

19. *Journal des Jésuites*, (Montréal, 1892), 296, parle de 80 canots. «Le 1 ou 2 [juin] partirent de Tadoussac pour les Kiristinons, les susdits PP. Dablon et Druillettes avec 80 canots de sauvages.» Sœur Marie de Saint-Jean d'Ars, «À la recherche de la mer du nord: 1661», *Revue d'Histoire de l'Amérique française* VIII: 220-235.

20. *Relations des Jésuites*, 1661-1662 (Éd. Thwaites), XLVI: 252. Voir Charlevoix, *Histoire et description de la Nouvelle-France* (6 vol., petite éd., Paris, 1744), II: 106-107.

21. *Relations des Jésuites* (Éd. Thwaites), XLVI: 248. D'Avaugour et le mystère du Nord, Steck, *The Jolliet-Marquette Expedition* (Quincy, Illinois, 1928), 105-106.

22. Abbé Auguste Gosselin, *Jean Bourdon et son ami l'abbé de Saint-Sauveur* (Québec, 1904), 195-206. Voir encore: J.-Edmond Roy, *Histoire de la seigneurie de Lauzon*, (6 vol., 1897-1906), I: 206-207.

23. Abbé J.-A. Maurault, *Histoire des Abénaquis* (Sorel, 1866), 118-156. — Abbé Honorius Provost, «La Chaudière et l'Etchemin», *Revue de l'Université Laval* (octobre 1947): 118-121.

24. George Bancroft, *History of the United States* (9 vol., Boston, 1857-1866), IV: ch. XX. — *Relations des Jésuites* (Éd. Thwaites), XXXI: 186.

25. Pierre Boucher, *Histoire véritable et naturelle des mœurs et Productions du Pays de la Nouvelle-France vulgairement dite le Canada* (Éd. Album du *Canadien*, Québec, 1849), 47.

26. *Relations des Jésuites* (Éd. Thwaites), XVII: 229.

27. *Journal des Jésuites*, 114, 126, 128. *Relations des Jésuites* (Éd. Thwaites), XXXIII: 74.

28. *Relations des Jésuites* (Éd. Thwaites), XXXII: 136-140, éloge de Jean Amiot.

29. *Relations des Jésuites* (Éd. Thwaites), XXXIII: 60.

30. James H. Coyne, *Exploration of the Great Lakes* (1660-1670) (Toronto, 1903), XV-XVI.

31. *Relations des Jésuites* (Éd. Thwaites), XXXIII: 62.

32. *Relations des Jésuites* (Éd. Thwaites), XVIII: 238.

33. *Relations des Jésuites* (Éd. Thwaites), XXVIII: 66.

34. *Lettres de la Révérende Mère Marie de l'Incarnation* (Éd. Richaudeau, 2 vol., Paris, 1876), I: 292.

35. *Relations des Jésuites* (Éd. Thwaites), XXIII: 224-226.

36. *Relations des Jésuites* (Éd. Thwaites), L: 262-264.

37. *Ibid.*, XXXIII: 148.

38. *Ibid.*, XXXIII: 148.

39. *Ibid.*, XXXIII: 148.

40. *Ibid.*, XXXIII: 148-150.

41. *Relations des Jésuites* (Éd. Thwaites), XXI: 200-202.

42. *Relations des Jésuites* (Éd. Thwaites), XXV: 28.

43. La Potherie, *Histoire de l'Amérique septentrionale* (4 vol., Paris, 1753), II: 52-53. Les *Relations* parlent, pour leur part, de trois canots conduits par un sauvage chrétien, mais montés par des Indiens de quatre nations différentes. *Ibid.*, LX: 212-214.

44. *Relations des Jésuites* (Éd. Thwaites), XLI: 76-78.

45. On l'appellera aussi à cette époque Rivière des Prairies, donnant à toute la rivière, le nom de l'un de ses déversoirs. (*Relations des Jésuites*) (Éd. Thwaites), XXXIII: 64.

46. *Relations des Jésuites* (Éd. Thwaites), XLI: 184.

47. *Ibid.*, XLII: 218.

48. Grace Lee Nute, *Caesars in the Wilderness* (New York, London, 1943), 31. On sait que s'il y eut méprise, Radisson en est le premier responsable dans le récit de ses *Voyages*. *Ibid.*, 30. Pour l'histoire de Radisson, on devra lire *Caesars in the Wilderness*, de Grace Lee Nute, ouvrage déjà indiqué. On pourra aussi consulter, quoique avec discrétion, de Donatien Frémont, *Pierre Radisson, roi des coureurs de bois* (Montréal, 1933); Appendix A. de *Minutes and proceedings of Royal Society of Canada*, (1937): XCVIII-LXVII; «Radisson in the North West», by B. Sulte, *MSRC*, (1904), section II: 223-239; aussi *MSRC*, (1898), «Further History of P.-E. Radisson», by Bryce, 53-67; *Relations des Jésuites* (Éd. Thwaites), XLIV: 176-180; *Lettres de la Mère de l'Incarnation* (Éd. Richaudeau, Paris, 1896), II: 128-137; *Rapport sur les Archives canadiennes*, (1895): XXI-XXIV, et *Note* A. «Relation du voyage du sieur Pierre-Esprit Radisson, Esc.[er], au nord Lamerique ès années 1682, et 1683», 1-42; Henry Collin Campbell, *Radisson's Journal*; its value in History (In Wisconsin Soc. Proc., 1895), 88-116; *Minutes of the Hudson's Bay Company* 1682-1684 (Publications of the Champlain Society, by E. E. Rick, *Index* au mot *Radisson*; W. Kingsford, *History of Canada*, (10 vol., London, 1887-1898(, III: 46-50, un résumé de la vie de Radisson.

49. *Relations des Jésuites* (Éd. Thwaites), XLIV: 176-180. — *Lettres de la Mère de l'Incarnation* (Éd. Richaudeau), II: 128-137.

50. Grace Lee Nute, *Caesars in the Wilderness*, op. cit., 65-67.

51. Grace Lee Nute, *Caesars in the Wilderness*, op. cit., 76-93.

52. *Ibid.*, 239-240.

53. Traduction d'un texte anglais du Mémoire d'Avaugour, emprunté à *New York Historical Documents*, Collection Brodhead, IX: 13.

54. *Relations des Jésuites* (Éd. Thwaites), XLII: 220; XLIV: 236. — À consulter: Nellis M. Crouse *Contributions of the Canadien Jesuits to the Geographical Knowledge of New France, 1632-1675*, (Ithaca, 1924).

55. Le Père Ragueneau avait préparé, lui aussi, une carte des Grands Lacs qui ne nous est pas parvenue. (Voir *Relation* de 1640).

56. *Relations des Jésuites* (Éd. Thwaites), XVIII: 234-236.

57. Raoul Blanchard, *L'Amérique du Nord* (Paris, 1933), 12.

58. Camille Julian, *Histoire de la Gaule* (8 vol., Paris, 1924), I: 56.

CHAPITRE DEUXIÈME

Dessin de l'Empire*

Oeuvre d'audace à la fois grandiose et folle! Réflexion dont l'on se défend mal devant une carte de l'empire français d'Amérique. À première vue, tout se présente avec le caractère de la disproportion, du chimérique. Une immensité, presque les deux tiers de l'hémisphère nord, peints aux couleurs de France; si grand de terre pour si peu d'hommes. Une gigantesque charpente, appuyée sur de fragiles poutres; ou, si l'on aime mieux, des blocs de granit énormes, remués, taillés par des Titans, mais laissés épars, quelques-uns à peine mis en place, pour un édifice, un temple qu'il ne serait pas au pouvoir d'hommes d'achever. Si l'on accepte cette ébauche d'empire pour l'œuvre en grande partie d'immigrants normands, serions-nous encore en présence de l'une de ces entreprises fastueuses, mais éparpillées, désordonnées, comme en aurait semé, autour de l'Europe, la race aventurière des Vikings?

Quelle réponse donne ici l'histoire? À la rigueur, on peut concevoir une Nouvelle-France installée primitivement aux abords de la mer, à Terre-Neuve, en Acadie, colonie à la fois de pêcheurs

125

et de laboureurs, qui, lentement, par étapes sagement mesurées, le long des rives méridionales du golfe, par le Nouveau-Brunswick d'aujourd'hui, par la Gaspésie, se fût avancée vers la vallée laurentienne, et de là, vers l'intérieur du continent. Des pêcheries au rendement fabuleux, une terre féconde, un climat tempéré, une voie par mer constamment ouverte vers la métropole, eussent favorisé, on ne peut mieux, semble-t-il, ce plan colonial. Ce mode d'établissement a été d'ailleurs, en Amérique du Nord, celui des Espagnols, des Hollandais et des Anglais. Tous les peuplements féconds se sont accrochés à une base littorale. Pourquoi les Français, faisant exception, auraient-ils préféré envahir l'intérieur américain? Un fait historique dérange les beaux calculs de tout à l'heure: l'apparition d'autres nations européennes sur les rives du monde occidental. Presque en même temps que la France, l'Angleterre prenait pied sur la côte de l'Atlantique, et à peine installée, entreprenait de monter vers le nord. De ce jour les parages de l'Acadie perdirent toute sécurité. Le principal pied-à-terre français dut, bon gré mal gré, se reporter sur le Saint-Laurent, mais, pour trouver bientôt, près du cours moyen du fleuve, à quelques milles du lac Ontario, la Nouvelle-Angleterre et la Nouvelle-Hollande. Aux portes du centre américain trois nations européennes se trouvaient ainsi en présence, bientôt en compétition. De ce moment la Nouvelle-France pouvait-elle rester une petite chose? Pouvait-elle grandir posément, s'épargner les bonds rapides, gigantesques, ménager l'espace? Pressenti par Champlain, par d'Avaugour, même par Cartier, conçu, esquissé par Talon, l'empire français est-il une construction artificielle? A-t-il été bâti par l'ambition extravagante ou sous l'impulsion de nécessités vitales? Entre-t-il logiquement dans la politique du premier intendant, politique qui vise à l'agencement de la colonie laurentienne à toutes ses attaches naturelles, et, tout d'abord, sans doute, à ses attaches américaines? L'histoire de l'exploration française, entre 1660 et 1673, va nous le dire.

* *
*

Examinons, en premier lieu, l'effort tenté par la colonie pour se donner un point d'appui, à l'est, au bord de l'Atlantique. Colbert écrivait un jour à Frontenac: «Ce qu'il y a de plus mauvais dans le Canada est l'entrée de cette rivière (le Saint-Laurent) qui, estant fort septentrionale, ne permet aux vaisseaux d'y entrer que quatre, cinq ou six mois de l'année[1].» C'était mettre le doigt sur l'une des grandes faiblesses de la colonie. Situé sur la route de la mer, mais à plus de 500 milles des rivages océaniques, coupé, au surplus, pendant la saison hivernale, de communication avec l'océan, le Canada du Saint-Laurent est, en réalité, un pays de l'intérieur. Qu'il se doive ménager, au delà du golfe, une base maritime, une porte ouverte, est pour lui question de vie au premier chef. Au surplus il n'a pas le choix entre plusieurs portes. Exception faite du petit détroit de Canso, les vaisseaux d'Europe n'entrent au Canada et n'en sortent que par deux passages étroits: le couloir du nord (détroit de Belle-Isle), ou au sud, un autre couloir, au bas de ce porche austère qui a nom Terre-Neuve. Plus large, moins embarrassée par les glaces, plus proche du grand Banc, la porte du sud, plus fréquentée que celle du nord, est aussi plus

127

menacée. Vers 1655 ou 1658 des bâtiments britanniques se portent à l'attaque des terre-neuviers français. Les Hollandais, ces écumeurs d'océan, jettent les yeux vers les fortunés parages. Cependant la France ne peut revendiquer dans l'île, qu'une ombre d'occupation. En 1655 un sieur de Kéréon, nommé gouverneur, ne réussit point à s'installer à Plaisance, parmi les quelques habitants du poste, tous Basques ou Anglais, semble-t-il. En 1662, Nicolas Gargot, un émissaire de Fouquet, y débarque un Nantais, du nom de Du Perron, et une suite d'environ 80 personnes. La même année, le sieur Dumont, dépêché au Canada pour enquête, à titre de commissaire royal, s'arrête, en passant, à Plaisance pour y prendre possession d'un commencement de fort, et y laisser 30 hommes de guerre, un ecclésiastique et des vivres pour l'hiver[2]. La garnison assassine quelques jours après l'ecclésiastique et le gouverneur. La France paraît alors se désintéresser de Terre-Neuve. Pour la protection de ses nationaux, aux environs du grand Banc, elle n'envoie plus que de simples expéditions maritimes. Au Canada et même parmi les pêcheurs français, l'inquiétude grandit. Se peut-il que cette porte de l'Amérique soit si mal gardée? Fait étrange, le gouverneur d'Avaugour n'y attachait pas beaucoup d'importance. Persuadé de l'aridité de Plaisance, du Cap-Breton et de Gaspé, il croyait ces lieux à l'abri de toute occupation étrangère[3]. L'idée d'une colonie à jeter sur les côtes de Terre-Neuve reprend corps[4]. En 1665 Talon fait rebondir le projet. Encore à La Rochelle, et à l'affût de tous les renseignements qu'il peut capter, il dénonce à Colbert les prétentions menaçantes des Anglais. Il les montre déjà en possession de Terre-Neuve «en sa partie plus estendue», et cherchant à «s'en rendre insensiblement les Maistres»[5]. En son mémoire de 1667, M. de Tracy laisse tomber cette petite phrase à laquelle l'intendant n'est peut-être pas tout à fait étranger: «Il faut avoir soin de plaisance pour estre mestre de la peche du grand ban[6].» Situé au fond de la baie du même nom, le port de Plaisance, défendu par ses récifs et fermé par un étroit goulet, peut loger, à couvert de tous les vents, cent cinquante navires. S'en rendre maître, c'est dominer toute la partie méridionale de l'île, commander par conséquent la grande porte d'entrée vers le Canada, tenir, en même temps, sous sa protection, les principaux établissements de pêche des Français: le Chapeau Rouge, à l'entrée de la grande baie de Plaisance, plus à l'ouest encore, dans l'île même de Terre-Neuve, le Petit Nord[7]. En 1670 Talon revient de France. Pendant son congé, il ne s'est guère «occupé, selon Charlevoix, que des affaires du Canada»[8]. Fut-il pour rien dans la détermination soudaine du roi? Enfin la cour paraît se rendre compte du péril anglais sur la côte de l'Atlantique. Déjà installé au nord et au sud de l'île, à Rognouse, à Fremouse, à Sainte-Marie, l'envahisseur, si l'on n'y met un frein, sera bientôt en état de chasser les Français de Terre-Neuve. Dès cette même année 1670, un M. de La Poippe reçoit ordre de s'assurer de Plaisance et d'y établir une colonie. À l'entreprise le roi entend consacrer annuellement dix mille livres. Et il s'agit bien d'une colonie et d'une vraie prise de possession. Les instructions de La Poippe lui enjoignent d'établir une bonne police à Plaisance, d'en fortifier le fort, et voire d'explorer l'intérieur de l'île, pour en répérer les ressources. On lui recommande même, par une combinaison de la pêche, de la culture du sol, de l'élevage des bestiaux et du trafic des pelleteries, de s'appliquer à résoudre un problème resté insoluble:

celui de la subsistance des habitants[9]. Talon ne se tient pas pour autant satisfait. Bientôt il va proposer au roi de s'emparer encore plus solidement de Terre-Neuve. Il voudra qu'au poste de Plaisance, l'on en ajoute un autre, au havre du Chapeau-Rouge, et un troisième, celui-ci, à mine menaçante de boulevard, sur la côte orientale de Terre-Neuve, face au grand Banc[10].

De quelles visées s'inspirent ces projets et entreprises? Toujours de ce souci suprême: assurer, garder au Canada une sortie vers la mer. La politique acadienne de l'intendant nous renseignerait au besoin sur ses préoccupations. Car il eut aussi une politique acadienne qu'il liait étroitement à sa politique terre-neuvienne et laurentienne. Le traité de Bréda vient de rendre l'Acadie à la France. Rien d'étonnant si, poussé d'ailleurs par Colbert, l'intendant cherche le moyen d'agencer à la colonie du Saint-Laurent, la colonie de l'Atlantique. Encore à La Rochelle, avant son départ pour l'Amérique, ce grand intuitif a perçu, d'un coup d'œil, la valeur stratégique de l'île du Cap-Breton. Il écrivait: si «elle (l'île) estoit un jour occupée par les Anglois (elle) nous fermeroit l'ouverture du Golphe de St Laurens»[11]. Plus tard, il vantera la baie des Espagnols; il proposera d'en faire un port de relâche pour les vaisseaux français, partis trop tard de France, retardés en route par la tempête ou quelque autre accident. Quelle part n'eût-il pas également en l'idée de faire de Port-Royal, ou de Pentagouët, un port de mer hivernal, à l'usage du Canada? Le mémoire du sulpicien Fénelon, écrit en 1671, et si plein de choses, contient, à n'en pas douter, un grand nombre des idées de Talon. Le fleuve Saint-Laurent «étant embarrassé de glaces cinq ou six mois de l'année»,

l'utilité serait grande, disait l'abbé, d'avoir en Acadie un port constamment ouvert[12]. Et l'on connaît les
efforts de l'intendant pour la construction d'un chemin de terre qui relierait Port-Royal ou Pentagouët à
Québec.

En conclusion, l'on aura retenu de quel prix
importait à la Nouvelle-France, l'acquisition de ses
bases lointaines, à Terre-Neuve et en Acadie. Ce
n'était pas, pour elle, mégalomanie. Il y allait de sa
voie respiratoire, et l'on peut même dire, de son lien
ombilical. Il y allait aussi, du point de vue de sa
défense militaire, d'exigences stratégiques de premier ordre. Forcée de quitter les abords de l'Atlantique, en raison de la proximité de l'Anglais, la
Nouvelle-France, à l'heure où le duel s'annonçait de
plus en plus inévitable, pouvait-elle, sans péril pour
son existence même, laisser se refermer sur soi les
portes de la mer?

* *
*

L'expansion vers le sud-est, aux sources du
Richelieu, puis, à l'ouest, sur le lac Ontario, se jus-
tifie-t-elle par d'aussi impérieuses nécessités? Commencée en 1665, on sait quelle forme a prise, en cette
direction, la première avance française. D'abord
simple ligne militaire avec point de départ aux
bouches du Richelieu, elle fonce vers la Nouvelle-
Hollande et vers la Nouvelle-Angleterre. La guerre
iroquoise finie, elle entreprend de se prolonger et
même de se fortifier en ajoutant à sa chaîne de forts,
ses colonies de défricheurs. Que cherche-t-on de ce
côté? En premier lieu, toutes sortes d'avantages économiques. Le pays du lac Champlain a séduit par la

beauté de ses paysages, son climat tempéré, un sol présumé fécond. Ne projette-t-on point une culture de la vigne qui permettrait d'approvisionner de vin tout le pays de Montréal et de Québec? Charles Le Moyne croit avoir découvert, aux environs du lac, une mine de plomb. Une autre richesse s'étale dans les terres, tout au long du lac, soit sur une longueur de quarante lieues: de magnifiques forêts de pins et de chênes. Et ce bois, le transport en paraît facile aux rives du Saint-Laurent, soit par un chemin de terre déjà construit d'un bout à l'autre du Richelieu, soit par la rivière elle-même, facilement navigable, sauf pour une demi-lieue[13].

Mais voici que bientôt, dans la pensée de Talon, l'occupation du lac Champlain se conjugue avec celle du lac Ontario. Et cette seconde ligne, jointe à la première, prend l'aspect manifeste d'un étau. Contre qui cette menace d'enveloppement? Un simple regard sur la carte aide à comprendre: l'Iroquois, la présence de l'Iroquois. En son voisinage, habitent les Hollandais de la Nouvelle-Hollande et les Anglais de la Nouvelle-Angleterre. Que faut-il de plus pour tout éclairer, pour percevoir la lutte d'influences en train de s'amorcer sur ce point de l'Amérique? À qui sera l'Iroquois? Question grosse d'anxiété, à laquelle l'on pouvait croire suspendu, vers 1670, le dénouement des rivalités coloniales sur le continent. En dépit de la paix où il s'est vu contraint, le «Spartiate» de l'Amérique, comme l'appellera un jour Chateaubriand, reste toujours une puissance redoutable. Il inquiète par son humeur guerrière toujours en mal de courses et de carnages, par sa diplomatie cauteleuse jamais en repos, par son rôle menaçant dans le commerce du castor. Toute guerre ne peut faire de lui que le plus précieux des alliés ou le plus dangereux des ennemis. En ces derniers temps, il n'a rien négligé pour faire tomber dans ses mains une sorte de monopole du castor. Habitant d'un pays peu fourni de la riche fourrure, il a profité de la paix pour se répandre dans l'Ontario d'aujourd'hui, au nord de l'Outaouais. Il est venu chasser et râfler les peaux aux environs des postes français et jusque sur les terres des sauvages de l'obédience française. Quelques-unes mêmes de ses peuplades ont fondé des villages sur la rive nord du lac Ontario. Pendant le même temps, il s'est employé à diriger vers les comptoirs anglais ou hollandais les convois de pelleteries des Outaouais. Aux yeux des sauvages de l'Ouest, il a fait miroiter des prix plus élevés, une marchandise d'échange de qualité supérieure, l'avantage d'une voie de commerce plus unie et plus courte. Tant et si bien que l'Iroquois est en train de devenir, dans l'économie américaine, un facteur inquiétant. En 1670, Talon calcule que les Anglais de Boston et les Hollandais de Manhatte et d'Orange ont reçu, par l'intermédiaire des Iroquois et des Indiens de leur voisinage, une fois et demie la récolte moyenne de la Compagnie française des Indes occidentales, soit la quantité énorme d'un million deux cent mille livres de castor, «presque tous secs et les mieux fournis», dit-il, dont les voisins alimentent leur commerce avec la Moscovie[14]. À qui irait l'Iroquois? Les Français voulaient-ils sauver quelques débris de leur traite des fourrures, retenir dans leur alliance les sauvages de l'ouest? L'heure pressait des mesures énergiques[15].

Pour faire passer l'Iroquois sous la domination française, Talon a rêvé d'une première solution fort audacieuse: l'achat ou la conquête de la Nouvelle-Hollande[16]. Il en écrit à Colbert dès 1666, et selon son habitude, il l'a fait avec sa tenace dialectique. L'état d'esprit de Colbert pouvait alors lui permettre d'accueillir favorablement le projet de l'intendant. Depuis 1664, par le nouveau tarif français, il a véritablement déclaré à la Hollande la guerre économique. Il serait prêt à ruiner les Hollandais, à leur ravir leurs colonies d'Afrique et des Moluques, à leur arracher l'empire de la mer[17]. Talon revenait à la charge en 1667. Par l'acquisition de Manhatte et d'Orange, osait-il dire au ministre, «vous aurez fait plus de la moitié de l'établissement que vous projettez au Canada[18].» L'expression dépassait-elle la mesure? Qu'est-ce que la Nouvelle-Hollande? Une simple route bordée de comptoirs; mais cette route est celle de l'Hudson. Par le fleuve du sud, faisait donc observer Talon, le Canada acquerrait une seconde sortie vers la mer, et une sortie ouverte en toute saison. Touchant d'un côté à la Nouvelle-Suède et, de l'autre, à la Nouvelle-Angleterre, on pourrait tenir en respect la première et enfermer l'autre en ses limites qu'aurait déjà restreintes l'occupation du lac Champlain[19]. Mais surtout maître de l'Hudson, le Canada tirerait forcément à lui tout le castor iroquois; du même coup, il s'assujettirait les cantons, dont l'indépendance tient à cette particularité que, pour leurs approvisionnements, ils peuvent se passer des Français.

Pour ajouter à la force de ces raisons d'ordre économique et politique, l'esprit missionnaire apportait les siennes: on faisait valoir l'opportunité de préserver de la contagion protestante les missions iroquoises alors en voie de naître, de surveiller de plus près le commerce de l'eau-de-vie. «Si Manhate, Orange et les lieux circonvoisins appartenaient au roi de France, écrivait la Mère de l'Incarnation, l'on ferait de toutes ces contrées une magnifique Église[20].»

Ainsi parlaient la diplomatie de Talon et celle des missionnaires. Transaction audacieuse, avons-nous dit, que l'acquisition de la Nouvelle-Hollande. Peut-être même faudrait-il dire hasardeuse. S'emparer de la route de l'Hudson, autant interdire à la Nouvelle-Angleterre tout espoir d'agrandissement et, par cette enclave ou ce coin introduits entre elle et sa voisine du sud, l'isoler de la Virginie. Rôle de surveillance et de compression que l'Hudson ne pouvait tenir qu'à la condition de se hérisser de forts, et de mettre, au service continuel de ces forts, une flotte puissante. La France était-elle prête à ce grand effort et l'enjeu en valait-il la peine? Pour peu que l'on presse les textes de Talon, il est facile de voir qu'en sa pensée, il y allait de l'avenir colonial de la France en Amérique. On se rappellera aussi que cette solution, il la proposait à Colbert dans les années 1666 et 1667. Or, à cette date, la Nouvelle-Hollande n'existait plus politiquement. Aussitôt la guerre déclarée aux Provinces-Unies, Charles II avait envoyé le duc d'York s'emparer de Long-Island, de l'Hudson et de tout le territoire entre les rivières Delaware et Connecticut. Depuis 1664 New Amsterdam s'appelait New York, du nom de son conquérant; toute la côte de l'Atlantique était devenue anglaise, depuis le Canada jusqu'à la Floride. D'autre part, allié des Hollandais depuis 1662, puis entré dans la guerre en 1666, Louis XIV songeait à en finir. Le roi, avait donc pensé Talon, ne pourrait-il, à l'heure du traité de paix, exiger la restitution de la Nouvelle-Hollande à ses anciens possesseurs, après en avoir obtenu pour lui-même, de la part de Messieurs les États, ou la cession ou la vente? L'intendant écrit en ce sens à

Colbert; il le presse d'agir. Il est singulier de noter que les Anglais avaient prévenu les Français, dans la conquête de la Nouvelle-Hollande, pour les mêmes soucis: attirer dans leur jeu les Iroquois, et par les Iroquois, s'emparer du castor de la Nouvelle-France. Des Groseilliers passé à Boston leur avait mis ces projets en tête. Ainsi le pensent, du moins, à l'époque, le Père Ragueneau et la Mère de l'Incarnation[21]. En Europe, par malheur, les deux belligérants anglais et hollandais ont le même intérêt à précipiter la conclusion de paix dans la crainte que la guerre ne profite surtout au roi de France. Dans un premier traité, celui de Bréda (31 juillet 1667), Louis XIV qui avait déjà requis la restitution de l'Acadie, n'osa demander davantage. Au traité de l'année suivante, celui d'Aix-la-Chapelle (2 mai 1668), le roi signait la paix sous la menace d'une coalition générale. L'on exigeait de lui la restitution de la Franche-comté; il se tint pour heureux de garder ses conquêtes aux Pays-Bas espagnols.

Talon arrivait en France à l'automne de 1668, ces arrangements conclus. Fort contrarié a-t-il renoncé pour autant à son espoir? Ne sont-ce pas encore beaucoup de ses idées qu'en son mémoire de 1671 reprend l'abbé de Fénelon? L'abbé est le missionnaire, confiait Talon à Colbert, qui «a travaillé à me donner les connoissances que je ne pouvois avoir que par luy pour les découvertes que je désirois faire[22].» Le Sulpicien n'insiste pas moins que Talon sur les nombreux avantages d'une acquisition de la Nouvelle-Hollande. Et qui désire se rendre compte de l'importance attachée alors à une sortie vers la mer, n'a qu'à s'en rapporter au sentiment de l'abbé, et à l'éloge décerné par lui au port de New York: port hivernal bien supérieur à ceux d'Acadie, et pour sa situation en une région plus tempérée, et pour ses communications plus faciles avec Québec et Montréal, par le Richelieu et le lac Champlain. Pour difficile que paraisse au sulpicien l'acquisition de la Nouvelle-Hollande, il ne la croit point irréalisable. La province n'appartient pas à la Nouvelle-Angleterre, mais bien au duc d'York. En outre, maltraités par leurs nouveaux maîtres, les Hollandais, quelques-uns, à tout le moins, ne répugneraient pas à un changement d'allégeance[23].

Peu confiant, sans doute, en ces nouvelles instances, Talon — y fut-il aidé par Courcelle? — s'est déjà rabattu sur un autre projet d'exécution moins difficile: s'établir fortement sur le lac Ontario. Il y a songé avant même son premier départ pour la France[24]. Depuis 1668, son ami et informateur, l'abbé de Fénelon, est parti pour la région nord du lac Ontario. Il y a fondé la mission Kenté, a rayonné dans toute la région jusqu'au lac Erié, fournissant, sans doute, l'intendant de renseignements de première main. En 1670 le projet de Talon se ramène à ceci: jeter sur le lac deux établissements, l'un au nord, l'autre au sud; armer, pour y faire la police, un petit bâtiment à voiles et à rames, en forme de galère; cent soldats choisis, 15,000 livres suffiront à l'entreprise[25]. Rien de tout cela, Talon en est bien d'avis, ne vaudra la conquête de la Nouvelle-Hollande. Mais qui sera maître du lac Ontario sera maître de l'Iroquois. Et voici comment. L'Iroquois, avons-nous dit, est contraint d'aller chercher sa fourrure dans les régions plus froides du Nord, en somme, sur les terres françaises[26]. Pour s'y rendre, force lui est de côtoyer les rives du lac Ontario; il y est bien obligé surtout au retour, alors que ses fragiles canots reviennent chargés de viande et de peaux. Les deux forts bâtis à l'une et à l'autre extrémité du lac apparaissent alors dans leur rôle: arrêter au passage le chasseur et happer toute sa fourrure. Devenu tributaire des Français, pour la vente de son castor, l'achat de ses ustensiles domestiques et de ses munitions de chasse et de guerre, l'Iroquois, par conséquence fatale, serait forcé d'abdiquer, entre leurs mains, son indépendance. Au surplus, à proximité de ses villages, vides ou à peu près de guerriers pendant toute la saison de chasse, les forts français inspireraient à l'Iroquois une crainte salutaire et le rendraient de composition plus facile. À ces postes sur le lac Ontario, les sauvages de l'ouest trouveraient eux-mêmes un notable avantage: celui d'une voie de commerce qui leur serait ouverte vers les habitations françaises, voie plus courte que celle de l'Outaouais, moins embarrassée de sauts, et désormais débarrassée de toute embûche. Outre le commerce iroquois, l'occupation du lac Ontario permettrait donc d'accaparer tout le commerce des sauvages occidentaux. Ainsi parlaient Talon et l'abbé de Fénelon[27]. À coup sûr, à cet autre point névralgique, des mesures urgentes s'imposaient. Au besoin les menées des Anglais et des Hollandais en eussent averti. Bien au fait de la menace que dessinaient contre leur commerce, la présence des Français sur le lac Champlain et le travail des missionnaires jésuites dans les cantons, déjà ils réagissent vivement. Au lendemain du traité de Bréda, le commandant anglais à Manhatte fera savoir aux missionnaires que s'il n'a pas d'objection à leur prédication parmi les Iroquois, il en a au commerce de ces derniers avec les marchands de pelleteries de Montréal[28]. Plus agressifs, parce que plus atteints, les Hollandais vont bientôt s'agiter pour faire expulser les missionnaires de leur voisinage. Après le voyage de Frontenac à Kataracoui, en 1673, le Père Lamberville écrira que, sans la forte impression produite par le gouverneur sur les chefs des villages iroquois, «tout ce qu'il y a de françois seroient desja ou morts ou chassez de ce païs»[29]. À qui irait l'Iroquois? Colbert répondait à Talon assez négligemment: «À l'égard de la proposition que vous faites de lever 100 soldats et de faire construire une espèce de galère pour asseurer le lac Ontario, le Roy n'a pas estimé qu'il fust necessaire de nouvelles troupes pour cela; et Sa Majesté désire seulement que vous communiquiez cette pensée à M. de Courcelle et qu'il l'exécute si vous trouvez en effect qu'il en puisse revenir quelque avantage au service du Roy et aux nations sauvages auxquelles Sa Majesté a accordé la paix[30].» Une controverse longue et parfois orageuse allait bientôt s'engager sur l'opportunité de s'établir sur le lac Ontario. Il faut regretter que l'on n'ait point compris l'idée de Talon, ou que, plus tard, l'ayant comprise, on ne l'ait réalisée qu'à demi. Plus et mieux que tout autre, sinon le premier, il avait pressenti les chocs en préparation dans la région du lac Champlain et du lac Ontario. Région stratégique où la Nouvelle-France ne pouvait se dispenser d'être présente et d'être forte. Qu'on se rappelle Chouaguen.

* *
*

Le 10 octobre 1670, Talon écrivait au roi: «Depuis mon arrivée j'ay fait partir des gens de résolution qui promettent de percer plus avant qu'on n'a jamais fait, les uns à Louest et au Norroüest du Canada et les autres au surroüest et au sud[31].» De ces gens de résolution, une équipe vient de prendre le chemin de la mer du Nord. Et la même question se pose: qu'allait-on faire en cette région? À quoi bon ce nouvel agrandissement, de tous, selon l'apparence, le moins justifiable? Voici longtemps que la région septentrionale attire les explorateurs français. Toutes les explorations du monde se sont faites par des rebondissements de chemins, sous l'influence de fascinations croissantes. De ce côté comme ailleurs, l'avance française s'est produite par étapes successives, au fur et à mesure des notions recueillies sur la région et de la force d'attirance de ces lointains. On se souvient de l'expédition avortée de Jean Bourdon en 1657, par le détroit de Belle-Isle et l'Atlantique, puis, quatre ans plus tard, d'une autre expédition par terre, celle du jeune Denis de La Vallière accompagné des Pères Druillettes et Dablon, avec rebroussement à Nekouba[32]. La mer du Nord ne cesse pas pour autant d'occuper les esprits. En 1664, le Père Nouvel en entend parler au lac Manicouagan, chez les Papinachois; il s'en fait décrire par un capitaine indien, la topographie[33]. En vue d'un voyage de découverte, il amasse des renseignements; et si, l'année suivante, un guide eût pu l'attendre, il se fût mis en route[34]. Au printemps de 1660, Radisson et Des Groseilliers ont fait leur apparition à Québec, de retour d'immenses randonnées, dont l'une, prétendaient-ils, à la tête d'une bande de Cris, les avait menés par la rivière Albany ou quelque autre, jusqu'à la baie James. Les deux aventuriers avaient rapporté de là des milliers de livres d'un magnifique castor. Ce voyage à la Baie, quoique inventé de toutes pièces, n'en a pas moins fait marcher les langues et suscité des rêves[35]. En 1670 et même un peu avant cette date, et sur des points fort éloignés l'un de l'autre, la mer du Nord recommence à faire parler d'elle. Le Père Albanel, en mission chez les Papinachois de la Côte-nord, rencontre un sauvage de la grande baie septentrionale qui lui parle d'un vaisseau français, venu récemment en la région[36]. À l'autre bout du pays, à Sainte-Marie du Saut, le Père Dablon note, parmi les sauvages habitués de la mission, deux nations au moins qui viennent de la mer du Nord et d'autres qui errent aux approches de ces hautes régions. Quelques-uns de ces Indiens assurent que, de la rive de la mer, ils voient souvent passer au loin des voiliers. Ces vaisseaux, conjecturent naturellement les missionnaires, font voile vers le Japon et vers d'autres îles avoisinantes[37]. Le Père Dablon rêve bientôt d'un autre voyage là-haut, par la route du Nipissing, sans doute, ou par le lac Alimibeg (Nipigon), routes d'Indiens depuis longtemps connues et où l'on se rend à la mer, par la première en quinze jours, par la seconde en sept jours[38]. Le Père Allouez pousse une pointe en cette direction. Dès 1670 il recueille sur la région et ses habitants, des notions qui se trouvent justes. On lui parle d'un pays où il fait six mois de nuit, pays couvert de neiges presque éternelles, sans arbres, où l'herbe n'est pas plus longue que le doigt, où les habitants font du feu avec les os, les peaux, le poil des bêtes qu'ils tuent[39].

À cette même heure, dans l'esprit de l'homme, d'où partent alors tant de hardies impulsions, germe aussi le projet d'une expédition vers la mer du Nord. Des Algonquins venus de Tadoussac racontent à Talon avoir vu, aux approches de la baie d'Hudson, deux vaisseaux européens en hivernement[40]. Tout de suite Talon pense à Des Groseilliers, passé aux Anglais, depuis 1665, avec son beau-frère Radisson. En effet, Des Groseilliers a passé l'hiver de 1668-1669 à la baie James, à bord du *Nonsuch* d'où il est reparti pour Londres avec un plein chargement de fourrures[41]. Il y reviendra, en 1670, cette fois avec Radisson et deux vaisseaux anglais[42]. Le 16 août 1671, une expédition quitte Québec pour Tadoussac. Talon a bien choisi ses hommes. Pour animer les colons à cette découverte, il est allé jusqu'à solliciter du roi des lettres de noblesse[43]. L'équipe se compose de trois Français, parmi lesquels, Paul Denis de Saint-Simon, jeune gentilhomme du Canada, fils de celui que l'on appelle «Monsieur de Saint-Denis, capitaine de Tadoussac», chargé d'affaires de la compagnie dans les pays de la côte nord[44]. Le jeune Denis connaît donc bien le Saguenay et les Indiens de la région[45]. L'autre, le Père Albanel, parle à la perfection la langue montagnaise. Ancien missionnaire de Tadoussac, lui aussi est un familier de la région et le départ le trouve plein d'exultation. Séduit par la passion de l'aventure, il a tenu un temps «plus du découvreur que du missionnaire»[46]. Voici longtemps, du reste, qu'il se prépare à ce voyage. «La conduite (de l'expédition) m'en estoit deuë, a-t-il écrit, apres dix-huit ans de poursuites que j'en avois faite & j'avois des preuves assez sensibles que Dieu m'en reservoit l'execution...»[47] Aidés de guides indiens pris à Tadoussac et le long du Saguenay, les explorateurs se rendent à Chicoutimi, puis de là, au lac Saint-Jean. On s'avance à marches forcées; on part de bon matin; on gîte aussi tard que possible. Randonnées d'athlètes de la marche où il faut autant de force musculaire que d'énergie morale. La saison tardive n'en oblige pas moins les explorateurs à se cabaner pour l'hiver à quelque distance du lac Saint-Jean[48]. Le plus tôt possible au printemps, c'est-à-dire le premier juin 1672, les trois Français accompagnés de 16 sauvages quittent Nataschegamiou, prennent la rivière Nekoubau, traversent le grand lac Mistassini, et se jettent dans la rivière Rupert[49]. La baie, croient-ils, n'est plus maintenant qu'à peu de distance. Aux approches du lac Nemiskau le pays cesse d'être montagneux; l'air s'adoucit; un pays de plaines et de campagnes se déroule. Le Père Albanel, chroniqueur de l'expédition, note à mesure qu'on avance, les vastes, les épaisses forêts, les prairies herbeuses, faites pour nourrir d'immenses troupeaux: tous ces espaces qui «seroient capables de nourir de grands peuples, si on les faisoit valoir»; il note encore les jours de soleil sans fin, l'aube succédant au crépuscule sans transition. Et le chroniqueur s'enthousiasme. Qu'on ne lui parle plus d'un pays inhabitable pour ses glaces et ses neiges. Le 15 juin il a vu «des roses sauvages aussi belles & aussi odoriferantes qu'à Quebec»; la saison lui a même paru «plus avancée, l'air for doux & agreable»[50]. Tout à coup, le 28 juin, à main gauche, dans un petit cours d'eau, un bâtiment de dix ou douze tonneaux apparaît amarré, coiffé du pavillon anglais et de la voile latine. À distance d'un coup de fusil, deux maisons désertes se dressent à leur tour. C'est le fort Charles, élevé à l'automne de 1669 par Des Grosseilliers, en l'honneur du souverain de la Grande Bretagne, Charles II. Les canots avancent encore quelque peu. Voici maintenant la mer qui déploie son immensité. Alors les Français s'abandonnent à la suprême joie des explorateurs, à la détente des nerfs et de l'âme devant le but héroïquement atteint: «Tout ce soir, raconte le Père Albanel, nous arrestames là, tirant de grands coups de fusils pour nous faire entendre, & nous divertissant à considérer la mer que nous avions tant recherchée & cette si fameuse baye de Hutson[51].»

Dès le 5 juillet, néanmoins, il faut songer au retour. En route, on prend possession du pays; on arbore les armes du roi à deux endroits: sur la pointe de l'île qui coupe le lac Némiskau et sur les bords de la rivière Minahigouska[52]. Ainsi l'écu aux lis d'or réaffirme les prétentions de la France sur toutes ces terres de l'extrême nord. Mais, encore une fois, pourquoi ce nouvel agrandissement de la colonie, ce prolongement d'une autre ligne à quatre cents lieues de sa base principale? À quoi bon risquer une nouvelle dispute de territoires?

Un intérêt élevé, celui des missions indiennes, a compté pour une part. Tout le long de la route et sur les bords mêmes de la baie du nord, le Père Albanel tient à s'en expliquer avec les sauvages: cette longue course, il ne l'a pas entreprise pour s'enrichir, mais pour les enrichir des biens de la foi; il ne convoite pas leurs peaux, mais leur âme[53]. Le missionnaire avait d'ailleurs emporté, en son sac de voyage, des lettres de grand-vicaire qui lui conféraient juridiction dans toutes les contrées situées vers le nord et l'ouest. Et c'est le même religieux qui, dans sa chronique de l'expédition, a laissé tomber ce beau cri d'apôtre: «Il est vray que ce voyage est extremement difficile, & que tout ce que j'en escris, n'est que la moindre partie de ce qu'il y faut souffrir. Il y a 200. saults ou cheutes d'eau, & partant 200. portages, où il faut porter canot et équipage tout ensemble sur son dos; il y a 400. rapides où il faut avoir toujours une longue perche aux mains, pour les monter & les franchir; je ne veux rien dire de la difficulté des chemins, il faut l'experimenter pour le comprendre. Mais on prend courage quand on pense combien d'ames on peut gagner à Jesus-Christ[54].» De cette conquète du nord dépendait, au vrai, l'avenir reli-

gieux des Indiens de cette partie du bassin hudsonien. Jusque alors le lac Saint-Jean a été le point de
rencontre, le lieu d'échanges entre les peuplades de
la mer du Nord et celles du golfe et du fleuve Saint-
Laurent. Certaines années, jusqu'à vingt nations ont
campé sur les rives du lac[55]. Venus à leur rencontre
à l'époque de la foire, les missionnaires ont pu évangéliser les trafiquants et leurs familles; quelques-uns
mêmes des Indiens du septentrion sont descendus
jusqu'à Tadoussac se faire instruire. Qu'arriverait-il
si les Anglais se rendaient maîtres de la baie d'Hudson et y ouvraient des comptoirs? Finie la foire du
lac Saint-Jean! Les sauvages des hautes terres échap-
peraient aux prises des robes noires. À la nouvelle
que des vaisseaux anglais étaient apparus à la baie
du Nord, la Mère de l'Incarnation faisait cette juste
réflexion: «Voilà une mauvaise affaire pour le tem-
porel, peut-être aussi pour le spirituel, puisque le
pays tombe sous la domination des infidèles[56].»

Des visées commerciales, personne non plus
n'en a fait cachette, ont inspiré l'expédition Denis-
Albanel. «Outre la foi qui est la fin principal», ces
grands pays, avoue la Mère de l'Incarnation, «sont
très avantageux pour le commerce»[57]. qui n'a gardé
souvenir, dans la colonie, des merveilleuses cargai-
sons que Radisson et des Groseilliers disaient avoir
rapportées de là-haut? Aux environs du lac Nemiskau, le Père Albanel a noté une profusion d'îles
«tellement marquées des pistes d'orignaux, de castors, de cerfs, de porc-epy, qu'il semble qu'elles
soient le lieu de leur demeure»[58]. Faune prodigieuse
qui va faire la fortune d'une compagnie fondée à
Londres, le 2 mai 1670, grâce à la collaboration de
Radisson et de son beau-frère: la célèbre «compagnie
des Aventuriers d'Angleterre». Talon a vu tout de

suite le péril, le péril de l'encerclement anglais se poursuivant par le nord. À moins d'une prompte action, c'est tout le castor des terres hudsoniennes qui peut s'orienter vers les comptoirs anglais; c'est la traite de Tadoussac déviant pour une part de ce côté; et c'est le commerce d'exportation de la colonie gravement atteint. Paul Denis de Saint-Simon a donc reçu ces ordres précis: reprendre possession de ces terres, jadis découvertes par les Français; lier commerce de pelleteries avec les sauvages[59].

À l'expédition de 1671 s'attachait pourtant un espoir d'une portée encore plus considérable: la découverte du fameux passage vers la mer d'Orient. Combien d'esprits se laissent alors hanter par cette chimère! À Sainte-Marie du Saut, le Père Dablon s'entretient de ce rêve et en suppute les chances. Quel est ce quartier de la mer du Nord qui nous est le plus voisin? se demande-t-il. Est-ce la baie d'Hudson? Est-ce quelque autre étendue d'eau? S'il s'en rapporte à la parole des Indiens, le Père se croit en état de localiser la mer de l'ouest; les rivages s'en trouvent vers le couchant, à deux cents lieues de la mission du Saint-Esprit. Les mêmes renseignements permettent de conjecturer l'existence d'un passage de la mer du couchant à la mer du Nord. En ce cas, concluait le Père, le nord nous réserve une grande découverte: celle des communications avec la mer du Japon; et, c'est par là «qu'on s'en pourrait faciliter le trajet, & ensuite le commerce»[60]. Coïncidence étrange: vers le même temps, le même rêve séduit l'esprit de Talon. Un capitaine Poullet de Dieppe, navigateur expérimenté, offre à l'intendant de faire la circumnavigation de l'Amérique, soit en passant par le détroit de Davis, pour aboutir à Magellan ou, à l'inverse, passer par Magellan, pour revenir, après avoir «doublé le revers de l'Amérique», par le détroit de Davis ou la baie d'Hudson[61]. Talon est si convaincu de l'existence du passage qu'il donne instruction à Paul Denis de Saint-Simon, de chercher, dans la baie du Nord, un lieu propre à l'hivernement de quelques bâtiments et à la fondation d'entrepôts de vivres, à l'usage des vaisseaux «qui pourront cy apres descouvrir par cet endroit la communication des deux mers...»[62] Résumons: un souci de missions, de graves intérêts commerciaux, un rêve puissant: ouvrir la route vers la mer d'Orient, voilà pour expliquer cette autre poussée française vers la mer du Nord.

* *
*

Parmi les «gens de résolution», dépêchés par l'intendant en 1670, l'un d'eux prit la route de l'ouest, dans la direction des Grands Lacs. Celui-ci qui s'appelle le Sieur Daumont de Saint-Lusson[63], emporte une consigne au premier abord assez étrange: pousser aussi loin que possible, tant qu'il trouvera «de quoy subsister». Pour plus de précision, il s'enquerra «soigneusement s'il y a par lacs ou rivières quelque communication avec la mer du sud, qui sépare ce continent de la Chine». Serait-ce la première mission officielle dépêchée à la découverte du Mississipi par les lacs? Talon a voulu toutefois que cette mission passât après une autre: la recherche des mines de cuivre du lac Supérieur[64]. En réalité, la principale tâche de Saint-Lusson, c'était celle dont on ne paraissait le charger qu'en passant: arborer en route au Saut Sainte-Marie les armes du roi et prendre possession de tout le centre américain. De tous les envoyés de l'intendant partis en tant de directions, nul n'allait poser un acte de pareille envergure. Et, pour le poser, l'on a choisi le Saut, centre des missions de l'ouest, nœud de la vie commerciale dans les Grands Lacs, lieu de rassemblement de tous les chasseurs de castor: ceux du nord, ceux de l'ouest, ceux du sud-ouest. Mais qu'est-ce que cet autre bond, apparemment lui aussi, d'une belle extravagance?

De cette avance extraordinaire vers l'ouest comme, au reste, de toute la conception de l'empire, cherchons la raison première dans l'esprit de Talon. Charlevoix a parlé du «génie supérieur» de l'homme «qui n'enfantoit que de grands projets»[65]. Ce Français, on ne saurait trop se le rappeler, appartient à la première et enivrante période du grand règne. Il semble, à lire ses lettres et ses mémoires, qu'il ne puisse concevoir que grandement, à la mesure des desseins de son roi. L'architecture géographique du Canada, l'énorme étendue aux lignes à la fois ordonnées et illimitées, a, dès le premier contact, c'est visible, fortement frappé son imagination. Ses projets, ses rêves, dilatés par l'ampleur majestueuse, lui ont dicté ces lettres à Colbert qui, par leur ton, leurs formules, ont dû, plus d'une fois, rappeler au ministre et au roi, un langage alors familier, qui s'apparente au théâtre cornélien: «Vous, Monseigneur, qui n'estes né que pour des grandes choses trouvez en ce pays un champ bien ouvert à de grandes entreprises; comme le Canada confine à la floride et par cette partie au Mexique, à la Virginie, à La Nouvelle suede, et a la nouvelle hollande, on a dans son voisinage une bonne partie des puissances de l'Europe sur lesquelles le Roy peut tomber par cet endroict, si Sa Majesté travailloit à l'establissement d'une grande colonie et faisoit occuper les lacs et les testes des Rivières qui communiquent aux contrées occupées par les Européens. Ce que je propose a bien des difficultez... Aux grandes ames comme à celle du Roy il ne faut que des hautes entreprises et aux esprits de la trempe du vostre rien du commun.» «Ce pays, dira-t-il encore, est disposé de manière que par le fleuve on peut remonter par tout à la faveur des lacs qui portent à la source vers l'Ouest et des rivières qui dégorgent dans luy par ses costez, ouvrant le chemin au nort et au sud, c'est par ce mesme fleuve qu'on peut esperer de trouver quelque jour l'ouverture au Mexique...»[66] En ces lignes, on trouve tout le dessin de l'empire: donner à la France tout ce que l'étranger n'a encore pris de l'Amérique septentrionale; contenir dans leurs possessions présentes, Hollandais, Anglais et Espagnols; se ménager le moyen d'exercer sur ces puissances des pressions opportunes. Sans doute, par cette avance vers l'ouest, était-ce poser les bases d'une autre arche gigantesque. Mais que pouvait encore Talon contre ce fait de géographie humaine: la distribution des populations américaines? Depuis 1650, pas un village, pas une tente indienne entre Montréal et l'entrée du lac supérieur à Sainte-Marie-du-Saut. À peine voit-on quelques menus groupes se rapprocher de Michillimakinac, de l'île Manitouline, du lac Nipissing. En revanche des peuples encore nombreux entourent les grandes mers intérieures, tiennent les sources du fleuve. En ces dernières années, les Jésuites ont déployé tout à l'entour des lacs un vaste effort missionnaire. Le temps n'est-il pas venu, pour la politique, de mettre à profit cette pénétration déjà fort avancée? La Nouvelle-France peut-elle sans imprudence se désintéresser des faits et gestes de ces peuplades indiennes, les abandonner aux rivaux qui voudraient les tirer à eux? Car les rivaux ont commencé d'opérer dans la région. Pour leur intérêt propre ou pour celui des Hollandais, les Iroquois parcourent les villages de l'ouest, sèment les présents, tâchent d'accaparer la pelleterie[67].

Installée à la Baie d'Hudson, l'influence anglaise ne peut tarder à se faire sentir en ces parages plus près de la baie que ne le sont Québec ou Tadoussac. Talon n'aura pas encore quitté la Nouvelle-France que les missionnaires lui enverront porter d'inquiétantes doléances. Ils lui signaleront, comme en voie de se produire, une diversion déjà considérable du commerce; les sauvages des terres paraissent de moins en moins au lac supérieur; l'habitude s'établit là-bas d'aller porter ses peaux aux Anglais de la baie qui ne ménagent point leurs libéralités[68]. Quel nouvel orage se préparait dans l'ouest? Un jour ou l'autre, à la faveur des liens commerciaux, une coalition indienne n'allait-elle pas se produire où la Nouvelle-France de la vallée laurentienne serait emportée comme un fétu de paille? Cette expansion rivale, n'est-ce pas déjà trop, pour Talon, qu'il n'ait pu la confiner pour une part, à l'est de la rivière Hudson et briser du même coup, la coalition anglo-iroquoise? L'est lui échappant, Talon pensa n'avoir plus qu'à suivre les rivaux en leur champ d'opération, aux sources mêmes du fleuve, et à faire au plus tôt, sur ces régions, acte de souveraineté[69]. Pour nous éclairer, sur ce point de sa politique, rien de plus net que ce passage de l'un de ses mémoires: «Je ne parle plus de Manatte et Orange puisque ces deux postes n'ont pû estre au Roy par quelque accommodement (ce qui à mon sens luy auroit été d'une très grande utilité). Il faut leur [c'est-à-dire aux Hollandais] barrer le chemin vers le fleuve et asseurer à sa Majesté toutes les ouvertures des Lacs et des Rivières qui y communiquent pour faire perdre aux Européens l'envie qu'ils auroient de partager avec sa Majesté un sy beau et si vaste pays, s'ils le fréquentoient aisément»[70]. À tous ces mobiles d'ordre commercial et politique, s'en est-il mêlé d'autres que nous connaissons moins? Saint-Lusson emportait-il des instructions secrètes, la mission, par exemple, de se renseigner sur les agissements des Jésuites autour des Grands Lacs? Nous le dirons peut-être en son temps.

Saint-Lusson se mit en route en octobre 1670. Talon lui avait adjoint un compagnon de première main, qui justement venait d'arriver de l'ouest, à la tête d'une flottille d'Outaouais. Jeune homme de vingt-six ans, il s'appelait Nicolas Perrot. Entré tout jeune au service des Jésuites de l'ouest, devenu dans la suite, coureur de bois, mais de la meilleure espèce, d'une adresse et d'un sang-froid hors pair, éloquent, capable de persuader aux Indiens tout ce qu'il voulait, Perrot était estimé, vénéré, comme un père et comme un chef parmi les tribus du Michigan et du Wisconsin, et même parmi les Hurons: l'homme qui avait «le plus connu ces Nations», au dire de La Potherie. Les Indiens des lacs l'appellent familièrement le «petit bled d'inde»[71]. Nicolas Perrot, disons-le en passant, celui-là qui, plus que d'autres, aurait mérité le titre de «roi des coureurs de bois». Partis un peu plus tard, Saint-Lusson et Perrot sont contraints d'hiverner à l'île Manitouline. À la première fonte des glaces, Perrot dépêche des émissaires indiens vers les nations du Nord et part lui-même, en canot, pour la baie des Puants. Il fait si bien que le 4 juin 1671 les représentants de 14 nations campent au

Saut. Comme à propos, l'apparition de météores assez extraordinaires vient puissamment ébranler l'imagination indienne. À la faveur de phénomènes de parélie, le firmament s'est paré d'images multipliées du soleil. Le prodige s'est fait voir au cours de l'hiver et au printemps, à la baie des Puants, à Michillimakinac, à l'île Manitouline, les astres se montrant en des positions variables, avec un déploiement de couleurs souvent éclatantes. Au Saut il a paru un jour jusqu'à huit soleils[72]. Arrivé en ce lieu, au commencement de mai, Saint-Lusson ne néglige rien pour s'acquitter de sa mission, «avec tout l'appareil et l'éclat que le pays a pu souffrir»[73]. Le 4 juin un défilé se met en branle vers une éminence qui domine la bourgade des Sauteux. D'en bas monte le grondement de la décharge du lac Supérieur. Dans l'espace défriché apparaît le «fort joly fort» des Jésuites, carré de pieux de cèdre de 12 pieds de haut, au centre une chapelle et une résidence, avec un entour de champs assez vastes, en pleine verdure[74]. Dans le défilé marchent, à la suite de Saint-Lusson, une quinzaine de Français en armes, parmi lesquels l'on distingue Nicolas Perrot, Louis Jolliet, François de Chavigny de La Chevrotière, puis un groupe de quatre Jésuites, les Pères Dablon, Druillettes, Allouez et André, vêtus, sans doute, de l'étole et du surplis; enfin, viennent en queue, avec leurs costumes des grands jours, les délégués des nations indiennes. Une croix et un piquet de cèdre ont été transportés sur la hauteur. Bénite par le Père Dablon, la croix s'élève la première, au chant du *Vexilla regis* entonné par tous les Français. Puis s'élève à son tour, le piquet de cèdre, orné de l'écu de France; on le fixe en terre, au chant de l'*Exaudiat*. Alors Saint-Lusson procède à l'acte principal de la cérémonie. Élevant par trois fois, au-dessus de sa tête, une poignée de terre et de gazon, au cri de *Vive le roi!* poussé par toute l'assemblée, avec accompagnement de décharges de fusils, l'envoyé déclare prendre possession «dudit lieu Sainte-Marie du Sault, comme aussy des lacs Huron et Supérieur, isle de Caientoton et de tous les autres pays, fleuves, lacs et rivières contiguës et adjacentes, iceux tant descouverts qu'à descouvrir, qui se bornent d'un costé aux mers du Nord et de l'Ouest, et de l'autre costé à la mer du Sud, comme de toute leur longitude ou profondeur...»[75] Nicolas Perrot, «interprette pour Sa Majesté en cette partie», répète en langue indienne ce procès-verbal qui, d'une seule phrase, fait passer sous la souveraineté du roi de France, toute l'immensité encore à prendre de l'Amérique, et toutes les nations indiennes encore libres en cet espace[76]. Après Perrot, le Père Allouez prend la parole. Quelques brefs commentaires sur l'élévation de la croix, en ce lieu si éloigné, composent l'exorde de l'orateur religieux; mais il s'applique surtout à faire comprendre aux délégués indiens l'opportunité de l'acte de soumission qu'ils viennent d'accomplir. À coup d'hyperboles et de comparaisons fastueuses, l'ancien professeur de rhétorique exalte la grandeur, la puissance, les richesses du monarque de France. Il a garde d'oublier l'image par excellence, celle qui touche alors ces populations et que les missionnaires évoquent en tous lieux, image que le Père Albanel fait valoir aux bords mêmes de la baie du Nord: l'ère de paix dont jouit le continent, l'Iroquois mis à la raison par les armes françaises. Le grand capitaine de France, s'écrie donc le Père Dablon, «demeure au delà de la mer, il est le Capitaine des plus grands Capitaines... Vous connoissez Onontio, ce célèbre Capitaine de Quebec, vous sçavez & vous experimentez qu'il est la terreur des Iroquois, & son nom seul les fait trembler, depuis qu'il a désolé leur païs, & qu'il a porté le feu dans leurs Bourgades; Il y a au delà de la mer dix mille Onnontio, comme celuy là qui ne sont que les Soldats de ce Grand Capitaine, nostre Grand Roy dont je parle...» Le dernier, Saint-Lusson prend la parole. D'une «façon guerrière et éloquente», nous dit le chroniqueur, il expose l'objet de sa mission; il invite les Indiens à ne plus faire qu'une terre de la leur et de celle des Français. Le soir, un feu de joie, le chant d'un *Te Deum* mettent fin au grand jour[77].

Talon rendit compte au roi de cette journée mémorable, en style enthousiaste. Manifestement il eut peine à contenir sa joie et son orgueil de cette soudaine expansion de la puissance française. Le Sieur de Saint-Lusson, écrivait-il, «est revenu après avoir poussé jusqu'à pres de cinq cent lieues d'icy... On ne croit pas que du lieu ou ledit sr de st Lusson a percé il y ait plus de trois cens lieux jusqu'aux extremitez des terres qui bordent la mer *Vermeil ou du Sud*, les terres qui *bordent la mer* de louest ne paroissent pas plus esloignées de celles que les François ont descouvertes, selon la supputation qu'on a faite sur le récit des sauvages[78]. Et par les cartes il ne parroist pas qu'il y ait plus de quinze cens lieuës de navigation a faire jusqu'à la tartarie, la chine et le japon, ces sortes de descouvertes doivent estre l'ouvrage ou du temps ou du Roy. On peut dire que les Espagnols nont gueres percé plus avant dans les terres de l'amerique Meridionnalle que les françois ont fait jusqu'icy dans les terres de la septentrionnale[79].» En résumé, Talon venait d'annexer définitivement à la colonie du Saint-Laurent l'immense rallonge de l'ouest qui portera désormais, dans la

géographie de la Nouvelle-France, l'appellation de
«Pays d'en haut», c'est-à-dire tout ce qui est au haut
du fleuve, les environs des lacs Ontario et Érié, la
région des Grands Lacs, et encore ce qui est au midi
du fleuve et des lacs, la région qui sépare le Canada
de la Pennsylvanie et où coulent ces rivières qu'on
appellera la rivière au Bœuf et la rivière Ohio ou
Belle-Rivière[80].

En marge de la cérémonie de Sainte-Marie du
Saut, l'hitorien Parkman a écrit cette phrase amère:
«Que reste-t-il maintenant de cette souveraineté si
pompeusement proclamée? Le langage de la France
sur les lèvres de quelques bateliers et vagabonds de
race mêlée; cela et rien de plus[81].» C'est parler un
peu vite. Du plan politique qui avait mené des Français jusqu'au Sault Sainte-Marie et au delà, devait
sortir le Canada. Et le Canada a pu jaillir de cette
politique parce qu'avant les pionniers et les défricheurs, une race de marcheurs s'est trouvée pour en
assembler la charpente organique. C'était tout de
même quelque chose que d'avoir révélé au monde
l'hinterland américain, les routes maîtresses de l'immense pays avec leur nœud central, leurs charnières,
et d'avoir préparé ces espaces à la prise de possession des races blanches.

Mais ces marcheurs vers quels autres points de
l'Amérique vont-ils se diriger?

TEXTES
(Extraits de la correspondance de Talon)

...j'auray l'honneur de vous dire que le Canada
est d'une très vaste estendue, que, du côté Nord, je
n'en connais pas les bornes tant elles sont esloignées

de nous, et que du costé du Sud, rien n'empesche qu'on ne porte le nom et les armes de Sa Majesté jusques à la floride, Les nouvelles Suède, Hollande et Angleterre, et que par la première de ces contrées on ne perce jusques au Mexic. (lettre de Talon au Ministre Colbert, 4 octobre 1665).

. . . .

Vous, Monseigneur, qui n'estes né que pour des grandes choses trouvez en ce pays un champ bien ouvert a de grandes entreprises; comme le Canada confine à la floride et par cette partie au Mexique, a la Virginie, a La nouvelle suede, et a la nouvelle hollande on a dans son voisinage une bonne partie des puissances de l'Europe sur lesquelles Le Roy peut tomber par cet endroict, si Sa Majesté travailloit a l'establissement d'une grande colonie et faisoit occuper les lacs et les testes des Rivières qui communiquent aux contrées occupées par les Européens, ce que je propose a bien des difficultez mais comme Elles ne sont pas invincibles Je n'hésite point a les mettre en avant. Aux grandes ames comme a celle du Roy il ne faut que de hautes entreprises et aux esprits de la trempe du vostre rien du commun. C'est ce qui fait, Monseigneur, que je ne vous parle point de tous les petits avantages que cette grande et vaste estendue de pays peut donner a l'Estat par ces différentes productions. (le même au même, 3 novembre 1666).

. . . .

Je ne parle plus de Manatte et Orange puisque ces deux postes n'ont pû estre au Roy par quelque accommodement (ce qui à mon sens luy auroit été d'une très grande utilité). Il faut leur barrer le chemin vers le fleuve et asseurer à sa Majesté toutes les ouvertures des Lacs et des Rivières qui y communiquent pour faire perdre aux Européens l'envie qu'ils auroient de partager avec sa Majesté un sy beau et si vaste pays, s'ils le fréquentoient aisément. (Mémoire de Talon à Colbert, 10 novembre 1670).

. . . .

Le Sr de la salle n'est pas encore de retour de son voyage fait au costé du sud de ce païs. Mais le s^r de St Lusson est revenu apres avoir poussé jusqu'a pres de cinq cens lieues d'icy, planté la croix et arboré les armes du Roy en presence de dix sept nations sauvages assemblées de touttes parts à ce sujet, touttes lesquelles se sont volontairement soumises a la domination de sa Majesté qu'elles regardent uniquement et comme leur souverain protecteur; cela s'est fait, au récit des peres jesuistes qui ont assisté a cette ceremonie, avec tout l'appareil et l'esclat que le païs a pû souffrir. Je porteray avec moy les actes de prise de possession que le s^r de s^t Lusson a dressé pour asseurer ces pays a sa Majesté.

On ne croit pas que du lieu ou led. s^r de s^t Lusson a percé il y ait plus de trois cens lieux jusqu'aux extremitez des terres qui bordent la mer Vermeil ou du Sud, les terres qui bordent la mer de louest ne paroissent pas plus esloignées de celles que les François ont descouvertes doivent estre l'ouvrage ou du temps ou du Roy. On peut dire que les Espagnols nont gueres percé plus avant dans les terres de l'amérique Meridionnalle que les françois ont fait jusqu'icy dans les terres de la septentrionnalle.

. . . .

Je ne suis pas homme de cour et je ne dis pas par la seulle passion de plaire au Roy et sans un juste fondement que cette partie de la monarchie françoise deviendra quelque chose de grand, ce que j'en descouvre de préz me le fait prejuger, et ces parties des nations estrangeres, qui bordent la mer, si bien establies tremblent desja d'effroy a la veue de ce que sa Majesté a fait icy dans les terres depuis sept ans; les mesures qu'on a prises pour les resserer dans de tres estroittes limittes par les prises de possession que j'ay fait faire ne souffrent pas qu'elles s'estendent qu'en mesme temps elles ne donnent lieu de les traitter en usurpateurs et leur faire la guerre, et cest en verité ce que par touttes leurs actions elles tesmoignent beaucoup craindre; elles connoissent desja que le nom du Roy est si respandu dans touttes ces contrées parmy les sauvages que seul il y est regardé par elles comme larbitre de la paix et de la guerre, touttes se destachent insensiblement des autres Europëens, et à l'exception des irroquois, dont je ne suis pas encore asseuré, on peut presque se promettre de faire prendre les armes aux autres quand on le desirera. (Mémoire de Talon au roi sur le Canada, 2 novembre 1671).

. . . .

En cela touttes les intentions de sa Majesté me paroissent suffisamment remplies par les travaux de ses sujets qui ont porté dans les pays les plus inconnus et les plus enfoncez dans la partie Septentrionnalle de l'amérique, de l'est à l'ouest, près de sept cens lieues et du nord au sud près de trois cens avec l'effroy de ses armes, la croix qu'ils ont plantée pour sa religion et l'escusson de france qu'ils ont arboré pour son estat, le nom de chrestien qu'ils ont donné avec le baptesme et celuy de françois que ces peuples ont receû, qu'ils craignent et qu'ils reverent, prenant présentement les loix qu'ils sembloient donner cy devant et contribuant mesme à l'avancement des travaux qu'ils avoient retardez. (Mémoire de Talon sur le Canada, 1673).*

Notes

*   Extrait d'un cours public à l'Université de Montréal (inédit).

1. Cité par P. Margry, *Mémoires et documents pour servir à l'histoire des origines françaises des pays d'outre-mer* (6 vol., Paris, 1879-1888), I: 257.

2. *Lettres de la Rév. Mère Marie de l'Incarnation* (Éd. Richaudeau), 2 vol., Paris, 1876, II: 224. — Robert Le Blant, *Un colonial sous Louis XIV, Philippe de Pastour de Costebelle*, Gouverneur de Terre-Neuve puis de l'Île Royale (1661-1717), (Paris et Dax, 1935), 51-54.

3. *New York Historical Documents*, Coll. Brodhead, IX: 13.

4. AC, correspondance générale, 1663-1667, II: 39.

5. *Rapport de l'Archiviste de la province de Québec pour 1930-1931* (Québec, 1931): 25.

6. Mémoire de la main de M. de Tracy sur le Canada, 1667, AC, correspondance générale, II: 532-542.

7. Charlevoix, *Histoire et description générale de la Nouvelle-France* (6 vol., Petite édition, Paris, 1744), II: 206-215.

8. *Histoire et description générale de la Nouvelle-France*, op. cit., II: 215.

9. AC, Archives des colonies, B2: 87-98.

10. RAPQ (1930-1931): 178.

11. RAPQ, (1930-1931): 25.

12. Archives nationales (France), ministère des Colonies, correspondance générale, 1671, série C"A: III, folio 192 à 211.

13. Mémoire de l'abbé Fénelon déjà cité.

14. RAPQ, (1930-1931): 121, 123. — *Lettres de la Rév. Mère Marie de l'Incarnation* (Éd. Richaudeau), *op. cit.*, II: 530.

15. Voir Margry, I: 177-181, que le gouverneur de Courcelle s'était rendu parfaitement compte du péril iroquois.

16. Il n'était pas le premier à caresser ce projet plus ou moins chimérique. D'Avaugour, dans le document que nous avons cité de lui plus haut, y avait songé. Avant lui, le Père Le Jeune. Voir Léo-Paul Desrosiers, *Iroquoisie* (Montréal 1947), I: 241.

17. «*Peuples et civilisations*» (20 vol., Paris, 1935), Histoire générale publiée sous la direction de Louis Halphen et Philippe Sagnac, X: *La Prépondérance française sous Louis XIV (1661-1715)*, 64.

18. Le Père Marquette écrivait le 4 août 1667 au Père Pupin, directeur du Collège de Dijon: «Mr de Trassy s'en retourne dans l'intention de persuader au Roy d'acheter des Anglois Manate et Orange des Hollandois.» (*Mid-America*, January 1936: 20).

19. RAPQ (1930-1931): 61, 75, 77.

20. *Lettres...* (Éd. Richaudeau), II: 370.

21. Lettre du Père Ragueneau à Colbert, 7 novembre 1664. BN, mélanges de Colbert, doc. 125, fol. 181. Marie de l'Incarnation à son fils, 28 juillet 1665, *Lettres...* (Éd. Richaudeau, 2 vol., Paris, 1876), II: 293.

22. RAPQ, (1930-1931): 117.

23. Mémoire déjà cité.

24. Voir sa lettre du 10 octobre 1670 au roi. Margry, I: 82. Aussi RAPQ, (1926-1927): 15-16.

25. RAPQ, (1930-1931): 121, 133, 134, 135.

26. Margry, *Mémoires et documents...* I: 180.

27. RAPQ, (1930-1931): 121, 133, 134, 135.

28. *Lettres de la Révérende Mère Marie de l'Incarnation* (Éd. Richaudeau), II: 370-371.

29. AC, Coll. Moreau de St-Méry, F-4: 125.

30. Colbert à Talon, 11 février 1671, RAPQ, (1930-1931): 146.

31. RAPQ, (1930-1931): 121.

32. Y eut-il, en 1663, deux autres voyages de découvertes, avec succès ceux-ci, entrepris sur ordre de M. d'Avaugour, l'un par le sieur Couture, l'autre par Pierre Duquet, et qui pour lors, auraient pris possession de la mer du Nord, au nom du roi de France? (Voir J.-Ed. Roy, *Histoire de la seigneurie de Lauzon* (6 vol., Lévis, 1897-1906), I: 210-214, que l'on paraît bien avoir affaire à des voyages inventés après coup pour donner à la France la priorité d'un droit de possession sur la baie d'Hudson. Le Père Albanel parle de trois voyages entrepris sans succès avant celui de 1671-1672 (*Relations*, LVI: 212. Voir Grace Lee Nute, *Caesars of the Wilderness*, (New York, 1943), 74 note, où il appert par «enquête faite par Le Lieut. Générale en la prévôté de Québec», Québec, nov. 2, 1688, BN., Papiers Margry, 9284, ff. 5-10, que Guillaume Couture, encore vivant, affirma par affidavit n'avoir atteint la baie d'Hudson ni en 1661 ni en 1663. Un nommé Laurent Dubose (?) qui jure avoir été le compagnon de Jean Bourdon en 1656, affirme lui aussi que Bourdon n'a pas atteint la baie d'Hudson.

33. *Relations des Jésuites* (Éd. Thwaites), XLIX: 70-72.

34. *Relations des Jésuites* (Éd. Thwaites), L: 28. Voir aussi *Lettres de la Rév. Mère Marie de l'Incarnation* (Éd. Richaudeau), II: 276-278.

35. Donatien Frémont, *Pierre Radisson, Roi des Coureurs de bois* (Montréal, 1933), 123-132.

36. *Relations des Jésuites* (Éd. Thwaites), LIII: 84.

37. Le Père Marquette au Père Pupin, 5 août 1667, *Mid-America*, January 1936, «Some Hitherto unpublished Marquettiana», 20.

38. *Relations des Jésuites* (Éd. Thwaites), LIV: 132-134. voir aussi J.-Ed. Roy, *Histoire de la seigneurie de Lauzon*, op. cit., I: 208.

39. *Lettres de la Révérende Mère Marie de l'Incarnation* (Éd. Richaudeau), II: 478.

40. Le Père Albanel, en mission chez les Papinachois au printemps de 1670, rencontre là un sauvage de la baie du Nord qui lui apprend avoir vu là-bas un vaisseau français, et que l'équipage a fort maltraité et pillé les Indiens de la région. (*Relations des Jésuites* Éd. Thwaites), LIII: 84.

41. Grace Lee Nute, *Caesars in the Wilderness*, op. cit., 122-123.

42. *Ibid.*, 122. Radisson rata son voyage de 1668. Il dut passer l'hiver de 1668 et de 1669 à Londres.

43. Mémoire du Sieur Patoulet, AC, corr. gén., 1668-1672, 3, F3: 388.

44. *Relations des Jésuites* (Éd. Thwaites), LIII: 86 — Grace Lee Nute, *Caesars in the Wilderness*, op. cit., 149.

45. *Relations des Jésuites* (Éd. Thwaites), LVI: 210.

46. P. De Rochemonteix, *Les Jésuites et la Nouvelle-France au XVIIe siècle*, (3 vol., Paris, 1895), II: 372.

47. *Relations des Jésuites* (Éd. Thwaites), LVI: 212. Qui était le chef de l'expédition? s'est-on demandé. La discussion en vaut-elle la peine? Voici ce qu'écrit Talon au roi, le 2 nov. 1671: «Il y a trois mois que j'ay fait partir avec le Père Albanel jésuite le sr de S^t simon, gentilhomme de Canada...; ils doivent pousser jusqu'à la baye d'hudson, faire des mémoires sur tout ce qu'ils descouvrirons...» C'est au Père Albanel que Talon adresse ses réponses aux lettres qui lui viennent des explorateurs. Comme il convenait cependant, c'est le laïc Saint-Simon qui a commission de prendre possession des terres découvertes, d'y arborer l'écusson royal et de dresser procès-verbal de la chose.

48. Saint-Simon s'est-il rendu jusqu'au terme du voyage? Voir Steck, *The Jolliet-Marquette Expedition* (California, 1928), 241-242. Voir AC, C^{11}A, 10: 165-173, Rapport du voyage de Paul Denis, sr de Saint-Simon.

49. Sur l'itinéraire suivi par les explorateurs, voir *Revue d'Histoire de l'Amérique française*, II: 13-26, article de Jacques et Madeleine Rousseau; *ibid.*, autres articles, II: 13-27, 390-424.

50. *Relations des Jésuites* (Éd. Thwaites), LVI: 182, 206.

51. *Relations des Jésuites* (Éd. Thwaites), LVI: 186.

52. *Relations des Jésuites* (Éd. Thwaites), LVI: 206-210. Voir Donatien Frémont, *Pierre Radisson, Roi des Coureurs de bois* (Montréal, 1933), 159-162, 176-177. Les explorateurs français auraient substitué le pavillon français au pavillon britannique sur le fort Charles. Au sujet des droits de la France sur la baie d'Hudson, voir aussi J.-Edmond Roy, *Histoire de la seigneurie de Lauzon*, op. cit., I: 206-224; Jean Delanglez, *Louis Jolliet, Vie et Voyages*, 1645-1700 (Montréal, 1950), 245-248; Guy Frégault, *Iberville le Conquérant* (Montréal, 1944), 76-77.

53. *Relations des Jésuites* (Éd. Thwaites), LVI: 192.

54. *Ibid.*: 212.

55. *Ibid.*: 154.

56. *Lettres de la Révérende Mère Marie de l'Incarnation* (Éd. Richaudeau), II: 538.

57. *Ibid.*, 534.

58. *Relations des Jésuites* (Éd. Thwaites), LVI: 182.

59. RAPQ, (1930-1931): 124, 158.

60. *Relations des Jésuites* (Éd. Thwaites), LIV: 134-138.

61. Voir *Journal du Corsaire Jean Doublet de Honfleur*, lieutenant de frégate sous Louis XIV, publié d'après le manuscrit autographe, avec introduction, notes et additions par Charles Bréard (Paris, 1883), in-12, 302 pages (Ce livre est à la Bibliothèque des Archives d'Ottawa). Doublet vint à Québec. Eut-il quelque chose à faire avec Talon?

62. RAPQ, (1930-1931): 124, 158, 171.

63. Simon François Daumont, sieur de Saint-Lusson, officier des troupes. Personnage qui paraît avoir été d'une conduite discutable. L'abbé Dudouyt écrit à Mgr de Laval, 12 mai 1677 (Arch. du Séminaire de Québec, Carton S, n° 93 et Carton N, n° 48): «Saint-Lusson se dispose à passer en Canada sans savoir ce qu'il y fera. J'apréhende semblablement qu'il ne

soit ce qu'il a été... Monsieur de Saint-Lusson repasse en Canada ne scassant icy de quel bois faire flèche; je ne vois pas de changement en sa conduite, il dit qu'il veut vivre autrement qu'il n'a fait.»

64. RAPQ, (1930-1931): 136.

65. *Histoire et description générale de la Nouvelle-France* (6 vol., Paris, 1774), II: 245.

66. Lettre à Colbert, 3 novembre 1666, RAPQ, (1930-1931): 32, 50, 136.

67. *Relations des Jésuites* (Éd. Thwaites), LVII: 20-22. On sait d'ailleurs qu'une tribu iroquoise, les Honniasontkeronons, habitaient la région de l'Ouabache. (Baron Marc de Villiers, *La Découverte du Missouri et l'histoire du Fort d'Orléans* (Paris, 1925), 5).

68. *Relations des Jésuites* (Éd. Thwaites), LVII: 20.

69. Observons que Saint-Lusson est dépêché vers l'ouest après le retour de l'expédition des Sulpiciens Casson et Galinée que nous allons raconter. Ils viennent de révéler, après Jolliet, la valeur des Grands Lacs comme route de commerce.

70. RAPQ, (1930-1931): 134.

71. De La Potherie, *Histoire de l'Amérique septentrionale* (4 vol., Paris, 1716), II: 87, 102, 108, 124.

72. *Relations des Jésuites* (Éd. Thwaites), LV: 172-180. — Margry, *Découvertes et établissements des Français* (6 vol., Paris, 1878-1888), I: 522, note de semblables phénomènes dans un village illinois, en 1680.

73. RAPQ, (1930-1931): 157-158.

74. Relation de l'abbé de Galinée, Pierre Margry, *op. cit., I: 161.*

75. Pierre Margry, *op. cit., I: 98.*

76. Voir ce procès-verbal avec les signatures: Margry, *op. cit., I: 96-99.*

77. *Relations des Jésuites* (Éd. Thwaites), LV: 110. Voir encore Steck, description de la cérémonie du 4 juin, 127-128. Pourquoi Saint-Lusson n'est-il pas allé plus loin? Steck, *The Jolliet-Marquette Expedition 1673*, (Quincy, III., 1928), 130 et note 88. Voir aussi La Potherie. Et *Mémoires* de Perrot, au mot Saint-Lusson. Voir aussi Ernest Gagnon, *Louis Jolliet* (Québec, 1902), 58-60. Ce ne sera pas la seule prise de possession au Pays d'en haut. Le 7 juin 1687, Olivier Morel de La Durantaye, «commandant pour le Roy au pays des Outaouais, Miamis, Poutouamis, Cioux et autres nations» réitère la prise de possession des terres des environs du

Détroit, des lacs Erié et Huron. (AC, C^{11}A-9: 267-268). En 1688, le roi désire que, «selon toutes les formalités ordinaires et accoustumées», on «prenne possession des terres descouvertes tant le long des lacs que chez les Illinois», afin d'y «rendre incontestable les droits de Sa Majesté». (AC, C^{11}A-10: 22-42). L'année suivante, le 8 mai 1689, Nicolas Perrot, commandant au poste des Nadessioux, s'en va prendre possession «de la baie des Puants, lac et riviere des Outagamis, Maskôtins, rivière Ouabache et celle du Mississipi, pays des Nadessioux, rivieres Ste-Croix et St Pierre et autres lieux plus eloignés». (AC, C^{11}A-10: 344-346).

78. Saint-Lusson n'avait guère ajouté aux recherches faites jusqu'alors pour la découverte de la Mer du Sud. Là-bas, néanmoins, il s'était renseigné auprès des Indiens, des missionnaires, des trappeurs français répandus un peu partout. Ses conclusions confirmaient celles des Jésuites.

79. RAPQ, (1930-1931): 157-158.

80. *Bulletin des recherches historiques*, (BRH), janvier 1946: 17.

81. *La Salle and the Discovery of the West* (Boston, 1885), 43-44.

* (Textes extraits du *Rapport de l'Archiviste de la Province de Québec pour 1930-1931*. (Québec, 1931), aux pages 32, 50, 134, 157, 163, 174.)

CHAPITRE TROISIÈME

L'Expédition de Galinée et de Casson
Le cas La Salle

L'expédition de Saint-Lusson, avons-nous dit, aura ce résultat considérable, entre autres, de constituer une colonie, un Canada d'une forte unité géographique, celle qu'exige et dessine l'épine dorsale du Saint-Laurent, relié à ses sources, les grands lacs. Aujourd'hui encore, et il faut le dire, si un Canada subsiste de quelque consistance, que ni les morcellements de 1764, ni les dépeçages des traités de 1783 et de 1796 n'ont pu briser, on le doit, sans conteste, au puissant modelage de Talon.

Mais les grands lacs, vaste plaque tournante, invitaient à toutes les hardiesses. Où vont s'arrêter les conquérants de l'espace? Le Sault et ses environs apparaissent alors comme de simples haltes vers d'autres infinis. Saint-Lusson n'avait pas pour mission officielle de découvrir la Mer du Sud. Talon l'avait plutôt chargé d'enquêter sur les voies et moyens. Les renseignements rapportés par l'envoyé n'en font pas moins se tourner, avec une passion accrue, vers la plus fascinante des odyssées de l'époque: la recherche du fleuve du sud-ouest, fameux avant même d'être connu.

Ici il faut reprendre l'histoire d'un peu plus haut; car, au fait, s'agit-il bien d'une découverte? Dans une édition vénitienne du Ptolémée, qui date de 1513, l'on aperçoit, aboutissant aux rivages nords du golfe du Mexique, le tracé d'un vaste fleuve débouchant dans un delta. Le même fleuve figure sûrement sur une carte de 1521, puis en 1531, sur le globe d'Oronce-Fine, sous le nom de R. del Espiritu Santo. Toute une littérature de voyage et toute une cartographie, les deux très abondantes et qui appartiennent au 16e siècle et à la première moitié du 17e, mentionnent la même rivière, soit par une simple description de son cours, soit par quelque narration de sa découverte, et cette rivière porte invariablement le nom de R. del Espiritu Santo[1]. Quel mobile aura poussé si tôt des explorateurs vers cette voie d'eau de l'intérieur américain? Remarquons que l'une des premières découvertes du grand Rio a lieu entre 1519 et 1521: années mêmes de la fameuse circumnavigation de Magellan. Cette rencontre de dates n'invite-t-elle pas à rattacher la découverte du Mississipi à l'un des grands soucis de l'époque: la recherche d'une route vers l'Orient à travers l'Amérique? Depuis 1513, année de la traversée de l'isthme de Panama par Balboa, la géographie s'est enrichie de ce fait considérable: l'absence de contiguïté entre l'Amérique et l'Orient, la présence d'une mer au delà du Nouveau-Monde. De ce jour l'on peut dater l'effort des explorateurs pour percer le barrage américain. Tantôt au nord, tantôt au sud, tantôt au centre du continent, on se met à chercher une fissure vers la mer aperçue par Balboa. Magellan trouve le passage du sud. La même année, Pineda, navigateur au service du gouverneur de la Jamaïque, cherche la solution par le centre de l'Amérique; le premier, il découvre ou explore le Rio del Espiritu Santo. Était-ce le Mississipi? Était-ce le Rio Grande? Il est assez difficile de le dire. Retenons-le toutefois: c'est par le sud et par les Espagnols qu'un jour a commencé la recherche du futur Mississipi. Qu'était-ce que cette voie d'eau? Par son ampleur, elle fit penser, sans doute, à quelque fleuve transcontinental, à une percée vers la mer d'Orient, débouchant soit à l'ouest, soit même au nord. L'attention de l'Espagne fut éveillée. Elle résolut de s'assurer des bouches du Rio, de prendre ses précautions contre les rivaux, chercheurs de routes vers les pays des épices. De cette inquiétude procède son établissement en Floride. D'autres mobiles l'y poussent: un Eldorado qu'on dit exister quelque part en Amérique septentrionale, hante depuis longtemps l'esprit des conquistadors. En 1539, Hernando de Soto, gouverneur de Cuba, enrichi au Pérou, entreprend à la fois l'établissement de la Floride, l'exploration du Rio et la recherche de la fabuleuse Cibola aux murs d'or[2]. Il part à la tête d'une imposante expédition: 600 chevaliers en pourpoints et casaques de soie, 8 prêtres, quatre frères, des chevaux, des meutes. En zigzaguant à travers le continent, Soto atteint le Rio de Pineda, le traverse, autant qu'on peut voir, de l'est à l'ouest, au-dessous de l'embouchure de l'Arkansas; selon quelques-uns, il remonte le Rio jusqu'au Missouri, le redescend, explore la vallée de l'Arkansas, et au printemps de 1542, s'en vient mourir, sur les rives du fleuve. Les survivants de l'expédition, encore au delà de 300, errent quelques mois dans la vallée voisine de la rivière Rouge; puis, montés sur sept brigantins bâtis de leurs mains, descendent le fleuve jusqu'au golfe mexicain. En même temps que Soto et quelques années après lui, d'autres bandes espagnoles, à la poursuite de la même chimère, touchent encore au Rio del Espiritu Santo. On parle même d'un aventurier anglais et d'un aventurier espagnol, l'un vers 1648, l'autre en 1669, qui auraient atteint New York, par le Mississipi et l'Ohio. D'autres explorateurs anglais, le colonel Wood aurait exploré en 1654, la vallée de l'Ohio et dépassé le Mississipi; le capitaine Bott, en 1670, aurait aussi découvert les bouches du fleuve et l'aurait remonté une centaine de milles[3]. Mais ce sont là des aventures d'une authenticité plus que douteuse. Au surplus aucun de ces explorateurs n'ajoute aux données recueillies par Soto. Et ces données, par trop confuses, de même que les prises des Espagnols sur cette région de l'Amérique, à quoi se réduisent-elles? Ne l'eût-on trouvé que partiellement navigable et remonté bien au-dessous du Missouri[4], le Rio ne pouvait manquer d'apparaître comme une des grandes artères fluviales de l'Amérique, un exutoire du continent vers la mer. Des documents de l'époque lui donnaient une embouchure de huit lieues de large et un cours d'une longueur de cinq cents lieues[5]. Le monde espagnol ne pouvait ignorer ni les plaines grasses de ce bassin, ni la densité relativement considérable de sa population indienne. Cependant, le mirage une fois évanoui des cités d'or et d'ivoire, les conquistadors, trop souvent harcelés par les Indiens, abandonnent l'inhospitalière région. L'Espagne choisira plutôt de s'établir au Nouveau-Mexique et en Floride. Nul établissement espagnol ne sera tenté dans le bassin mississipien. Les esclavagistes ne songèrent même pas à faire de ce réservoir d'hommes, un marché de bétail humain. Si projet il y eut, l'on s'en tint aux projets. Au reste, après la défaite de l'Armada en 1588, l'époque des découvertes et des grandes explorations est pratiquement close pour l'Espagne. D'un bout à l'autre de son empire colonial, force lui est de se tenir sur la défensive. Le Rio tomba dans l'oubli. Au-dessus du cercueil de Soto descendu au fond du Mississipi, les eaux bourbeuses roulèrent dans le silence, troncs et branchages. Sur trop de cartes de l'époque, l'immense fleuve garde à peine la mine d'un modeste ruisseau.

* *
*

C'est, en sens inverse, par l'approche de ses sources, et par une autre nation européenne, que le fleuve serait révélé au monde. On se rappelle l'expédition de Jean Nicolet, le canoteur du temps de Champlain qui, au dire des *Relations des Jésuites*, avait «le plus avant penetré dedans ces pays si esloignés»[6]. Entrés de bonne heure en relations avec les Hurons, en ce temps-là les plus répandus des courtiers en fourrures, les Français devaient tôt pénétrer à l'intérieur de l'Amérique. Eux aussi cherchent la mer, une sortie vers l'Orient. Cette sortie, Jacques Cartier a cru la pressentir par le chemin du fleuve Saint-Laurent. Plus tard, sous Champlain, la mer, on crut d'abord l'avoir devinée là-bas aux derniers rivages des grands Lacs. Puis, sur la foi des Indiens, on se plut à la localiser quelque part, au fond du lac Michigan. Chargé à la fois d'une mission diplomatique et commerciale et d'une mission d'explorateur, Jean Nicolet prenait, en 1634, la route de la baie des Puants. Nous avons raconté plus haut son expédition. Il semble qu'il ait poussé une pointe jusqu'à un village des Mascoutins, c'est-à-dire, à ce qu'il semble, jusqu'au comté actuel de Green Lake, dans l'État du Wisconsin, sans quitter toutefois la Rivière-des-Renards[7].

En leur voyage de 1659-1660, Radisson et Groseilliers auraient-ils atteint, vingt-quatre ans après Nicolet, le Mississipi? Les *Voyages* de Radisson, récit souvent embrouillé, sans dates ni données géographiques bien précises, nous le répétons, sont d'une valeur scientifique fort discutable. Nous savons d'ailleurs que ni Radisson, ni son beau-frère ne sont allés de ce côté-là. Cinq ans plus tôt, cela aussi nous l'avons dit, deux canotiers, dont l'un serait peut-être Eustache Lambert et l'autre, Des Groseilliers, cette fois, s'étaient embarqués pour les pays de l'ouest, en l'année 1654. Ils ont suivi une flottille outaouaise et huronne venue de la baie des Puants. Parmi les gens de cette flottille, les Pères Jésuites de Québec auraient-ils rencontré de leurs anciens néophytes hurons, refoulés au fond des lacs? Les auraient-ils fait causer sur le pays? Dans la *Relation* de cette année-là, on nous apprend que, du Lac des gens de mer (lac des Puants) «à la mer qui sépare l'Amerique de la Chine», il n'y a que neuf jours de chemin[8]. On apprend encore que le domaine de la langue huronne s'étend jusqu'à 500 lieues dans la direction du sud; quantité de nations habiteraient aux environs de la Nation de Mer, et, parmi ces nations, fait à noter, l'on mentionne les Illinois (Liniouek), voisins des Ouinipigons et qui formeraient environ soixante bourgades[9]. Lorsque Radisson et Groseilliers partent, à leur tour, en 1659, ont-ils eu vent de ces rumeurs ou nouvelles? Entraînés par les Indiens, les deux Français auraient marché ou canoté jusqu'à la «grande rivière», rivière aussi appelée «rivière fourchue», disent-ils (forked river) parce qu'elle se divise en deux branches: l'une dans la direction de l'ouest, l'autre dans la direction du sud. S'agirait-il de l'une ou l'autre des fourches du Mississipi? Radisson ajoute que, selon toute vraisemblance, la branche du sud coule vers le Mexique[10]. Encore cette fois la *Relation* de 1660 apporterait quelque vraisemblance au récit des coureurs. Le chroniqueur qui a pu causer, nous dit-il, avec ces «deux François qui ne faissoient que d'arriver de ces païs superieurs», apprend, entre autres choses, qu'ils ont hiverné sur les rivages du lac Supérieur; que, pendant leurs courses d'hiver, ils ont trouvé, à six journées du lac, vers le Surouest, un débris de la nation huronne du Pétun, pauvres fugitifs rendus là pour échapper aux Iroquois. Et ces Hurons, ajoute la *Relation*, ont fini par trouver «une belle Rivière, grande, large, profonde, & comparable, disent-ils, à nostre grand fleuve de S. Laurens». Sur les rives de ce fleuve, les Hurons fugitifs auraient fait la rencontre d'une grande nation de soixante bourgades portant le nom d'Alimouec, c'est-à-dire Illinois[11]. Or, nous savons, par les *Mémoires* de Perrot, qu'à cette époque la nation du Pétun s'était réfugiée aux abords du Mississipi[12]. Et il est encore bien connu qu'après 1656, pour échapper eux-mêmes aux Iroquois, des groupes illinois avaient fui vers l'Ouest, franchi le Mississipi pour se fixer dans l'Iowa d'aujourd'hui[13]. Mais nous n'insistons pas sur ces voyages de 1656 et 1659-1660, et sur leurs résultats en nouvelles découvertes. Nous avons dit plus haut ce qu'il faut en penser[14].

Neuf ans passeront encore avant le départ de la première expédition officielle à la recherche du sphynx. Ce jour viendra avec la paix iroquoise qui va permettre de courir en sécurité les routes de l'Amérique. Cavelier de La Salle quitte Montréal en 1669, avec les deux sulpiciens Dollier de Casson et René de Bréhant de Galinée[15]. Il emporte avec soi des lettres patentes du gouverneur Courcelle: lettres d'une ample portée qui donnent à Cavelier de La Salle la permission «de fureter dans tous les bois, toutes les rivières et lacs du Canada». Les gouverneurs des provinces voisines, ceux de la Virginie, de la Floride, sont même priés d'accorder à l'expédition passage et secours. Les soldats qui voudront se joindre à l'entreprise sont autorisés à sortir des troupes[16]. Mais à quelle fin cette expédition? Toujours le même motif, tel que nous l'apprend du moins une lettre de Patoulet à Colbert: la recherche de la mer d'Orient: «Reconnoistre un passage... qui nous donneroit communication avec le japon et la Chine»[17]. Mais la mer, pour ce coup, par quelle voie espère-t-on la trouver? Par une rivière appelée dans la langue iroquoise, Ohio. Des Iroquois du canton des Sonnontouans venus à l'automne de 1668 chez Cavelier de La Salle et qui ont passé l'hiver à son établissement de la côte Saint-Sulpice, ont longuement entretenu le futur explorateur de cet Ohio encore inconnu[18]. D'après ces sauvages, l'Ohio coule vers l'Occident. Sept à huit mois de marche par cette rivière mènent à un endroit où «la terre est coupée», locution indienne qui signifie: rivage maritime, ou débouché sur la mer. Pour confuse qu'elle soit, l'on devine l'effet de cette donnée géographique sur l'esprit du jeune La Salle. Cette rivière, ne serait-ce point la rivière de Soto et de Nicolet? Son nom iroquois est Ohio, et son nom outaouais, Mississipi: mots d'ailleurs presque synonymes, le premier signifiant *Belle Rivière*, le second, *Grande Rivière*. Puisqu'elle coule vers l'occident et débouche à la mer, elle aboutit donc à la mer Vermeille, pense La Salle. Qui découvrira l'Ohio aura la gloire d'ouvrir le chemin vers la Chine[19].

Le 6 juillet 1669 la flottille quitte Montréal[20]. Elle se compose de neuf canots: quatre portent La Salle et ses quatorze engagés; trois, les Sulpiciens et leurs sept hommes: des Sonnontouans, ceux-là mêmes qui viennent de passer l'hiver chez le seigneur de la Côte Saint-Sulpice, montent les deux autres canots. Flottille pleine d'allant, commandée par des hommes jeunes. Le chef, Cavelier de La Salle, a tout juste vingt-six ans. Depuis quelques années, nous connaissons mieux sa jeunesse[21]. Rappelons donc qu'il est né à Rouen le 21 novembre 1643, d'une famille de merciers en gros. Leur nom de La Salle, les Cavelier le tiennent de leur domaine familial. Après six ans d'étude au collège des Jésuites de sa ville, le jeune Robert entre, à peine âgé de quatorze ans, au noviciat de la Compagnie de Jésus à Paris. Il y restera neuf ans, complétant ses études, enseignant lui-même, prononçant ses premiers vœux. Quand il quitte la Compagnie, le 28 mars 1667, à l'âge de 24 ans, qui est-il? Ne voyons en lui, contrairement à diverses écoles d'historiens, ni un vulgaire aventurier, ni un demi-dieu. Voyons-le tel qu'il est: un superbe jeune homme bâti en géant, intelligent, cultivé, plein d'enthousiasme, éloquent, et laissant percer sous un masque assez impénétrable, une opiniâtreté froide, sourde, un peu de fatuité, une extrême mobilité d'esprit et d'humeur. Il a de l'esprit et de la culture. Et il a des mœurs. Il souffre même de scrupules. Son séjour chez les Jésuites lui a grandement profité. Ses maîtres lui ont reconnu de l'intelligence, un talent particulier pour les mathématiques. Plus tard, l'un de ses compagnons d'aventure, Joutel, célèbrera ses «grandes connaissances en art et en science». Il a de l'intelligence; il en a plus que de jugement. Tous ses maîtres jésuites s'accordent à noter en lui cette faiblesse: «jugement moyen», «pauvre jugement», diront-ils. D'un tempérament exubérant, il lui faut, pour évoluer, beaucoup d'espace. Ses maîtres le noteront encore: il est de nature inquiète, «incapable de repos». Ses études encore inachevées, avec instance, avec importunité, il demande à partir pour les missions de Chine[22]. Au Canada la seigneurie de Saint-Sulpice le retient deux ans à peine. Tout le reste de sa vie sera donné à l'aventure.

L'aventure, la projection de soi-même dans le mystère, l'horizon illimité, la joie, l'enivrante joie de dilater son être, dans une aire aux profondeurs éperdues, en des paysages tentateurs, toujours renouvelés, dans un effort où l'homme s'oblige au plan héroïque, tout cela deviendra son atmosphère cherchée, naturelle; on dirait aujourd'hui son climat. Quant il part à la découverte de l'Ohio, il songe un peu au castor, nous dit-on, mais aussi à l'honneur de trouver, avant tout autre, «le chemin de la mer du sud et par elle celuy de la Chine»[23]. Rien d'étonnant qu'avec ce tempérament, encore accusé par un attachement parfois opiniâtre à ses idées — travers qui n'a pas non plus échappé à ses maîtres jésuites — il soit naturellement, dangereusement éloquent. Talon a parlé de sa «grande chaleur» pour les entreprises de découverte. Bernou le trouvait «grand discoureur»[24]; l'abbé de Galinée observe, non sans malice, qu'il ne manque pas d'«un grand nombre de belles paroles». Et il nous montre M. de Casson de jour en jour plus enflammé par les descriptions séduisantes que lui prodiguait, de l'Ohio et de sa merveilleuse région, le jeune seigneur de la côte Saint-Sulpice[25].

Mais le premier que Cavelier de La Salle persuadera trop facilement, ce sera Cavelier de La Salle. En ce grand visionnaire, d'un jugement inégal à sa vision, il y a aussi un grand irréfléchi. Il se montrera plus fort dans la conception que dans l'exécution. Il perçoit le but avec une sorte d'hypnose qui le dispense de voir et de mesurer les voies et moyens, ou les fait tenir pour négligeables. Trop confiant en lui-même, il choisira souvent mal ses agents, ses collaborateurs. Pour comble de maladresse, il se laissera entraîner dans les coteries et les querelles de son temps. Il se fera des ennemis comme à plaisir. Ses entreprises, bien d'autres obstacles que ceux de la nature américaine les viendront traverser. À tout prendre, personnage discutable qui a tenu trop longtemps, en notre histoire, une place usurpée.

Quand et comment vint-il au Canada? Il y arrive, non pas comme on l'a trop longtemps pensé et écrit, en 1666, mais à l'été ou à l'automne de 1667, quelques mois après sa sortie de la Compagnie de Jésus. Lorsqu'il rêvait de missions en Chine, son esprit avait dû s'envoler parfois vers les missions de la Nouvelle-France où peinaient d'autres Jésuites et dans une atmosphère si enfiévrée d'aventures. L'un de ses oncles, Henri Cavelier, avait appartenu à la Compagnie des Cent-Associés. Son frère, Jean Cavelier, prêtre de Saint-Sulpice, réside à Montréal depuis 1666. Robert devra, semble-t-il, aux bons services de son frère l'abbé, d'obtenir sa seigneurie des environs de Ville-Marie.

En l'expédition qui se met en train, faisons leur part aux deux principaux compagnons de La Salle. Dollier de Casson a trente-trois ans. Noble de Basse-Bretagne, ancien capitaine de cavalerie sous Turenne, homme de jugement et de belles manières, le sulpicien en impose par sa taille et sa force herculéenne. Ce géant se fait un jeu de porter un homme sur le plat de chacune de ses mains. Noble lui aussi, et de Bretagne[26], René de Bréhant de Galinée n'est encore que diacre. Et voilà les trois explorateurs, trio, faut-il le dire, plutôt mal assorti et qui se jette dans un voyage assez peu préparé. Aucun des trois ne peut se vanter d'avoir pris, comme il convient, l'air du pays. M. de Casson n'est au Canada que depuis 1666; La Salle y est venu, nous venons de le dire, l'année suivante; M. de Galinée, à l'automne de 1668. M. de Casson est le seul qui ait quelque peu l'expérience du voyage et de la vie en Canada. Et encore si peu. En 1666 il a été l'un des aumôniers de l'armée de M. de Tracy, en campagne chez les Iroquois. Il vient de passer l'hiver chez les Nipissings. Aussi à peine sera-t-on à cent lieues de Montréal que pas un Français de la flottille, peu habitué à la nourriture indienne, n'aura échappé à la maladie[27]. En outre La Salle ne s'est pas préparé au même voyage que ses deux compagnons; et tous trois ne sont pas animés des mêmes motifs. Le premier a rêvé de la découverte du Mississipi par le pays des Iroquois et n'est qu'un explorateur. Casson rêve de la même découverte, mais par le chemin des Outaouais et pour des fins de mission. Au cours du dernier hiver passé chez les Nipissings pour y apprendre la langue algonquine, un esclave indien venu du lointain sud-ouest, lui a vanté les beautés de son pays et les bonnes dispositions de ces nombreuses peuplades. M. de Queylus a proposé à M. de Casson d'aller exercer de ce côté son zèle de missionnaire. M. de Courcelle, mis au courant des intentions du sulpicien, l'a convaincu de se joindre à La Salle. Et voilà comment s'est faite la fusion des deux projets. À cela se borne toutefois l'intervention des autorités. Si l'on y est prêt à récolter la gloire de la découverte, on se félicite qu'elle ne coûte rien au trésor royal[28]. Les deux sulpiciens obligés d'emporter un lourd bagage de missionnaires, se font équiper par leur communauté. La Salle, selon une habitude qui sera la sienne, risque le tout pour le tout. Par diverses transactions financières accomplies dans l'hiver et l'été de 1669, il vend, pour équiper ses canots, son fief de la côte Saint-Sulpice et même une terre au-dessus du Sault Saint-Louis[29]. Mais de part et d'autre que sait-on au juste de l'Ohio? En Nouvelle-France, à l'exception des Jésuites, qui en sait quoi que ce soit? En 1615, Etienne Brûlé accompagne une ambassade huronne chez les Andastes; et, puisque, selon toute vraisemblance, il contourne à l'ouest le pays iroquois, il se peut qu'il ait touché les sources de l'Ohio. Quelques lignes d'une carte de Champlain, celle de 1632, paraissent bien indiquer l'itinéraire du fameux interprète. Plus développée, la carte de 1650 de Sanson trace, au sud des lacs, quelques rivières où se devinent, entre autres, la Genesee, la Miami, et une troisième qui, d'un petit lac, se dirige vers le sud-ouest, et où l'on peut soupçonner l'Ohio[30]. Pour sa part, La Salle croit avoir recueilli de ses hôtes, les Sonnontouans, des renseignements assez précis. L'Ohio prendrait sa source à trois journées du pays sonnontouan; après un mois de marche, le fleuve aboutirait au pays de Honniasontkeronons, tribu iroquoise de la région de l'Ouabache, puis, au pays des Chouanons, puis, après un grand saut, au pays des Outagames et des Iskousogos[31], puis, de là, à une contrée si abondante en chevreuils et bœufs sauvages, qu'ils y seraient «aussi épais que le bois», contrée si densément peuplée, «qu'il ne se pouvoit davantage»[32].

Les Sonnontouans de La Salle auraient pu préciser bien davantage. Car il y a longtemps que, pour y porter la guerre, les Iroquois connaissent la région de l'Ohio-Mississipi, région «tirant un peu plus vers le Couchant que vers le Midy», disent-ils. Une nation entre autres leur fournit des esclaves, les Ontôagann-ha, encore appelés les Chouanons[33]. Et voilà qui ressemble étrangement aux Toagenha ou Touguenha de l'Ohio, c'est-à-dire les Chouanons, dont M. de Casson a entendu parler par l'esclave des Nipissings et qu'il s'en va évangéliser[34]. Huit ou neuf ans auparavant, la *Relation* de 1661-1662 contenait déjà une description du pays de l'Ohio d'après les données des guerriers des cantons: pays sans hiver, d'une extraordinaire fertilité, peuplé de cerfs, de buffles, de porcs sauvages, d'autres grands animaux; pays riche en arbres fruitiers et en oiseaux de toutes couleurs et de tous ramages. Les Jésuites disaient même avoir vu des Iroquois revenir du lointain pays, avec des écharpes et des ceintures faites de perroquets enfilés. De la même source, les Pères recueillent des données encore infiniment précieuses, à savoir que les nations de ce pays ont leurs bourgades «placées le long d'un beau fleuve qui les porte jusques au grand Lac (c'est ainsi qu'ils nomment la Mer) où ils ont commerce avec des Europeans, qui prient Dieu comme nous, & qui ont l'usage des Chappelets et des Cloches pour appeler aux Prieres». «À la façon dont ils nous les dépeignent, conclut l'auteur de la *Relation*, nous jugeons que ce sont des Espagnols. Cette Mer est sans doute ou la Baye du S. Esprit dans le Golfe de Mexique en la coste de la Floride, ou bien la Mer Vermeille, sur la coste de la nouvelle Grenade dans la grande Mer du Sud...»[35] La Salle connaissait-il ce passage des *Relations*? Avant son départ, M. de

Casson a-t-il, quant à lui, examiné les cartes des côtes de la Nouvelle-Suède, des deux Florides, de la Virginie et du Vieux-Mexique, cartes dont il fait mention en 1671, en son récit du voyage de M. de Courcelle au lac Ontario? D'aucuns prétendent même que les explorateurs avaient en leur possession la carte de 1656 de Sanson[36]. Sur aucune de ces cartes, nous avoue cependant le Sulpicien, il n'a trouvé l'embouchure d'une rivière plus grande que le Saint-Laurent. Et il en conclut que l'Ohio coule plutôt du levant au couchant et se décharge en quelque mer de l'ouest, après avoir arrosé «ces terres fertiles en or et en argent qui sont vers la Nouvelle-Espagne»[37]. Autant de notions où il n'entre point que de l'imaginaire, mais qui sont loin de valoir, nous le verrons, celles que d'autres possèdent, à la même époque, sur le Mississipi. Et ces explorateurs de 1669 qui, tous trois, en sont à leur première expédition, qui confessent leur peu d'expérience de la vie des bois[38], ont-ils eu soin de se pourvoir d'un bon guide et s'entendent-ils en cartographie? Le guide, ils espèrent le trouver en route: quelque esclave des Sonnontouans, venu des pays de l'ouest[39]. Leurs aptitudes à la cartographie se réduit à assez peu de chose. La Salle, c'est connu, est un assez piètre astronome. Doué pour les sciences physiques, il a négligé de faire, chez les Jésuites, sa troisième année de mathématiques[40]. L'abbé de Galinée a tout au plus quelque «teinture des mathématiques», assez dit-il, «pour bastir tellement que tellement une carte»[41]. Au moins ces inexpérimentés possèdent-ils les langues indiennes? MM. Casson et Galinée ont appris quelques éléments de la langue algonquine, mais ignorent l'iroquois. La Salle se vante de savoir l'iroquois, mais il devra le confesser, au cours du voyage, juste assez pour ne pas l'entendre. Cependant, c'est au pays iroquois que ces explorateurs s'en vont chercher leurs principaux renseignements.

Ils amènent avec eux, il est vrai, un Hollandais qui sait la langue des cantons; mais, à cet interprète pour Français, il ne manque que de savoir le français. Erreur qui n'ira pas sans conséquence. «Le défaut d'un interprète qui fust en notre main, avoue M. de Galinée, empescha l'entière réussite de nostre voyage». La Salle, dit encore M. de Galinée, s'engageait en ce voyage, «presque à l'estourdie, sans savoir quasi où il allait»[42]. Ce départ «presque à l'estourdie», où les deux sulpiciens, bien entendu, ne sont pour rien, on se demande si ce n'est pas un peu le cas des trois explorateurs. En Nouvelle-France, et même dans le monde des gouvernants, on ne se défendait pas d'un brin de scepticisme. Dans une lettre à Colbert, Patoulet, le secrétaire de Talon, parlait d'une «prétendue découverte» et d'une «entreprise aussy difficile que douteuse»[43].

L'expédition se met en route le 6 juillet. Trente-cinq jours de navigation la mènent au sud du lac Ontario, à l'endroit le plus proche des Sonnontouans, et de là, deux jours plus tard, à un village de cette nation (aujourd'hui Boughton Hill, État de New York). Hélas, commence aussitôt la série des mésaventures. À la suite de crimes commis contre quelques-uns des siens à Ville-Marie, le canton se remet à peine d'une grande ébullition. Le 6 juillet, le jour même de son départ, M. de Casson avait assisté trois Français de la garnison, condamnés à la peine capitale pour le meurtre d'un capitaine iroquois de Sonnontouan. La veille de cette exécution l'on avait découvert un autre crime encore plus atroce: six Onneyouts tués près de Ville-Marie, par trois autres

Français. Bien accueillis malgré tout, La Salle et ses compagnons apprennent cette autre mauvaise nouvelle que tout le pays d'alentour est infesté d'Andastes; dans le village où ils sont, dix hommes viennent d'être tués[44]. Autre grave ennui: M. de Casson est pris d'une fièvre qui menace de l'emporter[45]. Le moment venu de délibérer avec les Sonnontouans, La Salle et l'interprète hollandais s'avèrent impuissants à tenir leur rôle. Pour comble de malheur, le Père Frémin, missionnaire jésuite du lieu, est absent. On s'adresse à son domestique. Par le truchement de ce Français, La Salle et les siens font savoir qu'ils sont venus chercher un esclave qui leur serve de guide au pays de l'Ohio. Le guide, les Sonnontouans s'engagent à le fournir, mais seulement au retour des leurs de la traite chez les Hollandais où tous leurs esclaves sont allés. Un long mois se passe dans une vaine attente. Selon l'invariable coutume des sauvages, en pareil cas, les Sonnontouans s'emploient à décourager les explorateurs. Voisinage des terribles Andastes, férocité des Toughenas, longueur et aspérités de la route, tous les épouvantails sont agités à la fois. Au fond rien que de fort explicable en ce langage et en ces mesures dilatoires des Sonnontouans. L'on se demande même par quelle légèreté d'esprit La Salle avait pu chercher le Mississipi de ce côté. Il ne pouvait ignorer que, depuis 1667, les Iroquois faisaient la guerre aux Indiens de la vallée de l'Ohio, et qu'en particulier, la tribu des Chouanons constituait alors l'un de leurs réservoirs d'esclaves. Quel empressement pouvaient-ils mettre à montrer le chemin de l'Ohio aux Français, qui partout, à leurs yeux, s'arrogeaient le rôle de pacificateurs? Toutefois dans l'intervalle, La Salle et les deux Sulpiciens ont pu apprendre que, pour trouver l'Ohio par le pays sonnontouan, il ne leur faudrait pas moins de six journées par terre d'environ douze lieues chacune[46]. Autant dire un chemin impraticable pour des gens chargés de bagages. En revanche, disent encore les Sonnontouans, par le lac Érié, trois jours de portage au plus mènent au fleuve. Sur ce, un Iroquois de Ganastogué, de la rive septentrionale du lac Ontario, de passage à Sonnontouan, s'offre à conduire les Français en son village et à leur faciliter le voyage par le lac Érié. Quelques jours plus tard, le parti se trouve au petit village iroquois de Tinouataoua, sur la rive nord du lac Ontario, au sud-est de Niagara, près de l'emplacement du village actuel de Westover. C'est en ce lieu que se produit l'incident ou plutôt l'événement qui va séparer les explorateurs et changer le cours de l'expédition.

Deux Français, a-t-on appris en route, sont de passage à Tinaoutaoua. De ces Français, l'un est Adrien Jolliet, frère de Louis. L'explorateur a été envoyé par le gouverneur, à l'été de 1669, avec Péré, pour localiser la mine de cuivre du lac Supérieur et trouver un chemin plus propice que l'Outaouais au transport du minerai. Il n'a pas eu le temps d'aller jusqu'à la mine, mais un prisonnier iroquois arraché aux Outaouais et qu'il ramène en son pays, lui a permis de faire sa première grande découverte. Le premier des Français, Adrien Jolliet vient de découvrir, par le futur lac Sainte-Claire, et par l'Érié, la chaîne ininterrompue des grands lacs. Ce qui lui permet de révéler aux missionnaires sulpiciens une autre route toute tracée vers leur champ d'apostolat. Il accompagne, du reste, ce renseignement d'un croquis de sa propre route depuis les Outaouais. Lui-même, annonce-t-il, il a envoyé de ses hommes à la recherche d'une nation outaouaise nombreuse, les

«Pouteouetamites», nation encore dans l'attente de l'Évangile; et il se trouve que cette nation est voisine des Iskoutegos (Wisconsins?) et de la grande rivière qui mène aux Chouanons. On devine l'impression produite sur l'esprit des deux missionnaires. Ce jour-là même, semble-t-il, fatigués de tant de vains zig-zags, leur résolution est prise: l'Ohio, ils l'iront chercher par le chemin des lacs, «par le côté des Outaouacs plus tost que par celuy des Iroquois, écrit l'abbé de Galinée, parce que le chemin nous en semble beaucoup plus facile et que nous savions tous deux la langue outaouaise». Un esclave Nez-Percé leur a d'ailleurs appris que, pour atteindre les premières nations de l'Ohio par le lac Érié, il ne leur faudra pas moins d'un mois et demi de bonne marche[47]. Cette subite décision n'a pas l'heur de plaire à Cavelier de La Salle. Que remue-t-il en son esprit? En tient-il toujours pour sa découverte de l'Ohio par le sud-ouest du pays sonnontouan? Veut-il, à cette fin, comme l'ont dis ses admirateurs, se débarrasser de compagnons encombrants? Ou, chez lui, était-ce simple phénomène de sa mobilité d'esprit? Chose singulière, M. de Queylus qui connaissait un peu l'humeur fantasque du jeune homme, avait prévu cette rupture. Il n'avait même adjoint M. de Galinée à M. de Casson que pour empêcher le missionnaire d'être abandonné en pays inconnu, à la première fantaisie du chef de l'expédition[48]. Pris d'une grosse fièvre depuis quelques jours, peu sûr, dit-il, de l'aptitude de ses gens à passer l'hiver dans les bois, La Salle s'excuse et annonce son intention de retourner à Montréal. Le 1er octobre 1669, chacun s'en va de son côté. Les deux missionnaires, accompagnés de tout leur monde, se dirigent vers le lac Érié. Ils hivernent à un quart de lieue de la rive nord du lac, en un endroit qui porte aujourd'hui le nom de Patterson's Creek, à Port Dover, au confluent de Block Creek et de la rivière Lynn[49]. Dans l'itinéraire, le long de la rive nord de l'Érié, deux incidents tout au plus à noter: au printemps, prise de possession des terres du lac Érié, selon le mode accoutumé, c'est-à-dire, plantation d'une croix et affichage des armes du roi[50].

Quelque temps plus tard, une sorte de naufrage. Une nuit, à la faveur d'un grand vent, la vague atteint les bagages laissés trop près de l'eau: hardes, vivres, munitions, tout, ou peu s'en faut, est emporté, y compris la chapelle de M. de Casson. Le plan de l'expédition s'en trouve de nouveau bouleversé. Sans chapelle, sans rien pour administrer les sacrements, comment songer encore aux missions? Il n'y a qu'à retourner à Montréal pour y renouveler chapelle et provisions. On choisit toutefois de s'en aller par le Sault Sainte-Marie, dans l'espoir de s'accrocher, là-bas, à quelque flottille d'Outaouais en route vers les habitations françaises. La rivière Détroit et le lac Sainte-Claire remontés, les canots longent la rive orientale du lac Huron, passent au sud de l'île Manitouline, à travers les îles Mackina, puis, de là, atteignent enfin le Sault Sainte-Marie, accueillis par les Pères Dablon et Marquette «avec toute la charité possible» nous dit l'abbé de Galinée. À l'aide d'un guide, les Sulpiciens quittent le Sault le 28 mai 1670. Le 18 juin ils rentrent à Montréal.

* *
*

Faillite, dira-t-on, que ce voyage d'un an tout près, voyage souvent pénible, parfois héroïque. Les résultats n'en sont pas si méprisables. Les Sulpiciens Casson et Galinée n'ont pas accompli la première circumnavigation de la province actuelle de l'Ontario[51]. Ils n'ont pas, les premiers des Français, découvert le circuit des grands lacs, comme leur en attribuent le mérite quelques historiens. Le mérite en reviendrait plutôt, nous l'avons vu, à Adrien Jolliet. Quelques mois avant les sulpiciens, l'explorateur a fait, quoique en sens inverse, la même odyssée. Jolliet et les Sulpiciens ont-ils même trouvé, les premiers, le grand circuit? Ont-ils, les premiers, révélé l'existence et la position du lac Erié? La chaîne des lacs, même si l'on veut, en dépit de quelques historiens, que Cartier ne l'ait point soupçonnée, Champlain, dès 1603, n'en a-t-il pas obtenu des sauvages, une connaissance à peu près exacte: un premier grandissime lac de 80 lieues de long, au dire des uns, de 150, de 300 lieues, au dire des autres; au bout de ce lac, un saut «quelque peu élevé»; puis un autre très grand lac «qui peut contenir autant que le premier»; puis, après un détroit, «une mer dont ils (les sauvages) n'ont vu la fin»[52]? Dès les années 1641-1642, les Pères Brébeuf et Chaumonot, en mission chez les Neutres, nommaient le lac d'Erié ou de la Nation du Chat et donnaient déjà une première idée du circuit des lacs, depuis le lac Huron jusqu'au lac Ontario[53]. L'expression *Lac Derie* apparaît, pour la première fois, sur la carte de Boisseau (carte de 1643). Boisseau qui l'assigne à l'un des deux petits lacs dessinés par Champlain entre le lac Ontario et le lac Huron, commet l'erreur toutefois de l'assigner au lac le plus rapproché du lac Huron. Mais, dès sa première carte, celle de 1650, Sanson présente le lac Erié comme l'un des grands lacs, et lui donne sa vraie position. La dénomination *L. Erie* ou *Du Chat*, Sanson ne l'appliquera à un grand lac qu'en sa carte de 1656, de lignes souvent moins précises. Mais voici bien l'étonnant, et l'on se demande où le cartographe a pris ce tracé: cette carte de 1656 contient déjà, et avec une singulière exactitude, tout le circuit des méditerranées américaines[54]. Trois ans plus tôt, dans sa *Brève relation* publiée en 1653, le Père Bressani donnait déjà au lac Erié 600 milles de tour. Ces données mises ensemble auxquelles l'on peut joindre la contribution des cartes de Du Creux (1660) — qui, au vrai, n'apportent rien de neuf — nous permettent de mesurer l'œuvre des explorateurs de 1669[55]. Du lac Erié les deux Sulpiciens ont eu le mérite de fixer la latitude; ils en ont côtoyé et décrit la rive nord; les premiers des Européens ils y ont hiverné; les premiers, ils en ont pris possession au nom du roi. L'abbé de Galinée enverrait à l'intendant un récit de son expédition et une carte des pays explorés. Talon cherchait, disait-il à Colbert, «la communication du lac Ontario au lac des Hurons»[56]. Les renseignements de Galinée s'ajoutant à ceux de Jolliet donnaient à l'intendant de quoi se trouver satisfait. Tout de suite Talon aperçut quelle route incomparable de commerce pourrait devenir le circuit des lacs. L'unité géographique du Canada, unité faite du bassin laurentien, complétée désormais par l'immense raquette des sources occidentales du fleuve, apparut, en même temps, à l'intendant, avec une vigueur et une splendeur accrues. Et des raisons nouvelles, décisives, de prendre possession de ces sources, qu'il lui serait facile désormais d'en fournir à Colbert et au roi! Moment historique, peut-on dire, où l'avenir commercial de l'Amérique du Nord allait se fixer pour près d'un siècle. Car ce sera plus tard le sentiment des lords du commerce de la Grande-Bretagne que, pour avoir exploré et conquis tous les lacs et s'y être réservé un droit exclusif de navigation, les Français dominèrent virtuellement les Iroquois et finirent par accaparer, sur le continent, le commerce des fourrures[57].

Avantages d'un prix déjà incalculable. Quelles éblouissantes perspectives s'y viennent ajouter si la prestigieuse route d'eau s'articule à une autre: celle de la grande rivière du sud, et si cette grande rivière s'articule elle-même à la mer d'Orient? Car ce sera un autre résultat de l'expédition des Sulpiciens que gouvernants et explorateurs vont s'attaquer plus ardemment au problème du Mississipi.

* *
*

Ce problème, Cavelier de La Salle ne vient-il pas de lui donner un commencement de solution? Nous abordons là l'une des questions les plus complexes, les plus embrouillées de l'histoire canadienne. Sur ces points obscurs, essayons simplement de projeter quelques traits de lumière. Cavelier de la Salle aurait-il, soit en l'hiver de 1669-1670, soit dans les deux ou trois ans qui vont suivre, découvert l'Ohio ou le Mississipi? Peut-on, pendant ce temps, retracer ses allées et venues?

Lorsque le 30 septembre ou le 1er octobre 1669 au village iroquois de Tinaouataoua, il se sépare des Sulpiciens, il les quitte pour un dessein dont il ne fait pas mystère: s'en «retourner au Montréal»[58]. A-t-il pris ce chemin? Quelques-uns de ses hommes l'ont sûrement fait. De retour à Montréal, ces explorateurs en déveine, pour se composer une face devant leurs concitoyens, c'est l'abbé de Galinée qui nous l'ap-

prend, s'en vont gémir un peu partout sur le sort des
pauvres missionnaires restés là-bas. Ils les peignent
comme engagés dans une entreprise sans issue,
voués à une mort certaine. Lorsqu'au printemps de
1670, les Sulpiciens rentreront à Ville-Marie, cette
publicité leur vaudra d'être accueillis «plus tost
comme des personnes ressuscitées que comme des
hommes communs»[59]. Si La Salle n'est point rentré
avec les autres à Ville-Marie[60], quelle direction a-t-il
prise? Qu'il ait fait, cet hiver-là, la moindre découverte, rien ne permet de l'établir. Mais voici que, dès
le 11 juin 1670, l'ancienne seigneurie de La Salle
commence à porter, dans les actes publics, un nom
plutôt intrigant: *la Chine* ou *la petite Chine*. Ce
changement de nom subit, d'où vient-il? La malignité publique, à ce qu'il semble bien, n'y est pas étrangère. Au témoignage de l'abbé de Galinée, l'annonce
de l'expédition de 1669 avait fait «grand bruit»[61],
dans toute la colonie. Le retour piteux d'une partie
des hommes de La Salle, au bout de quelques mois à
peine, fit, selon toute apparence, un autre «grand
bruit». Les railleurs se donnèrent beau jeu. M. de
Casson qui avait quelque raison d'être renseigné,
nous a d'ailleurs fourni de ce nouveau nom de la côte
Saint-Sulpice, une explication assez transparente; il
lui viendrait de «cette transmigration célèbre qui se
fit de la Chine dans ces quartiers, en donnant son nom
à l'une de nos côtes, et d'une façon si authentique
qu'il lui est demeuré»[62]. Pas plus tard que le 11 mai
1670, avant même le retour à Montréal de l'expédition sulpicienne, on relève, dans les archives nota-
riales, des concessions faites «au lieu dit la Chine»[63].
De bonne heure, à l'été de 1670, Perrot, à sa descente
de l'Ouest, rencontre La Salle sur l'Outaouais, au-
dessous du rapide des Chats, en train de chasser avec

cinq ou six Français et un parti d'Iroquois. En passant, notons qu'à ce portage, situé un peu en avant de la rivière Bonne Chère, La Salle est à plus de quatre cents lieues en ligne directe, des rapides de l'Ohio. Perrot, sans doute, mêle parfois les dates. Cette fois, il a de bonnes raisons de ne pas les mêler. L'année 1670 est pour lui une année mémorable: c'est l'année de la sédition outaouaise à la foire des fourrures de Ville-Marie; c'est aussi l'année où Perrot se réembarque pour l'Ouest adjoint à la mission de Saint-Lusson. Il est bien connu, en outre, qu'à ce moment, les Iroquois, pour n'être pas ennuyés par les Outaouais, recherchent avidement les Français pour compagnons de chasse[64]. Est-il défendu de présumer qu'ils ont emmené La Salle avec eux pour leurs chasses d'hiver, et que les cinq ou six Français autour de l'explorateur forment la partie de sa troupe qui n'a pas pris, l'automne précédent, le chemin de Montréal? Au surplus, voici qui dispose des prétendues découvertes de l'hiver 1669-1670: à l'été ou à l'automne de 1670, La Salle reçoit mission de l'intendant Talon de se porter à la découverte de l'Ohio. On le dirige bel et bien vers le sud et vers l'Ohio en même temps que l'on dirige Saint-Lusson vers l'ouest. Sur ce point, et quoi que l'on ait dit, nulle ambiguïté dans les ordres de Talon. C'est par le fleuve Saint-Laurent que La Salle devra chercher «l'ouverture au Mexique», tandis que Lusson qui doit pousser vers l'ouest, cherchera «quelque communication avec la mer du sud», «par lacs ou par rivières[65].» Au besoin la réponse de Colbert à Talon dissiperait tout doute: «La resolution que vous avez prise d'envoyer le S^r de La Salle du costé du sud et le sr de St Lusson du costé du Nord, pour découvrir le passage de la mer du Sud, est fort bonne...» Talon écrira lui-même le 2 novembre de l'année suivante: «Le Sr de la salle n'est pas encore de retour de son voyage fait au costé du sud de ce païs...»[66] On remarquera ce texte: l'explorateur n'était pas encore de retour le 2 novembre 1671. Cependant, par quel hasard, La Salle fait-il à Montréal une apparition furtive? le 6 août de cette année-là, il reçoit à crédit, du procureur fiscal de Ville-Marie, pour 454 livres tournois de marchandises, «dans son grand besoin et nécessité». Le 18 décembre 1672, on le retrace encore à Ville-Marie, toujours dans le même besoin, et pour s'engager à payer la même somme que l'année précédente, dans le mois d'août 1673, en argent ou en pelleterie, soit à Ville-Marie, soit à Rouen[67]. Dans l'hiver de 1670-1671, et dans l'hiver suivant, où est-il allé? Encore une fois a-t-il fait quelque grande découverte? S'il a accompli quelque exploit, tout lui commande de parler: le besoin de racheter sa réputation d'explorateur et de faire taire les railleurs; le besoin de conserver la confiance de ses protecteurs et de ses bailleurs de fonds; l'opportunité enfin de barrer le chemin à des rivaux dont les approches se multiplient vers le fleuve du sud-ouest. Cependant La Salle fait le taciturne. S'il a découvert l'Ohio ou le Mississipi, personne n'en sait rien, ni ses compagnons de voyage de 1669, ni Talon, ni Courcelle. Silence inexpliqué. Silence inexplicable. Dans sa relation du voyage de M. de Courcelle au lac Ontario, relation écrite en cette même année 1671, M. de Casson parle encore de l'Ohio comme d'un fleuve à découvrir. En son projet de colonie sur le lac Ontario, M. de Courcelle affiche, parmi ses principaux desseins, la découverte de ce fleuve[68]. Et Talon ignore toujours que son protégé a paru à Montréal en 1671. En 1672, à la veille de s'embarquer, l'intendant n'est pas mieux renseigné sur les allées et venues de La Salle. C'est alors que, de concert avec Frontenac, il confie à un autre, à Louis Jolliet, la découverte du Mississipi. Et cet hiver de 1672, où La Salle l'a-t-il passé? Une lettre de Frontenac à Colbert du 13 novembre 1673, s'est chargée de nous l'apprendre: chez les Iroquois[69].

En cette controverse historique, un fait, à notre avis, n'a pas été suffisamment noté: la discrétion ou la correction de La Salle. Dans aucune lettre ni mémoire signés de sa main, La Salle n'a prétendu se coiffer du titre de premier découvreur de l'Ohio ou du Mississipi. C'est de nos jours plus particulièrement que des archivistes ou des historiens suspects et passionnés, tels que Pierre Margry, Gabriel Gravier, P. Chesnel, se sont acharnés à lui décerner ce mérite et, sous prétexte d'ajouter à sa gloire, ont risqué de la noyer dans un brouillard de disputes. En son premier volume des *Mémoires et documents pour servir à l'histoire des origines françaises des Pays d'outre-mer*, Pierre Margry, qui transportait parfois dans l'histoire des mœurs de mousquetaire, y exhumait, entre autres, deux documents où la querelle La Salle-Jolliet n'a pas cessé de s'alimenter. De ces documents, les auteurs sont aujourd'hui bien connus: l'abbé Claude Bernou et l'abbé Eusèbe Renaudot. Le premier document, celui de l'abbé Bernou, a pour titre: *Mémoire sur le projet du sieur de la Salle pour la découverte de la partie occidentale de l'Amérique septentrionale entre la Nouvelle-France, la Floride et le Mexique*[70]; le second, attribué à l'abbé Renaudot, s'intitule: *Récit d'un ami de l'abbé de Gallinée, Entretiens de Cavelier de La Salle sur ses onze premières années en Canada*[71]. Le «Récit» nous est donné pour un résumé et même une version authentique de douze conférences entre l'auteur et La Salle, à Paris, en présence de plusieurs amis fort intelligents, et version, insiste-t-on, revue, contrôlée, vérifiée. Cette dernière pièce aurait été rédigée, selon les uns, vers 1680 ou 1681, mais probablement, selon d'autres, quatre ou cinq ans plus tard[72]. Un mot pour nous renseigner tout d'abord sur la personnalité des deux abbés. Bernou appartient à une vague catégorie d'agents diplomatiques. Au service de Renaudot et pour quelque temps au service de La Salle, il s'est attaché au découvreur, pour la séduction de ses projets, mais encore plus, semble-t-il, pour les espoirs de gain étalés devant ses yeux, par le beau parleur, et voire l'espoir assez peu vraisemblable d'une mitre en quelque diocèse du Mississipi[73]. Agent docile, peu scrupuleux d'exactitude historique ou géographique, sa correspondance nous montre Bernou composant à l'œil des récits de découvertes et dessinant des cartes du centre de l'Amérique, que Renaudot ou La Salle sont ensuite priés d'accommoder à la vérité. Renaudot, petit-fils de Théophraste Renaudot, fondateur de la *Gazette de France*, lui-même un jour rédacteur du journal, aime se rappeler parfois, selon le mot d'un historien, qu'il a dans les veines «du bon sang de gazettiste». Orientaliste de renom, il ne lui déplaît pas, tout membre de l'Académie française qu'il est, de solliciter les textes dans le sens de ses opinions ou de ses passions. Ami du grand Arnauld, son *Récit* n'est pour les trois quarts, qu'un amer pamphlet contre les Jésuites[74]. Plutôt court, le mémoire de Bernou contient ce passage relatif à la découverte de l'Ohio:

«L'année 1667 et les suivantes, il (La Salle) fit divers voyages avec beaucoup de despenses, dans lesquels il descouvrit le premier beaucoup de pays au sud des grands lacs, entr'autres la grande rivière d'Ohio. *Il la suivit jusques à un endroit où elle tombe de fort haut dans de vastes marais, à la hauteur de 37 degrés, après avoir esté grossie par une autre rivière fort large qui vient du nord*; et toutes ces eaux se deschargent selon toutes les apparences dans le golphe de Mexique[75].

Renaudot amplifie davantage. Pendant qu'il y est, il fait de La Salle un explorateur aux bottes de sept à dix lieues qui, en douze ans, aurait voyagé entre le 330° degré de longitude et le 268° et entre le 55° degré de latitude et le 36°, c'est-à-dire depuis un point de l'Atlantique, à quelque cent milles à l'est du banc de Terre-Neuve jusqu'à la partie ouest du Kansas sur les cartes de l'époque, et depuis le Labrador jusqu'à la rencontre de l'Ohio et du Mississipi. Reprenant les voyages de La Salle, au moment de sa réparation, proche du lac Erié, avec ses compagnons sulpiciens, voici où l'envoie Renaudot:

«Cependant M. de La Salle continua son chemin sur une rivière qui va de l'est à l'ouest et passe à Onontagué, puis à six ou sept lieues au-dessous du lac Erié, et estant parvenu jusqu'au 280 ou 83° degré de longitude, et jusqu'au 41° degré de latitude, trouva un sault qui tombe vers l'ouest dans un pays bas marécageux, tout couvert de vieilles souches dont il y en a quelques unes qui sont encore sur pied. Il fut donc contraint de prendre terre, et suivant une hauteur qui le pouvoit mener loin, il trouva quelques Sauvages qui luy dirent que, fort loin de là, le mesme fleuve qui se perdoit dans cette terre basse et vaste se réunissoit en un seul lit. Il continua donc son chemin, mais comme la fatigue estoit grande, 23 ou 24 hommes, qu'il avoit menez jusques là le quittèrent tous en une nuit, regagnèrent le fleuve et se sauvèrent les uns à la Nouvelle-Hollande, les autres à la Nouvelle-Angleterre. Il se vit donc seul à 400 lieues de chez luy, où il ne laissa pas de revenir remontant la rivière et vivant de chasse, d'herbes et ce que luy donnèrent les Sauvages qu'il rencontra en son chemin[76].»

Faut-il souligner les inexactitudes dont fourmillent ces textes de Bernou et de Renaudot? On a parlé, à ce propos, de «roman géographique». Le mot n'a rien d'excessif. En premier lieu l'Ohio ne compte qu'un seul saut, celui de Louisville, dans le Kentucky, et ce saut, de 22 pieds anglais, au plus, n'a donc rien de «fort haut»[77]. En outre, le rapide au bas de la chute ne se dissout nullement en de vastes marais; et le saut se localise au 38° degré de latitude et non au 37°. Encore moins au 41° comme le veut Renaudot, et pas davantage au 280° ou au 283° de longitude: ce qui nous conduirait encore une fois aux frontières occidentales du Kansas. Détail piquant en l'affaire: à l'époque où Renaudot prêtait à La Salle ces fantaisies géographiques, le découvreur ne croyait plus aux chutes de l'Ohio. Il décrivait la rivière, après 450 lieues de course vers l'Ouest, *toujours quasi également large et plus que la Seine ne l'est devant Rouen.* Une barque, disait-il, la peut remonter... «jusque fort haut vers Tsonnontouan»[78]. Un simple regard sur une carte géographique nous apprend encore qu'aux environs d'Onnontagué, l'on chercherait bien vainement les sources de l'Ohio et qu'en réalité si La Salle est allé les chercher à cet endroit, il les a cherchées à 250 milles de leur point de départ. Que dire aussi de ces vingt-trois ou vingt-quatre déserteurs, vers la Nouvelle-Angleterre et la Nouvelle-Hollande, quand, au vrai, le parti de La Salle, lorsqu'il quitte les Sulpiciens, se compose de

12 hommes bien comptés, et que, de ces douze, nous le savons par l'abbé de Galinée, une partie rentra à Montréal? Que La Salle n'a jamais descendu l'Ohio, il existe cette preuve concluante, que, même après sa découverte de l'embouchure du Mississipi, il refusait encore opiniâtrement de relier l'Ohio et l'Ouabache au réseau mississipien. Il s'obstinait à les rattacher à un autre grand fleuve qu'il appelait en langue indienne Chucagoa, en français, le fleuve Saint-Louis, plus large que le fleuve Colbert, disait-il, et qu'il faisait couler parallèlement au Mississipi et envoyait se jeter dans la baie de Mobile. Il a même osé écrire cette énormité que, du côté de l'est du Mississipi, «il ne se décharge dedans aucune rivière considérable»[79].

La Salle, découvreur de l'Ohio, Renaudot n'a pas voulu se borner à cette gasconnade. Il a tenu, et avec non moins de ferveur et d'aplomb, à le faire naviguer sur le Mississipi:

«À quelque temps de là il fit une seconde tentative sur la mesme rivière, qu'il quitta au-dessous du lac Erié, faisant un portage de six ou sept lieues pour s'embarquer sur ce lac, qu'il traversa vers le Nord, remonta la rivière qui produit ce lac, passa le lac d'Eau Salée, entra dans la Mer Douce, doubla la pointe de terre qui sépare cette mer en deux, et, descendant du nord au sud, laissant à l'ouest la baye des Puants, reconnut une baye incomparablement plus large, au fond de laquelle, vers l'ouest, il trouva un très beau havre, et au fond de ce havre un fleuve qui va de l'est à l'ouest. Il suivit ce fleuve, et, estant parvenu jusqu'environ le 280° degré de longitude et le 39° de latitude, trouva un autre fleuve qui, se joignant au premier, couloit du nord-ouest au sud-est. Il suivit ce fleuve jusqu'au 36° degré de latitude, où il trouva à propos de s'arrester, se contentant de l'espérance presque certaine de pouvoir passer un jour, en suivant le cours de ce fleuve, jusqu'au golfe du Mexique, et n'osant pas, avec le peu de monde qu'il avait, hasarder une entreprise dans le cours de laquelle il auroit pu rencontrer quelque obstacle invincible aux forces qu'il avoit[80].»

Voilà ce passage où, du premier coup d'œil, l'on relève encore tant d'inexactitudes géographiques et pas la moindre précision dans les dates; voilà bien sur quoi Margry, Gravier et Chesnel ont fondé leur thèse de la priorité de la découverte du Mississipi, en faveur de La Salle, au détriment de Jolliet et de Marquette. Pour faire s'écrouler cette autre prétention, nous n'avons qu'à nous rappeler les allées et venues de La Salle de 1669 à 1672. Et il en résultera que tout au plus pouvons-nous lui accorder la probabilité d'un voyage à la baie des Puants en 1672[81]. D'aucuns ont pensé qu'il avait pu naviguer sur le Haut-Illinois[82]. Mais sur ce point et pour le reste, il suffira d'invoquer le témoignage de La Salle lui-même. Et ce témoignage nous apprend qu'en 1679, l'explorateur ne connaissait ni les Illinois, ni le cours inférieur de leur rivière. C'est même l'année où, déjà installé au Fort Crèvecœur sur le Haut-Illinois, et en vue de préparer sa découverte du Mississipi, il propose de faire explorer par avance et la route à suivre vers le Mississipi et le cours de ce fleuve «au-dessus et au-dessous de l'embouchure de la rivière Divine ou des Illinois»[83]. Cette rivière des Illinois, il la faisait d'ailleurs tomber dans le fleuve Colbert, à vingt ou vingt-cinq lieues seulement au nord de la décharge de l'Ohio: erreur grossière sur les distances, et preuve on ne peut plus manifeste que La Salle ne connaissait vraiment ni l'une ni l'autre de ces trois rivières[84]. On sera peut-être étonné d'apprendre qu'à cette époque, il n'en sait pas davantage sur le Mississipi. Il ignore même si le fleuve est navigable. Dans une lettre datée du 29 septembre 1680 et où il fait part des merveilles que lui racontent les Illinois de la rivière Colbert, il écrit en toutes lettres: «Ils m'en dirent des merveilles que je remets à vous écrire, quand j'en aurai vu la vérité[85].» Faut-il ajouter, si nécessaire, quelques autres faits d'une singulière signification? L'Histoire diplomatique nous révèle, par exemple, qu'en France, l'on fonda toujours, sur l'exploration de Jolliet, les droits de la monarchie française sur le Mississipi[86]. Mgr de Saint-Vallier, obligé de soutenir en cour de Rome, une polémique contre le fameux Bernou, revendiquait énergiquement, pour Marquette et Jolliet, le mérite de la découverte du Mississipi et des nations de cette région. À quoi l'agent de La Salle faisait cette réponse qui est à retenir: «Il est vrai que le père Marquette a découvert le 1er la Rivière du Mississipi, mais il n'a fait que passer...»[87] Dans un autre document de l'époque, l'agent de La Salle ferait un semblable aveu, à propos de Jolliet cette fois: «Il est vray que le sieur Jolliet pour le prévenir [La Salle], fit un voyage en 1673 à la rivière Colbert, mais ce fut uniquement pour y faire commerce...»[88]

Il reste, nous le savons, un dernier faisceau de documents longtemps brandi par les fougueux partisans de La Salle: quelques cartes géographiques attribuées à Jolliet et où le cartographe, tout en dessinant en sa pleine étendue le cours de l'Ohio, en aurait attribué la découverte à La Salle, et du même coup et par la voie de l'Ohio, la découverte du Mississipi jusqu'au Mexique. La carte de Jolliet, celle de 1674, communément appelée la «grande carte», contient en effet le cours de l'Ohio en son entier, et l'on y peut lire: *Route du Sieur de La Salle pour aller dans le Mexique*. Une seconde carte appelée la *petite carte de Jolliet*, réduction de la première, porte le long de l'Ohio cette légende: *Rivière par ou descendit le Sieur de La Salle au sortir du lac Érié pour aller dans le Mexique*. Hélas, faut-il dire que ces cartes de Jolliet ne sont pas de Jolliet? Dès leur apparition, quelques méfiances s'éveillèrent. En 1884, un Américain, M. John Clark d'Auburn croyait déjà discerner, en ces tracés de l'Ohio et en ces légendes, de «frauduleuses additions»[89]. Aujourd'hui c'est plus que de la méfiance. Des examens minutieux et conduits selon toutes les règles de la technique, ont révélé l'évident travail d'audacieux faussaires. L'on peut considérer comme démontré qu'aucune carte de Jolliet, œuvre authentique et intacte de ce cartographe, ne contient l'ombre d'une légende le long de l'Ohio. Toutes, au surplus, n'offrent que le tracé du cours inférieur de cet affluent du Mississipi, c'est-à-dire la seule partie qu'en avaient aperçue Jolliet et Marquette. Par conséquent le tracé du cours supérieur de l'Ohio, tout comme les légendes inscrites en marge de la rivière, sont de pures interpolations: la différence d'encre et de calligraphie l'atteste sans doute possible. La prétendue *petite carte* de Jolliet, le fait est également démontré, n'est rien d'autre qu'une carte sortie de la main de Bernou. Tout est de la main de l'abbé: les tracés, la légende le long de l'Ohio, et voire l'orthographe accoutumée du faussaire[90]. En conclusion Robert Cavelier de La Salle n'a jamais découvert l'Ohio que dans l'imagination de Bernou et de Renaudot. Et il ne doit sa découverte du Mississipi avant 1673, qu'à la gracieuseté de MM. Margry, Gravier et Chesnel.

(*Extrait d'un cours public (inédit) à l'Université de Montréal*).

Notes

1. Francis Borgia Steck, o.f.m., *The Jolliet-Marquette Expedition*, 1673 (Quincy, Illinois, 1928), 207-218.

2. *La Découverte du Missisipi — Notices sur les explorateurs de Soto, Jolliet, Marquette, et de La Salle*, suivies du récit des voyages et découvertes du R.P. Jacques Marquette de la Compagnie de Jésus (Extrait du *journal de Québec*, juin 1873).

3. Harrisse, *Notes pour servir à l'Histoire... de la Nouvelle-France* (Paris, 1872), 87. — J. Winsor. *Narrative and critical History of America* (8 vol., Boston, [1884] 1889), VIII: 132.

4. John Gilmary Shea, *Discovery and exploration of the Mississipi Valley* (New York, 1852), VI-XX. — Baron Marc de Villiers, *La Découverte du Missouri et l'Histoire du fort d'Orléans* (Paris, 1925), 3, note.

5. Francis Borgia Steck, *The Jolliet-Marquette Expedition, 1673* (Quincy, Illinois, 1928), 204.

6. *Relations des Jésuites* (Éd. Thwaites), XVIII: 236.

7. On sait que la Rivière-des-Renards qui vient du sud-ouest, prend ses sources tout près de celles du Wisconsin. À cette époque et lors de la crue des eaux, ces deux rivières communiquaient même par des marécages. Baron Marc de Villiers, *La Découverte du Missouri et l'Histoire du Fort d'Orléans* (Paris, 1925), 16, note.

8. *Relations des Jésuites* (Éd. Thwaites), XLI: 184.

9. *Relations des Jésuites* (Éd. Thwaites), XLII: 218-220.

10. *Voyages of Peter Esprit Radisson*, with an introduction bay Gedeon D. Scull, (London, England, Boston, published by the Prince Society, 1885), 167-168.

11. *Relations des Jésuites* (Éd. Thwaites), XLV: 234. — Voir aussi Sulte, MSRC (1903), IX: 41: Kellogg, *Early narratives of the Northwest, 1634-1699* (New York, 1917), 223: L. J. Burpee, *The Search of the Western Sea* (2 vol., Toronto, 1935), I: 64, 193-194.

12. *Mémoire sur les mœurs, coustumes et Religion des Sauvages de l'Amérique septentrionale* (Paris, 1869), 84-88.

13. Benjamin Sulte, *Mélanges historiques* (19 vol., Montréal, 1919), II: 57-58.

14. Notons que d'après le *Journal des Jésuites*, 286-287, Groseilliers, en son voyage de 1659-1660, avait hiverné à la nation du Bœuf.

15. Olivier Maurault, *Nos Messieurs* (Montréal, 1936), 26 et suivantes.

16. Margry, *Mémoires et documents pour servir à l'histoire des origines françaises des pays d'Outre-mer* (6 vol., Paris 1879-1888), I: 114-115.

17. Cité par Margry, *Mémoires et documents...* I: 81.

18. Voir, dans *Mémoires de Pouchot* (Éd. anglaise), (2 vol., Roxbury, Mass., 1867), II: entre 148-149, une carte du Pays des six nations qui indique la proximité des sources de l'Ohio du pays des Tsonnontouans. La carte est de Guy Johnson et datée de 1771.

19. Margry, *Mémoires et documents*, I: 181. — Faillon, *Histoire de la colonie française*, (3 vol., Paris, 1866), III: 286.

20. D'après James H. Coyne, La Salle ne se serait embarqué que quelques jours plus tard. (*Exploration of the Great Lakes, 1669-1670, by Dollier de Gaston and De Brébant de Galinée* (Toronto, 1903), XXII.

21. R.P. Camille Rochemonteix, s.j., *Les Jésuites et la Nouvelle-France au XVIIe siècle* (3 vol., Paris, 1895), III: 41-49. — Gilbert J. Garraghan, *La Salle's Jesuit Days*, reprinted from *Mid-America*, XIX, new Series, 8, n° 2. — Jean Delanglez, *Some La Salle Journeys* (Chicago, 1938); id., *The Journal of Jean Cavelier*, the account of a Survivor of La Salle's Texas expedition. Translated and annoted. (Chicago, 1938).

22. Voir l'*Archivium Historicum Societatis Jesu* (1935): 267-290 où ont été publiées, pour la première fois, les lettres de Cavelier de La Salle.

23. Coyne, *op. cit.*, 4.

24. Jean Delanglez, *Some La Salle Journeys* (Chicago, 1938), 15, note 59. Voir *Mid-America* (avril 1939): 174-175, une critique de l'ouvrage du Père Delanglez.

25. Coyne, *op. cit.*, 4, 8.

26. Faillon, *Histoire de la colonie française en Canada*, III: 189-190.

27. Coyne, *op. cit.*, 12.

28. Margry, *Mémoires et documents...* I: 81, 114.

29. Faillon, *Histoire de la colonie française au Canada*, III: 288-290. — Désiré Girouard, *Les Anciens forts de Lachine et Cavelier de La Salle*, bro. (Montréal, 1891), 14-18.

30. Coyne, *Exploration of the Great Lakes* (Toronto, 1903), XIV, XV, XVI. — C. W. Butterfield, *History of Brulé's Discoveries and explorations* (Cleveland, Ohio, 1898), 141-144.
31. Sans doute, les Outagamis ou Renards et les Wisconsins.
32. Coyne, *ibid.*,6-8.
33. *Relations des Jésuites* (Éd. Thwaites), XLVII: 144. Le Père Julien Garnier écrit: «Ontoûagannha, ou Chaoüanong...»; *ibid.*, LIX: 312, note 36.
34. Coyne, *op. cit.*, 26. — Margry, *Mémoires et documents*, I: 130.
35. *Relations des Jésuites* (Éd. Thwaites), XLVII: 144-146. Radisson, au temps de sa captivité en Iroquoisie, serait-il allé en parti de guerre de ce côté-là, avec les Iroquois? Et aurait-il renseigné les Jésuites? Grace Lee Nute, *Caesars in the Wilderness* (New York, 1943), 46.
36. Kellogg, *Early Narratives*, 204. — Voir Steck, *The Jolliet-Marquette Expedition*, (Quincy, Ill., 1929), 217.
37. Margry, *Mémoires et documents...* I: 181-182.
38. Margry, *ibid.*, I: 121.
39. Margry, *ibid.*, I: 126.
40. Camille de Rochemonteix, *Les Jésuites et la Nouvelle-France au XVIIe siècle* (3 vol., Paris, 1895), III; 43.
41. Margry, *Mémoires et documents...* I: 115.
42. Margry, *Mémoires et documents...* I: 117, 135.
43. *Ibid.*, I: 81, lettre du 11 novembre 1669.
44. Coyne, *op. cit.*, 18.
45. Coyne, *op. cit.*, 18.
46. Les Sonnontouans y mettaient un peu d'exagération. Par un portage de 30 lieues l'on pouvait se rendre au lac Érié. Et c'est par cette route que les Iroquois allaient porter la guerre chez les Illinois. (Voir Faillon, *Histoire de la colonie française en Canada*, III: 196 et 197, une carte du Pays des cinq nations iroquoises, Kenté.
47. Coyne, *op. cit.*, 42, 44.
48. Coyne, *op. cit.*, 6.
49. Coyne, *op. cit.*, XXV.
50. Coyne, *op. cit.*, 76, cet acte de prise de possession.
51. Coyne, *op. cit.*, XXII.
52. *Relations des Jésuites* (Éd. Thwaites), XXI: 188-190.
53. C. W. Butterfield, *History of Brulé's Explorations* (Cleveland, Ohio, 1898), 139. — *Les Voyages de Champlain* (Éd. Laverdière), II: 41-48.

54. Coyne, *op. cit.*, en face de la page 67.

55. Coyne, *op. cit.*, XV-XVII; 67.

56. Lettre du 29 août 1670, RAPQ, (1930-1931): 117. Voir *Canadian Historical Review*, (septembre 1939), Percy J. Robinson, «Galinée's map of the Great Lakes Region in 1760», 293.

57. *Documents constitutionnels* (1ère éd., Ottawa, 1911), I: 75.

58. Coyne, *op. cit.*, 48.

59. Coyne, *op. cit.*, 48, 74.

60. Jean Delanglez, *Some La Salle's Journeys* (Chicago, 1938), 18-22, 23-39.

61. Coyne, *op. cit.*, 4.

62. Faillon, *Histoire de la colonie française en Canada*, III: 297-298.

63. Dans un acte conservé aux *Archives* du Palais de Justice, Montréal (Greffe de Basset, année 1670) et qui porte la date du 11 mai 1670, il est question du «lieu dit La Chine». Voir encore *Bull. des rech. hist.* (1913), XIX: 378 et sq., B. Sulte, «Le nom de Lachine». — Désiré Girouard, *Les Anciens forts de Lachine et Cavelier de La Salle*, (Montréal, 1891), 21-22. D'après le Chevalier de Baugy, c'est La Salle qui aurait donné à l'endroit ce nom de Chine, «parce qu'il prétendoit s'en aller par là aux grandes Indes, dessein fort chimérique...» *Journal d'une expédition contre les Iroquois en 1687* rédigé par le chevalier de Baugy (Paris, 1883), 178.

64. Nicolas Perrot, *Mémoire sur les mœurs, coustumes et relligion des sauvages de l'Amérique Septentrionale* (Paris, 1864), 119. Voir, du reste, que d'après un mémoire de La Salle lui-même, il ne découvrit rien en 1669. Margry, *op. cit.*, I: 436.

65. Mémoire du 10 novembre 1670. «Ce pays est disposé de manière que par le fleuve on peut remonter par tout à la faveur des lacs qui portent à la source vers l'Ouest et des rivières qui dégorgent dans luy par ses costez, ouvrant le chemin au nort et au sud, c'est par ce mesme fleuve qu'on peut espérer de trouver quelque jour l'ouverture au Mexique et c'est aux premières de ces découvertes que nous avons envoyé Monsieur de Courcelles et moy le sr de La Salle qui a bien de la chaleur pour ces entreprises, tandis que par un autre endroit j'ay fait partir le sr de St Lusson pour pousser vers l'ouest tant qu'il trouvera de quoy subsister avec ordre de rechercher soigneusement s'il y a par lacs ou par rivières quelque com-

munication avec la mer du sud qui sépare ce continent de la Chine...» (RAPQ, (1930-1931): 136.

66. RAPQ, (1930-1931): 146, 157.
67. Faillon, *Histoire de la colonie française au Canada*, III: 313.
68. Margry, *Mémoires et documents...* 181-182.
69. RAPQ, (1926-1927): 36.
70. Pierre Margry, *op. cit.*, 329-336.
71. Pierre Margry, *op. cit.*, I: 345-401.
72. Baron Marc de Villiers, *La Découverte du Missouri* (Paris, 1925), 17. Jean Delanglez, *Some La Salle Journey's* (Chicago, 1938), 10-39.
73. Jean Delanglez, *ibid.*, 10-12.
74. Jean Delanglez, *ibid.*, 12-14.
75. Margry, *Mémoires et documents...* I: 330.
76. Margry, *Mémoires et documents...* I: 377-378.
77. Perrot, *Mémoire... op. cit.*, 285.
78. Margry, II: 80, 98.
79. Margry, II: 196-200.
80. Margry, *Mémoires et documents...* I: 378-379.
81. Baron Marc de Villiers, *La Découverte du Missouri* (Paris, 1925), 13.
82. Gabriel Marcel, *Cartographie de la Nouvelle-France* (Paris, 1885), 9.
83. Margry, I: 477-479.
84. Margry, *Mémoires et documents...* II: 80.
85. *Ibid.*, II: 40-41, 52.
86. Delanglez, *Some La Salle Journey's* 45, note 6.
87. *Ibid.*, 55-56.
88. *Ibid.*, 50; Margry, II: 285.
89. Gabriel Marcel, *Cartographie de la Nouvelle-France* (Paris, 1885), 9.
90. Voir Delanglez, *Some La Salle Journey's*, 29-39.

CHAPITRE QUATRIÈME

L'Exploration de Jolliet et de Marquette

Pendant que La Salle cherche le Mississipi l'on ne sait où, les missionnaires jésuites de l'ouest achèvent de pousser leurs approches vers la grande rivière. Une chose frappe à la simple lecture des *Relations* de ce temps-là: l'extraordinaire persévérance avec laquelle pendant vingt ans, ces hommes amassent sur l'énigme du sud-ouest, rumeurs et renseignements de toute sorte. Les voici parvenus aux derniers rivages des derniers grands lacs. Devant eux l'immensité est là, toujours fuyante, incessante dilatation de la terre et de ses horizons. En gros qu'y ont aperçu ces chercheurs d'âmes? Trois systèmes fluviaux qui sont autant de réservoirs de peuples: l'un au nord, l'autre à l'ouest, le dernier au sud. Des trois, le dernier, plus que les autres, les attire. Apparemment plus peuplé, mieux articulé, par le fond du grand lac des Illinois, à l'artère laurentienne, un mirage le pare, mirage séduisant: celui de la mer, de la mer d'Orient, accessible, pense-t-on, à quelque centaines de milles, dans la direction de l'ouest ou du sud. Ce mirage, on ne l'a pas laissé s'évanouir avec le voyage de Nicolet. En 1640, le Père Vimont l'a encore devant les yeux. Pour lui, la mer de Nicolet, «c'est la mer qui respond au Nord de la nouvelle Mexique». «De cette mer, présume-t-il, on auroit entrée vers le Japon & vers la Chine... Ce seroit une entreprise genereuse, poursuivait toujours le Père Vimont, d'aller descouvrir ces contrées... Peut estre que ce voyage se réservera pour l'un de nous qui avons quelque petite cognoissance de la langue Algonquine[1].» Vers le même temps ou presque, quelques anciens de la nation des Neutres parlaient aux Jésuites d'une nation occidentale où ils allaient porter la guerre et «qui n'estoit pas beaucoup esloignée de la mer[2]. En 1655, un missionnaire affirme, sur un rapport des sauvages, qu'«il n'y a que neuf jours de chemin depuis ce grand lac (lac des Puants) jusques à la mer, qui sépare l'Amérique de la Chine»[3]. Sur cette mer, à la vérité, et sur les mers qui entourent l'Amérique, les idées ne sont pas toujours d'une netteté absolue. Trop manifestement l'on fait, du golfe de Californie, une mer à part, la mer Vermeille[4]. Talon identifie ce golfe avec ce qu'il appelle la mer du sud, qu'il distingue de la mer de l'ouest. L'abbé de Galinée localise plutôt la mer Vermeille à l'ouest. La *Relation* des Jésuites de 1661-1663 qui place nettement la baie du Saint-Esprit «dans le Golfe du Mexique, en la coste de la Floride», place aussi la mer Vermeille «sur la coste de la Nouvelle Grenade dans la grande Mer du Sud». D'autres *Relations*, celles de 1666-1668 et celles de 1669-1671 apportent des informations plus précises. On y parle nettement de trois mers: la mer du Nord, la mer du couchant (ou celle du Japon) à deux cents lieues de la mission du Saint-Esprit, aux Outaouais, la mer du sud qui est encore celle de Californie. Tout au plus en est-on encore à se demander, parmi les missionnaires, si les trois mers communiquent bien l'une avec l'autre. Au dire des sauvages, il ne serait pas impossible «de passer de la Mer du Nord à celle du Sud, ou à celle du Couchant»[5].

Tous ces mystères, comment les mieux éclaircir que par l'exploration du fleuve du sud-ouest? L'haletante recherche commencée aux jours de Nicolet va donc se poursuivre jusqu'aux jours de La Salle. Par les missionnaires jésuites, les renseignements s'accumulent à Québec, à Paris. Ils les tirent de deux sources: du pays des Iroquois et du pays des Outaouais. Bien avant 1660, nous l'avons vu, les chasseurs de chevelures des cantons vont porter la guerre et râfler des esclaves, le long de l'Ohio et du Mississipi; et ils parlent aux missionnaires des bourgades de ce pays-là qui s'échelonnent le long d'un beau fleuve lequel débouche à la mer, à proximité d'autres colonies européennes[6]. De retour dans l'ouest en 1660, voici les Jésuites qui se rapprochent de la fascinante énigme. Ils s'établissent à l'une des pointes extrêmes du lac Supérieur. Les hautes sources du fleuve du sud se retracent là tout près, sur le plateau glacé qui borde le sud-ouest, conséquence des guerres iroquoises, a rejeté sur le haut-Mississipi et même au delà du fleuve, quantité de nations, dont quelques-unes viennent même de la région mississipienne. Des gens de ces nations, attirés par les traitants français, poussent une pointe vers le nord, jusqu'aux premières missions du lac Supérieur. Quelques Hurons appartiennent à ces bandes. Un jour ces miséreux viennent même prier le Père Ménard d'aller chez eux les réconforter. Le Père leur envoie d'abord en éclaireurs, trois jeunes Français. Or il se trouve que les fugitifs habitent la Rivière

Noire, affluent du Mississipi. Au printemps de 1661 le Père Ménard part à son tour, mais pour succomber en route. Grand Malheur! Sans cette mort, que n'eût-on appris, en Nouvelle-France, par le missionnaire ou par ses éclaireurs, et dès 1662 ou 1663, sur le fleuve du sud-ouest? La *Relation* de 1662-1664 dira du Père Ménard: «Il est celuy de tous nos Missionnaires qui a approché le plus prés de la mer de la Chine...»[7]

En 1665 le Père Claude Allouez monte au lac Supérieur, faire la relève du Père Ménard. Vers le nouveau venu les renseignements continuent d'affluer. Poutéoutamis, Renards, Illinois du sud, Sioux de l'ouest parlent au missionnaire du grand fleuve. Les Illinois, apprend-il, habitent dans la direction du midi, au delà d'une grande rivière, laquelle, conjecture le Père Allouez, se jette «en la Mer, vers la Virginie». Quant aux Sioux (Nadoüessiouek), qui se prétendent «presque au bout de la terre», ils habitent au couchant «vers la grande rivière, nommée Messipi»[8]. Et voilà, pour la première fois, un nom, presque son nom, attaché au fleuve tant cherché. En 1669, le Père Allouez reçoit l'ordre d'aller fonder une mission au fond de la baie des Puants. Pour lui quel poste d'observation et d'écoute! Le long des rivières qui mènent aux affluents du fleuve du sud, il écoute, il questionne. À l'automne de 1670 le Père Dablon, premier supérieur des missions outaouaises, fait le voyage du Sault Sainte-Marie à la Baie[9]. À son retour, il peut tenter une description, et déjà combien précise, de ce «Messipi». À quelques journées seulement de la mission de Saint-François-Xavier[10], on trouve cette «grande Rivière large d'une lieuë & davantage, qui venant des quartiers du Nord, coule dans la direction du Sud, et si loin que les Sauvages qui ont navigué «sur ses eaux»... aprés quantité de journées de navigation, n'en ont point trouvé l'embouchure», laquelle embouchure, conclut le Père, «ne peut estre que vers la Mer de Floride, ou celle de Califournie»[11]. La même année le Père Allouez est allé en mission chez les Miamis, nation illinoise établie presque à la jonction de la Rivière-des-Renards et du Wisconsin[12]. De ce point, «il n'y a que six jours de navigation», écrit-il, vers le fleuve du sud-ouest. «Leur Rivière conduit dans la grande Riviere nommé Messi-Sipi», ajoute d'Allouez qui, pour ce coup, donne au fleuve son vrai nom, sinon son orthographe définitive[13]. C'est encore le même Allouez qui, en 1671, rayonnant toujours dans la même région, chez les Mascoutins, les Outagamis et «autres peuples vers le sud», énonce l'espoir de la prochaine découverte. Dans peu de temps, écrit-il, la foi sera portée «jusqu'à la fameuse rivière nommée Missisipi & mesme peut-estre jusqu'à a mer du Sud»[14]. En 1672, devenu supérieur général des missions jésuites du Canada, et de retour à Québec, on devine ce que va raconter le Père Dablon. Il envoie à Paris une carte joliment dessinée du Lac Supérieur et autres lieux ou sont les Missions des Peres de la Compagnie de Jesus comprises sous le nom d'Outaouacs»[15]. À cette carte, il joint un commentaire, et voici les données qu'il accumule sur l'obsédant sujet: «C'est vers le Midy que coule la grande riviere, qu'ils appellent Missisipi, laquelle ne peut avoir sa décharge que vers la mer de la Floride, à plus de quatre cents lieues d'icy...» Puis, un peu plus loin, à propos des Illinois, rencontrés chez les Mascoutins, il ajoute ces lignes étonnantes: «Ces Peuples font placez au milieu de ce beau païs, dont nous avons parlé, vers la grande riviere nommée Miffifipi de laquelle il est bon de mettre icy ce que nous en avons appris. Elle femble faire comme une enceinte de tous nos lacs, prenant fon origine dans les quartiers du Nord, & coulant vers le midy, jufqu'à ce qu'elle fe décharge dans la mer, que nous jugeons eftre ou la Mer vermeille, ou celle de la Floride, puifqu'on n'a pas connoiffance d'aucunes grandes rivieres vers ces quartiers-là, que celles qui fe déchargent en ces deux Mers; quelques Sauvages nous ont affeuré que cette riviere eft fi belle, qu'à plus de trois cens lieuës de fon emboucheure, elle eft plus confiderable que celle, qui coulle devant Quebec; puis qu'ils la font d'une lieuë de large; de plus, que tout ce grand efpace de païs n'eft que de prairies fans arbres, & fans bois; ce qui oblige les habitans de ces contrées à faire du feu de tourbes de terre, & des excremens des animaux, defeichez par le Soleil jufqu'à ce que s'approchant environ vingt lieuës de la mer, les Forefts commencent à renaiftre: quelques guerriers de ce païs icy, qui nous difent avoir pouffé iufques-là, affeurent qu'ils y ont veu des hommes faits côme les François, qui fendoient les arbres avec de lôgs couteaux, & dont quelques-uns avoient leurs maifons fur l'eau, c'eft ainfi qu'ils s'expliquent, parlant des planches fciées, & des Navires. Ils difent en outre que tout le long de cette grande riviere, font diverfes Peuplades de Nations, differentes de langues, & de mœurs, & qui fe font toutes la guerre les unes aux autres; on en voit qui font placées fur le bord de l'eau, mais bien plus dans les terres; continuant ainfi, jufques à la ntion des Nadoüeffi, qui font épars de plus de cent lieuës de païs»[16].

Telle est, en 1672, la documentation amassée par les missionnaires jésuites sur le Mississipi. Sources du fleuve, caractère et longueur de son cours, notions sur les peuples et les pays riverains, tout est déjà connu avec une suffisante précision. Une seule énigme demeure: l'embouchure du grand cours d'eau. Où débouche-t-il? À la mer de Virginie, autrement dit à l'Atlantique? À la mer de Floride, c'est-à-dire au golfe du Mexique? Ou bien encore à la Mer Vermeille?

*   *
*

À Québec où parviennent toutes ces nouvelles, peuvent-elles ne pas émouvoir les autorités? Que faut-il de plus à Talon pour saisir l'importance de cette autre exploration? En 1669, alors qu'il attend à La Rochelle l'heure de s'embarquer, Colbert ne lui a-t-il pas donné cette consigne: «Travaillez a le (le pays) penetrer le plus avant qu'il vous sera possible en remontant Le fleuve de sainct Laurent, estant bien difficile que l'on n'en tire divers advantages[17].» Le fleuve débouche-t-il à la mer d'Orient? En ce cas, à la faveur du Saint-Laurent et des Grands Lacs, ce serait, au profit de la France, la percée transcontinentale ouverte vers la Chine et le Japon. Même écarté cet espoir trop prometteur, il reste la beauté, l'immense richesse du nouveau bassin fluvial; il reste le coin victorieux que l'intendant médite d'enfoncer entre les possessions coloniales de l'Angleterre et celles de l'Espagne. Qu'à la veille de son départ, Talon semble se hâter, soit pressé d'agir, quoi de plus compréhensible! La conquête de cette route maritime et de cette portion du continent complèteraient si magnifiquement son dessin d'empire français. D'ailleurs, pas un moment n'est à perdre. Le savent-ils par les Indiens? L'ont-ils appris, en Angleterre, de

215

Radisson et de Groseilliers, où s'organise alors la compagnie de la Baie d'Hudson? Les Virginiens connaissent l'existence d'un fleuve d'au delà de leurs montagnes qui conduit à la mer du Sud. En 1670, si on l'en croit, le gouverneur Berkeley obtient même une commission officielle pour aller à la découverte du fleuve. En 1671 quelques aventuriers de Virginie traversent les Apalaches et atteignent la rivière Kanawa, petit affluent de l'Ohio, au nord-est du Kentucky. Talon eut-il vent de ces entreprises? Il y a lieu de le penser[18].

Sans nouvelles de Cavelier de La Salle depuis l'automne de 1670, l'intendant jette son dévolu sur un autre explorateur[19]. Il vient de rentrer des pays de l'ouest; il en parle en homme plein de son sujet. Comment Talon alla-t-il du Collège des Jésuites avec qui, en l'an 1666, dans une dispute de philosophie, il avait argumenté? Ce jour-là, en présence de toutes les «puissances»: le Chevalier Alexandre de Prouville, seigneur de Tracy, lieutenant-général du roi de France pour toute l'Amérique, le gouverneur Daniel Rémy de Courcelle, l'intendant Jean Talon, Monseigneur François de Laval-Montmorency, et sans doute, quelques hauts officiers du régiment de Carignan, deux collégiens, remarquables de sang-froid et d'esprit, «ont très bien répondu de toute la Logique»[20]. L'un de ces collégiens s'appelle Louis Jolliet[21]. Né à Québec, ou «près de Québec», il y a été baptisé par le Père Vimont, le 21 septembre de l'an 1645, «enfant nouvellement né des époux Jean Joliet et Marie d'Abancourt»[22]. Fils d'un simple charron de la Compagnie de la Nouvelle-France, le jeune Louis n'aboutit pas moins au Collège des Jésuites pour y faire ses études classiques. À dix-sept ans, il devient séminariste, reçoit les ordres mineurs. Puis, au printemps de 1667, sollicité par d'autres horizons, il quitte le Grand Séminaire. Cette même année, il s'embarque pour la France, à bord du «Saint-Sébastien» qui ramène le marquis de Tracy. Au vieux pays l'on ne voit pas que le jeune homme ait étudié quelque science ou art que ce soit. Pour son temps, ce Canadien de naissance n'en est pas moins passablement instruit. Au Collège des Jésuites de Québec, aurait-il suivi les cours d'hydrographie de Martin Boutet, alors professeur de cette science[23]? La chose est plausible. Le jeune Louis a des goûts artistiques. Le premier de l'an 1665, les Pères jésuites de Québec invitent à souper avec eux leurs «officiers de musique», c'est-à-dire les sieurs Morin et Jolliet[24]. Le séminariste de vingt ans touche déjà l'orgue de la basilique québécoise. Il le touchera en tout cas plus tard, alors qu'il sera professeur d'orgue[25]. Serait-il l'auteur des jolis dessins qui ornent ses cartes? Ils témoigneraient d'un autre talent: celui de dessinateur.

Selon toute apparence, le jeune homme a quitté l'état ecclésiastique pour la vie d'explorateur et de trafiquant. D'où lui est venue cette autre vocation? Bien des causes y ont conspiré. Il appartient à la génération de l'enracinement et de la première guerre iroquoise: époque de tension extrême, d'exaltation héroïque. Au Collège des Jésuites, tout aboutit comme à un pôle moral: échos des missions et des voyages, prouesses de martyrs et d'explorateurs. En 1658, l'année où l'adolescent commence peut-être ses études, les élèves jouent, pour l'arrivée de Monseigneur le Vicomte d'Argenson, un drame où des acteurs personnifient des personnages comme ceuxci: *le Génie universel de la Nouvelle-France, le Génie des forêts, Un étranger du sud, Un étranger du*

Nord[26] Quel drame mieux conçu pour faire travailler les jeunes imaginations? À partir de 1660, date de leur *nouveau* départ pour l'ouest, les Pères ne se privent point, peut-on penser, de lire en primeur à leurs élèves, les lettres des missionnaires des pays d'en haut: lettres débordantes d'aromes capiteux: ceux de l'aventure sans fin dans une étendue illimitée. Tout l'été, une partie de l'automne, défilent, dans les rues de la petite capitale, des ambassades indiennes, des missionnaires en robe glorieusement délabrée, des «canoteurs» fameux, qui ont avironné sur les plus occidentaux des grands lacs. Tous ces hommes, les derniers surtout, incarnent, aux yeux de la jeunesse, un idéal ensorceleur, idéal de force audacieuse, presque surhumaine. De ces voyageurs et de ces héros, le jeune Louis en compte dans sa propre famille. Au mois de juin 1658, Adrien, son frère, a été fait prisonnier aux Trois-Rivières, par les Iroquois. Ramené au mois d'août suivant par le chef Garakontié, le frère aîné est aussitôt parti pour d'autres aventures. C'est bien lui, semble-t-il, qu'en 1661, on retrouve, au fond du lac Supérieur, auprès du Père Ménard, l'un des premiers missionnaires et l'un des premiers Français à reprendre le dangereux chemin de l'ouest[27]. C'est encore le même Adrien Jolliet qu'en 1669, Talon envoie, avec Péré, découvrir les gisements de cuivre du lac Supérieur.

On devine ce qui se passe dans l'âme d'une jeunesse qui a connu l'ébranlement de tous ces spectacles, qui a grandi dans une pareille atmosphère! De retour de Paris, Louis Jolliet ne tarde pas à commencer son noviciat de découvreur[28]. En 1670 il prend le chemin de l'ouest en qualité de traitant. Le 4 juin 1671, il assiste à la prise de possession du centre américain par Saint-Lusson. Il signe le procès-verbal de la cérémonie, l'un des premiers, tout de suite après les Pères Jésuites et Nicolas Perrot. Quelle forte impression dut encore produire, sur l'esprit du jeune homme, cet acte de la France s'appropriant d'un trait l'intérieur de l'Amérique! Mais l'année suivante, quel autre battement en sa poitrine lorsque, mandé chez le Comte de Frontenac, il se voit chargé de la suprême mission: aller à la découverte de la Mer du Sud. Avant son départ pour la France, Frontenac nous l'apprend, Talon a recommandé, pour la grande tâche, le jeune Québécois. Choix justifié. Frontenac, sur la foi de Talon, le dit «fort entendu dans ces sortes de découvertes»[29]. Entre tous il s'impose par un rare ensemble de qualités. Il connaît déjà les langues huronne et algonquine, langues des Outaouais. Médiocre observateur astronomique, il se révèle bon cartographe pour l'époque. Il complète ces aptitudes secondaires par des qualités de fond. Il a de la conduite, de la sagesse; «il a le courage pour ne rien appréhender où tout est à craindre». Pour le grand dessein, dira le Père Dablon, supérieur général des missions des Jésuites, on ne pouvait choisir «personne qui eust de plus belles qualitez que du sieur Jolliet»[30]. Enfin, par tout son être, il appartient à cette race d'hommes que les chroniqueurs de l'époque nous peignent incapables de se tenir en repos, de s'arrêter aussi longtemps qu'un rideau de forêt leur barre l'horizon, qu'un ruban d'eau se déroule dont ils n'ont pas vu le bout. Louis Jolliet! Une des plus pures gloires de la Nouvelle-France. Un homme à qui il n'a manqué que l'appui des autorités pour être, avec d'autres et tout autant qu'eux, un «prince des explorateurs».

De toute évidence, et quoi qu'en ait écrit Charlevoix, Jolliet est le chef de l'expédition projetée.
Talon puis Frontenac l'ont choisi, lui et point d'autre.
Le responsable de l'entreprise, celui de qui l'on
attend le rapport, c'est encore Jolliet. En la *Relation*
de 1674, tout comme dans le petit bout d'introduction au Récit de Marquette, le Père Dablon convient
de ce choix et de ce rôle[31]. L'expédition n'est point
de celles, du reste, que l'on confie à un missionnaire.
Pour le roi et pour les autorités de la colonie, la fin
en est toute profane. Que cherche-t-on vers le sud?
Des pays d'or peut-être. «Soit qu'on voulu s'asseurer, a écrit le Père d'Ablon, de ce qu'on a dit du
depuis, touchant les 2 Royaumes de Theguaïo et de
Quiuira, Limitrophes du Canada, ou l'on tient que les
mines d'or sont abondantes[32].» La recherche de l'or
ne reste pourtant qu'une fin secondaire ou occasion-
nelle. La fin dominante n'est pas davantage, comme
on s'est habitué à le croire, la découverte du Mississipi. Le Mississipi, on ne le cherche qu'en vue d'une
fin autrement plus considérable: la découverte d'une
route vers la grande mer conduisant à la Chine et au
Japon. Sur ce point, les faits, les textes ne laissent
aucun doute. C'est la mer qu'ont cherchée Nicolet,
La Salle, Casson et Galinée, la mer du Sud sur
laquelle Saint-Lusson, envoyé de Talon, était chargé
de se renseigner en 1670. Le roi, Colbert, opposés en
principe à une extension trop rapide de la colonie,
font exception pour cette importante découverte.
Colbert écrit à l'intendant le 4 juin 1672: «Comme
apres l'augmentation de la Colonie du Canada, Il n'y
a rien de plus important pour ce païs la et pour le

service de sa Majesté que la découverte du passage dans la mer du Sud, sa Ma^té veut que vous asseuriez une bonne recompence a ceux qui feront cette découverte[33]...» La commission donnée par Frontenac à Jolliet ne peut être plus expresse: «Il a été jugé expédient pour le service d'envoyer le Sr Joliet à la découverte de la mer du Sud, par le pays des Maskoutins, et la grande rivière qu'ils appellent Michissipi qu'on croit se décharger dans la mer de la Californie[34].» Tous les récits de l'expédition qui sont de la main du Père d'Ablon, portent à leur première page, la même mention: «chercher un passage d'icy jusqua la mer de la Chine, par la rivière à la Mer Vermeille ou Californie»[35].

Un nom pourtant reste inséparable du nom de Jolliet et d'une telle grandeur que le nom du jeune homme en est parfois éclipsé. Nous ne ferons pas ici le portrait du jésuite Marquette. Sa vraie gloire est ailleurs: dans les missions. Posons tout au plus cette question: quel fut, dans la découverte du Mississipi, le rôle de ce missionnaire? A-t-il été investi, lui aussi, de quelque mission officielle? Un mot du Père Dablon le donnerait à penser, un mot de la *Relation* de 1670-1672 où il est question du «Père» et des «François qui sont envoyez pour cette hasardeuse expédition». Le mot «envoyé» ne prend ici, il est vrai, qu'une demi-netteté. Mais le mot a été jeté dans un écrit destiné à la publicité, et qui parut, en effet, en 1673, avec permission du roi. Or l'on voit mal le supérieur des Jésuites de Québec se risquant, en ces conditions, à une sorte d'imposture. Ce mot du Père d'Ablon ne se peut-il toutefois expliquer? Avant le départ de Talon pour la France, Jolliet a vu l'intendant. Lui aurait-il exprimé le désir de s'adjoindre un compagnon admirablement préparé à la découverte du fleuve du sud? Talon entretenait d'assez forts préjugés contre les Jésuites; mais il venait de le prouver dans la découverte de la mer du Nord: ses préjugés ne l'empêchaient pas d'utiliser les précieuses connaissances des missionnaires. Ainsi pourrions-nous entendre telle expression du *Récit* qu'à Québec l'on était «bien aise que le P. Marquette fût de la partie». Il n'est pas niable, d'autre part, que le Père Marquette reçut de son supérieur l'ordre de faire partie de l'expédition[36]. Pendant tout le voyage Jolliet n'en fait pas moins acte de chef. En outre, devant Frontenac, dans les relations de son voyage, celles qu'il a conçues et écrites de sa main, nulle part, il est bon de le noter, il ne fait mention de Marquette.

Toutefois, en ce petit débat historique, il nous paraît qu'on laisse trop subsister une équivoque. Qui fut le chef de l'expédition? Qui fut le découvreur? Les deux questions ne sont pas identiques. Et si la première n'autorise aucun doute, la seconde exige des distinctions. Jolliet est incontestablement le chef officiel, le chef désigné de l'expédition. Mais, pour faire acte de découvreur, suffit-il d'une désignation officielle? À la découverte elle-même, Jolliet apporte sa part de préparation et elle n'a rien de méprisable. Pendant son voyage en France, le futur cartographe se serait-il intéressé aux cartes espagnoles qui lui révélaient quelque peu l'intérieur de l'Amérique? Ces cartes, est-il même improbable qu'il les ait trouvées au Collège des Jésuïtes de Québec? Quand, en 1674, le Père d'Ablon écrit, sous la dictée de Jolliet, le récit de la découverte du Mississipi, n'émet-il point l'opinion que la rivière «sur laquelle nos François ont navigué», c'est-à-dire le Mississipi, est bien plus probablement «la rivière que les géographes marquent et appellent du Saint-

Esprit». Que la mention soit de Jolliet ou du Père d'Ablon, elle indique clairement la connaissance des cartes ou de la littérature de voyage espagnole, cartes et littératures dont s'inspirèrent alors, en France même, cartographes et historiens des découvertes[37]. Au fond de la Baie des Puants, les trafiquants ont, du reste, précédé les missionnaires. Sans parler de Radisson et de Groseilliers, Nicolas Perrot s'y trouve en 1665 et peut-être avant. La Potherie dira même de Perrot: «C'est par son moyen que le Mississipi a été connu[38].» Lors de son premier voyage en cette région, en 1669, le Père Allouez y rencontre huit Français, en train de faire la traite[39]. Jolliet a donc pu amasser des renseignements sur la région avoisinante du Mississipi. Lui-même aurait-il voyagé en cette région, en sa course de 1670? Frontenac nous le dit: le jeune homme «a déjà été jusques auprès de cette grande rivière»[40]. La Potherie écrit dans le même sens: le sieur Jolliet «avoit voyagé chez les Outaouacks; les connaissances qu'il avoit déjà de ces païs pouvoient lui donner assez de lumière pour faire cette découverte»[41].

Pour la grande entreprise, qu'apporte Marquette? En premier lieu toute la masse de renseignements accumulés depuis tant d'années par les religieux de sa compagnie. Il apporte aussi sa propre documentation. En 1668, rendu au Sault Sainte-Marie, un Indien Chouanon lui parle de la mer du sud. Son village, assure-t-il au missionnaire, n'en est éloigné que de cinq jours de voyage. Au surplus ce village a son emplacement près d'une grande rivière, qui, venant des Illinois, se jette en cette mer du Sud[42]. En septembre 1669 Marquette s'en va à la mission du Saint-Esprit, sur la rive sud-ouest de la baie de Chequamegon, presque au fond du rivage méridional du lac Supérieur, relever le Père Allouez. De ce Père, Marquette apprend, l'on peut bien penser, tout ce que ce dernier a pu recueillir sur la mer inconnue. Beaucoup d'Indiens de l'ouest et du sud continuent de se rendre à la Pointe du Saint-Esprit pour la traite, attirés depuis le temps du Père Ménard et depuis le passage de Radisson qui y avait bâti sa hutte[43]. Or, parmi ces Indiens figurent des Illinois venus du sud-ouest, à trente journées par terre de la Pointe du Saint-Esprit[44]. Comme ils l'ont fait avec Allouez, ces Illinois parlent à Marquette de la grande rivière. Pour venir à la Pointe, racontent-ils, ils la traversent; elle a quasi une lieue de large. «Elle va du Nord au Sud, & si loin, (qu'eux,) Illinois qui ne savent ce que c'est que du Canot, n'ont point encore entendu parler de la sortie.» Seulement, plus bas qu'eux, assurent-ils, habitent de «tres-grandes Nations» dont quelques-unes ont des relations avec les Européens. Et Marquette qui entend toutes ces choses, conclut «qu'il est difficile que cette grande Rivière se décharge dans la Virginie.» Son sentiment est plutôt «qu'elle a son embouchure dans la Califurnie». À l'heure où il écrit ces lignes, Marquette tient auprès de lui une autre source de renseignements. Il a à son service un jeune Indien que lui ont donné les Outaouais. Est-ce l'esclave Chouanon du Saut-Sainte-Marie? Est-ce un jeune Illinois? Avec lui, Marquette apprend la langue illinoise et l'on pense comme il en profite pour s'instruire sur la région du sud. Déjà la fondation d'une mission aux Illinois est décidée. Marquette n'attend qu'un remplaçant à la Pointe du Saint-Esprit «pour exécuter les ordres du Père Supérieur». Que les sauvages de la Pointe bâtissent le canot qu'ils lui ont promis et «nous irons, dit-il, avec un François & ce jeune homme qu'on m'a donné...»; nous irons «ouvrir le passage à tant de nos Peres, qui attendent ce bon-heur il y a si long-temps». Et «cette découverte nous donnera une entiere connoissance de la Mer ou du Sud, ou de l'Oüest»[45].

Pourtant non, le Mississipi ne serait point découvert à ses hautes sources, par la voie du lac Supérieur. En 1670 une violente riposte des Sioux aux attaques des Outaouais et des Hurons, forçait le Père Marquette à quitter la Pointe du Saint-Esprit et à se retirer avec les Hurons à Michilimakinac. En son nouveau poste Marquette continuera à cultiver son rêve de missionnaire et d'explorateur. Un homme l'y aidera qui était venu le joindre à l'automne de 1672 ou au printemps de 1673. Le Père d'Ablon qui avait eu connaissance des entretiens du religieux et du jeune explorateur pourra écrire que la grande entreprise, bien des fois Jolliet et Marquette l'avaient «concertée ensemble». Oeuvre de collaboration, du laïc et du jésuite, mais accomplie sous la direction du laïc, voilà comme nous apparaît la découverte du Mississipi. S'il y eut méprise et si la gloire de Jolliet eut longtemps à en souffrir, n'en accusons pas les missionnaires de l'époque. Tous ont reconnu et le rôle de chef et la mission officielle du jeune Québécois, Marquette, le premier, trop noble pour dérober à son compagnon de voyage la moindre parcelle de gloire. Tout au plus le Père d'Ablon, dans une lettre au Père Pinette, provincial de France (24 octobre 1674), a-t-il fait la part plus que congrue au compagnon de Jolliet lorsqu'il écrit: «après les heureuses tentatives faites, il y a deux ans, par le P. Albanel, pour ménager un accès plus facile vers la mer du Nord, on attendait de notre part de nouvelles entreprises pour découvrir la mer du Midi. C'est ce qu'a fait cette année le P. Marquette...»[46] Le vrai responsable de l'injustice faite à Jolliet n'est autre que le Père Charlevoix, trompé lui-même, à ce que l'on peut voir, par Thévenot, celui-ci, trop partial en faveur de Marquette. C'est Charlevoix, en effet, qui, en son *Histoire et description générale de la Nouvelle-France*, a écrit: (l'intendant) «chargea de cette découverte le Pere Marquette... et il lui associa un bourgeois de Quebec, nommé Joliet...»[47]

$$* \quad *$$
$$*$$

Nous pourrions raconter tout de suite l'odyssée, si une question épineuse ne restait encore à débattre. Sur le grand fait historique, quelle documentation possédons-nous? Que nous ont laissé les deux explorateurs[48]? Distinguons, cela s'impose, le fonds-Jolliet et le fonds-Marquette, et dans ces deux fonds, ce qui est narration et ce qui est carte géographique. De ces deux fonds que possédons-nous d'authentiquement original? Examen de sources qui est bien, avec le cas La Salle, l'une des questions les plus embrouillées de l'histoire canadienne. Nous n'avons pas l'intention de reprendre ici cet examen. Ceux qui y voudront voir clair, pourront lire, entre autres ouvrages: *The Jolliet-Marquette Expedition* de Steck, ou du *Louis Jolliet, Vie et Voyages*, du Père Delanglez, les 3°, 4° et 5° chapitres. Retenons seulement que nous ne possédons guère que des copies d'originaux perdus et encore des copies plus ou moins exactes. La carte du Mississipi dressée par Jolliet et envoyée en France en 1674 est perdue. Cinq copies toutes faites à Québec et d'après l'original, sont aujourd'hui connues. Seul le manuscrit original de la carte de Marquette, conservé au Collège Sainte-Marie, à Montréal, a pu échapper à tout remaniement. Le Récit de la découverte qu'on prête au même Marquette, tout en étant substantiellement le sien, paraît avoir subi des retouches et des modifications; et il n'est pas généralement admis qu'il soit de son écriture[49]. Nulle de ces lacunes ou interpolations dans les sources documentaires n'altère néanmoins, en quoi que ce soit, le fait de la découverte, non plus que la priorité du voyage de 1673 sur tout autre. Les cartes de Jolliet et de Marquette, dessins, tracés d'une géographie jusqu'alors inconnue, puis la *Relation* de 1674 du Père d'Ablon, le rapport de Frontenac à Colbert, la brochurette et la carte de Thévenot publiée en 1681[50], écartent toute équivoque.

* *
*

Jolliet quitte Québec à l'automne de 1672. Apparemment, et comme c'est la mode, il finance luimême son entreprise. Le 1er octobre de cette même année, il signe avec François de Chavigny et Zacharie Jolliet un contrat de société[51]. C'est le temps où, moyennant la permission de cueillir en chemin quelques peaux de castor, d'audacieux canoteurs conquéraient, à simples coups d'aviron, l'Amérique à la France. «Très bon canoteur», au dire même d'Hennepin, le 8 décembre, lit-on dans le *Récit*, Jolliet a franchi les 350 lieues qui le séparent de Michilimakinac[52]. Sur la rive nord du détroit, à la Pointe Saint-Ignace, un homme le reçoit avec grande joie: le fondateur de cette récente mission des Hurons, le Père Jacques Marquette. Enfin le rêve des deux hommes va prendre corps. L'arrivant exhibe, en effet, au Jésuite un document propre à l'éblouir: une commission du Comte de Frontenac pour la découverte de la mer du Sud par le pays des Maskoutins. Les explorateurs se mettent à la tâche. Ils ne veulent rien laisser au hasard. Ils s'amassent des provisions de bouche: blé d'inde, viande boucanée. De nouveau ils font parler les Indiens. Ils dressent une carte provisoire: toute la géographie connue ou devinée de la région du sud y est couchée: tracé des rivières, noms des peuples et des lieux, cours du grand fleuve, rhumbs de vents à tenir.

Vers la mi-mai 1673, ils s'embarquent pour la première étape de leur voyage: de Michilimakinac au Wisconsin par la baie des Puans. L'équipe se compose de sept Français en deux canots d'écorce[53]. Tous appartiennent à cette race qui vient de naître en la colonie: race, dont nous parlions tout à l'heure, faite pour vivre au fond d'un canot, le nez au vent, ivre d'aventure. Le Père Marquette exprime le sentiment de toute l'équipe quand il écrit, au souvenir de leur départ: «La joye que nous avions d'être choisis pour cette expédition animoit nos courages et nous rendait agréables les peines que nous avions à ramer depuis le matin jusqu'au soir... Nous faisions jouer joyeusement les avirons sur une partie du Lac Huron et celuy des Illinois, et dans la baye des Puants.» Peu de jours les mènent à l'entrée de cette Baie: large entonnoir d'une embouchure de huit lieues de large, qui va se rétrécissant sur trente lieues de profondeur, pays connu et ami où se sont enfoncés et où circulent, depuis quelques années, des trafiquants français et les Pères Allouez et André. Un seul et court arrêt à la rivière des Folles-Avoines, sur la rive droite de la Baie: le temps de bivouaquer et le temps, pour le Père Marquette, de parler un peu d'Évangile aux Indiens. Puis, à grand effort d'avirons, on pique vers le fond de l'entonnoir. Un point là-bas oriente les canotiers: l'embouchure de la Rivière-des-Renards, décharge du lac Winnebago dans le lac des Illinois. Au-dessus de leur tête un tournoiement bruyant et si épais qu'il fait nuage. Les voyageurs se croiraient en une volière d'outardes, de canards, de sarcelles et autres oiseaux, tant la gent volatile, friande de folle avoine, emplit la région de ses clameurs et de ses battements d'ailes. Longue de 260 milles, fort agréable et paisible à son entrée, la Rivière-des-Renards ne tarde pas à se faire grondante; elle s'en vient, un peu folle, à travers les gradins de ses huit cascades, aux roches effilées, dangereuses pour les canots et pour les pieds des canoteurs[54]. Le 7 juin les explorateurs abordent au village des maskoutins, (près de Berlin, Wisc., aujourd'hui), bourg peuplé de Maskoutins, de Kikabous et de Miamis, situé sur une éminence, au milieu de vastes prairies ceinturées de forêts. À ce point de leur route, les Français entrent en pays inconnu. Nul explorateur n'a encore poussé plus avant. Ils ne sont plus qu'à trois lieues du Wisconsin. Un obstacle se dresse devant eux: le dédale de lacs et de marais où les réseaux fluviaux du nord et du sud viennent presque à la rencontre l'un de l'autre. Comment, sans guides, se démêler à travers ces marais aux longues herbes, ces champs épais de folle avoine? Jolliet et Marquette entreprennent de révéler leur dessein. Ravis par les discours des deux audacieux, les Indiens leur offrent deux guides Miamis. Le 10 juin nouveau départ. En peu de temps le dédale est franchi; et, après le dédale, le portage de 2,700 pas qui mène au Wisconsin. Là, les deux guides prennent congé, laissent à leur sort les canoteurs français. Une forte émotion étreint à ce moment ces hommes. Pour la première fois, ils paraissent s'être rendu compte de leur témérité. «Nous quittons donc les eaux qui vont jusqua Quebec, à 400 ou 500 lieues d'icy, lit-on dans le Récit, pour prendre celles qui nous conduiront désormais dans les terres étrangères.» Ces terres étrangères, quelles seront-elles? Où mènent les nouveaux chemins d'eau? À l'Atlantique, par le travers de la Virginie? Au golfe du Mexique? Ou encore, plus loin là-bas, vers la mer de l'ouest, par le golfe de Californie? D'un mouvement spontané, la petite équipe tombe à genoux sur la rive wisconsine, commence une dévotion à la Vierge Immaculée; on se prodigue des exhortations au courage; puis, le cœur assuré, on remonte en canot.

Le Wisconsin! 118 milles d'aviron. Le fleuve est large mais encombré de battures de sable. Les îles foisonnent. Sur chaque rive, parfois relevée en coteaux, une succession se déroule de forêts et de prairies où des chevreuils et des orignaux qui passent tranquillement, lèvent la tête. Le 15 juin, à 42 degrés et demi d'élévation, du nouveau s'annonce: le courant devient plus vif; un portique majestueux se dresse: à droite une haute chaîne de montagnes drapées de futaies, à gauche, une plaine. Les explorateurs vivent la minute suprême, la grande émotion de leur voyage: devant eux, un peu resserré, lent, calme, un fleuve aux eaux larges, profondes, passe, dans la direction du sud. C'est lui! le Mississipi! Une joie «qui ne se peut exprimer», le mot est du Père Marquette, leur étreint la gorge. Mais qui regretterait ici l'extrême discrétion de ces hommes du dix-septième siècle? On aimerait un mot, une exclamation, qui nous eût dit de quoi fut faite la joie de ces Français. Pour Marquette, joie, sans doute, de trouver enfin, vers tant de nations nouvelles, ce «passage» depuis si longtemps désiré par les fils de Loyola, passage qui ouvre à ces conquérants un nouvel empire. Pour Jolliet, le jeune Canadien, d'insatiable audace, joie de l'homme fort, victorieux de l'obstacle; enivrement d'esthète devant une force de la nature, devant un spectacle, une terre nouvelle sur quoi le premier l'on pose les yeux; orgueil d'annexer une autre immensité au domaine de son pays et de son roi... Toute la psychologie des grands explorateurs.

Bientôt le paysage se transforme. On dirait une autre nature. Insensiblement les montagnes s'affaisent. Le fleuve, beaucoup moins imposant que le Saint-Laurent devant Québec, quoi qu'en aient dit les Indiens, mais tantôt rétréci jusqu'à trois arpents, se peuple d'îles aux arbres splendides. Autour de ces îles évoluent des outardes, des «cygnes sans aisles». Sur les rives la forêt recule, fait place à d'immenses prairies, la prairie du centre américain. Les coqs d'inde, les troupeaux de chevreuils, les orignaux abondent. Encore un peu de chemin et le bison fait son apparition. Dans une seule bande, on en compte jusqu'à 400.

De leur même mouvement uniforme, les canots glissent toujours, serrant de près, à ce qu'il semble, la rive droite, comme si l'espoir ne quittait point les avironneurs de s'en aller à la mer de l'ouest. Mais les jours se suivent sans amener la moindre surprise, la moindre émotion. Depuis le Wisconsin, plus de soixante lieues ont été franchies. Pas d'autres aventures que les changements de paysages et de décors, l'apparition d'oiseaux nouveaux, la capture d'esturgeons ou d'autres poissons énormes. Les journées se succèdent selon le même rite. Le soir, la descente sur le rivage, pour se délasser, absorber un rapide repas; puis, pour se garer de toute surprise, l'ancre jetée au large, le sommeil au fond des embarcations, sous le guet d'une sentinelle. Le matin venu, ressaisie de l'aviron. Huit jours on va ainsi sans apercevoir âme qui vive, dans une solitude absolue, chaque jour plus inquiétante. Soudain, le 25 juin, à droite, sur la rive, voici des pistes, et des pistes d'hommes; à travers une prairie, un sentier assez battu déroule son lacet. Les explorateurs interrogent, on peut le penser, la carte routière. Y trouvent-ils un lieu, un village, qu'on leur aurait indiqué et où ils seraient sûrs d'être bien accueillis? Jolliet et Marquette laissent les canots à la garde de leurs gens et décident, rien que tous deux, d'aller voir. Deux lieues environ, ils suivent le sentier. Tout à coup, près d'une rivière, le rideau se déchire: un village étale à quelque distance la rangée de ses huttes; deux autres villages apparaissent sur un coteau, à une demi-lieue du premier. La rivière, autant que l'on peut voir, serait la rivière Iowa, dans le comté actuel de Louisa. Quant au village, le *Récit* lui donne le nom de Peouarea[55]. Rendus à portée de voix, les deux Français poussent ensemble un cri: cri qui obtient un effet extraordinaire. En un instant, toutes les cabanes se vident. Quatre vieillards se détachent de la foule et viennent lentement à la rencontre des inconnus. De quelle nation sont-ils? Par bonheur ces sauvages sont des Illinois. Et ces Illinois, l'étoffe de leurs costumes le prouve, connaissent les traitants français. Marquette qui avait rencontré des Illinois à la Pointe du Saint-Esprit, savait par soi-même et par le Père Allouez, comme ils sont pacifiques, affables et humains. «Quand ils rencontrent quelque estranger, avait écrit Allouez, ils font un cry de joye, le caressent, & lui rendent tous les témoignages d'amitié qu'ils peuvent[56].» C'est bien avec ces mêmes témoignages d'amitié que Jolliet et Marquette sont accueillis. Les vieillards les conduisent à la cabane, choisie pour le lieu de la réception. À la porte, un autre vieillard attend, solennel. Debout, nu, les mains étendues, levées vers le soleil, comme pour se défendre des rayons trop vifs, le patriarche prononce cet émouvant salut: «Que le soleil est beau, français, quand tu nous viens visiter, tout nostre bourg t'attend, et tu entreras en paix dans toutes nos cabanes.» Formule de bienvenue assez répandue dans le langage indien d'Amérique. Deux ans auparavant, au partage des eaux du Saguenay et de la Baie d'Hudson, un Indien du Nord disait au Père Albanel: «C'est aujourd'huy, mon Père, que le Soleil nous luit, & que nous favorisant de ta douce presence, tu nous fais le plus beau jour que ce païs ait jamais veu...»[57] Dans quelques instants, un autre chef Illinois va dire aux explorateurs du Mississipi: «Jamais la terre n'a esté si belle ny le soleil si éclatant qu'aujourd'hui...» Mais d'entendre ces paroles si loin, dans la solitude américaine, dut singulièrement réconforter les deux Français. On échange des civilités, le calumet passe de bouche en bouche, on pétune, puis on se met en marche pour un autre des trois bourgs, celui-ci de 300 cabanes et lieu de résidence du grand capitaine de tous les Illinois. Le long du chemin, des groupes exécutent des mouvements aussi touchants que naïfs; ils prennent les devants, se couchent sur l'herbe, pour voir venir de plus loin les étrangers et les contempler à leur aise. À l'arrivée au bourg, la même réception qu'au premier village, quoique un peu plus solennelle: il y a cette fois festin, échange de présents et de discours. Le grand capitaine invite le Père Marquette à venir demeurer avec les Illinois pour leur faire connaître le «Grand Génie»; puis il offre deux cadeaux précieux: un petit esclave, et un «calumet mystérieux», sorte de caducée ou de passeport destiné à protéger les voyageurs contre les nations hostiles le long du fleuve. Jolliet et Marquette profitent de l'occasion pour se renseigner sur leur route, et en particulier sur la mer. Car en eux tout espoir de l'atteindre n'est pas encore éteint. Le lendemain, surprise joyeuse pour les gardiens des canots: par le sentier, leurs chefs débouchent, escortés de 600 Indiens et d'un capitaine. Saluées de cris de joie et de souhaits de bon voyage, les embarcations françaises repartent aussitôt vers le sud.

Les avirons nagent «dans une belle eau claire et dormante». Mais soudain, le fleuve fait un demi-cercle et prend davantage la direction du midi. Un nouveau portique surgit. Des rochers d'une élévation majestueuse se profilent. Serait-ce l'annonce de quelque autre spectacle? Le spectacle, les canotiers l'ont tout à coup devant les yeux. Sur la façade perpendiculaire de l'un des rochers, à une hauteur inaccessible à l'homme, un tableau tire l'œil: deux monstres que l'on nous dit terrifiants: une face humaine, surmontée d'un bois de chevreuil, des yeux rouges et affreux, un corps couvert d'écailles, un appareil caudal passant par-dessus la tête et s'en allant finir en queue de poisson entre les pieds d'arrière: le tout, de la grosseur d'un veau et peint en trois couleurs, rouge, noir et vert, et d'un tel dessin, que «les bons peintres de France auraient peine à si bien faire»[58]. Objet d'une indicible terreur pour les Indiens, paraît-il, la vue du monstre ne laisse pas de troubler les Français eux-mêmes[59]. Émoi naturel devant cet indice de la présence mystérieuse de l'homme. Les voyageurs sont encore là, l'aviron en suspens; une rumeur de cataracte frappe tout à coup leurs oreilles. Devant eux, mais venant de leur droite, un courant tumultueux charrie, pêle-mêle, dans une eau boueuse, des branches, des arbres entiers, des îlots flottants. Ce fougueux dragon chargé d'épaves et d'écume, n'est rien d'autre que la rivière Pekita-nouï, c'est-à-dire le Missouri, long fleuve qui vient des quartiers du Nord-ouest, à 3,000 milles. Les Illinois ou d'autres ont renseigné les voyageurs sur ce courant d'eau. Sur leurs cartes, Marquette et Jolliet indiquent, le long du Missouri ou de ses affluents, et jusque fort avant dans les terres, nombre de nations indiennes, et le font avec une précision singulière[60]. Pour éviter la redoutable avalanche, les canotiers se glissent en hâte vers la rive gauche. Presque tout le reste du voyage, ils côtoient désormais cette rive comme si, peu à peu, la direction constante du fleuve vers le sud avait diminué leur espoir d'aboutir à la mer de l'ouest. Encore cinquante milles sont franchis, lorsque le fleuve accuse un grossissement soudain. À gauche cette fois accourt un autre et considérable affluent: l'Ouaboukigou, prononce, sans doute, quelqu'un des canotiers. Et c'est bien en effet, l'Ouaboukigou ou l'Ohio, rivière des Chouanons, la future «Belle-Rivière» des explorateurs français, qui roule vers le Mississipi son majestueux volume d'eau. Originaire du Levant, à plus de 1,000 milles, le débit moyen de l'affluent dépasse d'un tiers celui de l'artère mississipienne. Passé l'Ohio une autre nature ne tarde pas à paraître. Le soleil devient flamboyant; les maringouins pullulent. Pour se protéger, les voyageurs tendent, au-dessus de leurs canots, des pans de voiles flottants. Sur les deux rives, la forêt remplace la prairie: forêt de cannes hautes sur pied, aux nœuds couronnés de feuilles longues, étroites, pointues, et si pressées que les bœufs sauvages ont de la peine à s'y frayer un chemin; forêt aussi de cotonniers géants, d'ormes, de bois blancs, de même stature. Derrière le rideau des arbres, des beuglements laissent deviner la prairie encore proche. Un village apparaît. Serait-ce le village d'Aganatchi, indiqué sur la carte de Jolliet? Des Indiens sont là qui possèdent des fusils, des haches, des couteaux, des bouteilles de verre double où ils mettent leur poudre; ils ont connaissance d'Européens de l'est de qui ils achètent étoffes et autres marchandises: un groupe de Tuscaroras, semble-t-il, gens de la famille huronne-iroquoise, en relation de commerce avec les Espagnols de la Floride[61]. Accueillis pacifiquement, après le premier moment de surprise, les canotiers apprennent une nouvelle réconfortante: la mer, leur dit-on, n'est plus qu'à dix journées. Au vrai, elle est encore à plus de 1,000 milles. N'importe, avec une ardeur renouvelée, les Français s'abandonnent au fil de l'eau. Aux environs du 33° degré, un autre village indien dresse ses huttes, Mitchigama. Cette fois les voyageurs touchent au pays des Chicachas, peuple belliqueux; et ils ont tôt fait de s'en apercevoir. Une rumeur monte aussitôt, bourdonnement de ruches qui pressentent l'ennemi. Des hommes armés d'arcs, de flèches, de haches, de massues accourent, s'agitent, crient sur la rive; d'autres sautent en des canots, tentent de cerner les deux petites embarcations françaises. Quelques hommes se jettent à la nage. Des traits commencent même à pleuvoir. Pendant ce temps-là, en des gestes désespérés, Marquette agite au bout de ses bras, le précieux calumet illinois, mais sans succès. Pourtant bientôt le sortilège opère. Des vieillards interviennent, calment la jeunesse; les étrangers sont conduits à terre. Marquette qui peut parler six langues, essaie vainement de se faire entendre. Car les Français ont maintenant dépassé le territoire des Indiens de souche huronne ou algonquine; ils viennent d'entrer dans le pays des tribus de provenance mexicaine. Seul un vieillard baragouine un peu d'illinois. À ce vieillard, les voyageurs posent encore une fois la question angoissante: la mer? Sommes-nous loin de la mer? Vous en saurez davantage, leur dit-on, à huit ou dix lieues plus bas, dans un autre village du nom d'Akansea.

En réalité ils viennent d'aboutir au village des Quapaws, sur la rive droite du Mississipi. Ils n'ont pas atteint la ligne frontière qui sépare aujourd'hui l'état de l'Arkansas de l'état de la Louisiane. Ils sont allés jusqu'au 34° 40', soit à l'embouchure de la rivière Saint-François, à peu de distance du confluent Mississipi-Arkansas. À la question: sommes-nous loin de la mer? on leur répond hélas: encore dix journées de canot; et d'un voyage, ajoute-t-on, très périlleux, à travers des nations indiennes fort hostiles et fort aguerries.

Jolliet et Marquette tiennent conseil. Que faire? Aller de l'avant? Rebrousser chemin? On imagine le drame qui se joue en l'âme des deux Français. En réalité, ils sont encore à un peu moins de 700 milles du Golfe mexicain. Mais ils se croient à 50 lieues[62]! Être si près du but! Et s'en détourner! S'ils ont lu l'histoire de Hernando de Soto — et il paraît bien qu'ils l'ont lue — quels grands souvenirs les assaillent. Mitchigama, où ils ont passé tout à l'heure, ce serait le village où Alvarado de Moscoso bâtit sa flotte de brigantins pour gagner Mexico. Au village des Quapaws, à peu de distance des bouches de l'Arkansas, les explorateurs français sont presque en face de la rivière où le conquistador Soto rendit le dernier soupir[63]. Là, au fond du fleuve, en son cercueil de chêne, gît leur précurseur. De graves motifs font se décider pour le retour: la certitude fermement acquise sur le lieu de l'embouchure du Mississipi, qui ne peut être que le golfe du Mexique, et nullement l'Atlantique ou la mer de Virginie, non plus que la mer Vermeille; la certitude par conséquent d'avoir atteint les fins principales de leur mission; le danger trop réel de tomber entre les mains des Espagnols dont l'ombre menaçante, depuis l'Ohio, se profile sur les deux rives du fleuve; le danger enfin d'affronter des nations indiennes qu'on leur dit farouchement hostiles et armées à l'européenne. Pendant la nuit passée chez les Quapaws, quelques Indiens du village n'ont-ils pas comploté la mort des Français? Le 17 juillet, après un mois exactement de navigation sur le Mississipi, les sept canotiers français entreprennent la remontée du fleuve. Marquette, déjà malade[64], ne consacre que deux pages à peine à cette partie du voyage. Nous savons toutefois qu'obligés de refouler le courant, et sous un ciel souvent torride, les explorateurs cheminent lentement. La Baie des Puants ne les reverra qu'à la fin de septembre, après un voyage de quatre mois et demi. Nous savons encore qu'ils remontent à la Baie, non plus par le Wisconsin et la Rivière-des-Renards, mais par la rivière des Illinois que Jolliet appellera, sur l'une de ses cartes, Rivière de la Divine ou l'Outrelaise, en l'honneur de Madame de Frontenac et de l'une des amies de la comtesse[65]. Cette rivière, longue de 350 milles, les canotiers la suivent jusqu'à son affluent appelé des Plaines. De là un portage les conduit à la rivière Chicago, laquelle les mène au lac des Illinois.

Jolliet a-t-il poursuivi ses découvertes dans l'automne de 1673 et même pendant une partie de l'hiver de 1674? Serait-il retourné au fond du lac et jusqu'au pays même des Illinois pour le mieux explorer? Les mines indiquées sur la rive sud-ouest du grand lac, ne les a-t-il pas répérées en cette seconde expédition? Un peu déçu de n'avoir ni découvert la mer ni atteint l'embouchure du Mississipi, Jolliet, rien que de fort probable, aura voulu se reprendre ailleurs. De là son peu de hâte de rentrer à Québec. Sa carte dédiée à Frontenac porte cet en-tête: *Nouvelle Découverte de Plusieurs Nations Dans la Nouvelle France en L'année 1673 et 1674.* Sur cette carte, on relève entre autres particularités, le tracé d'une rivière, assez loin à l'est du havre de Chicago, assez loin par conséquent de la route des explorateurs vers la Baie des Puants. Une autre question: où Jolliet passe-t-il le reste de l'hiver? Très vraisemblablement à Saint-François-Xavier de la Baie des Puants d'où le Père Marquette, toujours malade, paraît n'avoir pas bougé. Ensemble les deux explorateurs rédigent leurs notes, leurs journaux, leurs cartes. Le Père d'Ablon nous apprend que Marquette garda une copie du journal de Jolliet[66]: façon de laisser entendre clairement que journal et copie ont été faits à Saint-François-Xavier. Il se peut fort bien aussi que Jolliet ait passé l'hiver au Sault où l'appelaient ses affaires. C'est là, en tout cas, si nous nous en rapportons à une lettre de Frontenac à Colbert, que l'explorateur aurait fait des copies de son journal[67]. Apparemment vers la fin de mai 1674 Jolliet part pour Québec, emmenant avec lui deux canotiers et son petit esclave du pays des Illinois. Par quelle route a-t-il voyagé? Par l'Outaouais, puisqu'il dit avoir franchi une quarantaine de sauts.

Vers la fin de juin ou le début de juillet, le voyageur est en vue de Montréal, à la tête du Sault Saint-Louis. Sur la terre ferme, il peut apercevoir des maisons françaises. Pris, comme tant de voyageurs, de la hâte fébrile d'arriver, de brûler la dernière étape, et peut-être aussi trop confiant en son habileté de canotier, il dédaigne de faire le portage de la Chine à Ville-Marie; il entreprend de sauter les rapides, ce qui est, du reste, à l'époque, l'habitude des voyageurs. Au-dessous du grand saut, son canot chavire; ses compagnons, son jeune esclave, ses bagages, sa cassette qui contient sa carte et son journal de voyage[68], tout, en un instant disparaît dans les remous. Pendant quatre heures, les pieds cramponnés aux pierres du fond, la tête hors de l'eau, l'explorateur lutte contre les tourbillons et lance des cris désespérés. Des pêcheurs venus là par miracle l'arrachent à la mort. Ni à Montréal, ni à Québec, le naufragé, en dépit de son grand exploit, n'obtient la réception d'un triomphateur. À Montréal, des créanciers l'attendent. À Québec, point de sonnerie de cloches des églises, comme on en a répandu la légende. D'autres créanciers traînent l'explorateur devant les tribunaux[69]. La finale de la lettre où Louis Jolliet annonce à Frontenac sa découverte, malgré un certain accent de triomphe, laisse percer un peu de désolation: «On auroit vu la description de tout dans mon journal si le bonheur, qui m'avait toujours accompagné dans ce voyage, ne m'eust manqué un quart d'heure devant que d'arriver au lieu d'où j'estois party. J'avois évité les dangers des Sauvages, j'avois passé 42 rapides, j'étois prêt de débarquer avec toute la joye qu'on pouvoit avoir du succès d'une si longue et difficile entreprise, lorsque mon canot tourna hors des dangers, où je perdis 2 hommes et ma cassette, à la veue et à la porte des premières maisons françaises que j'avois quittées il y avoit presque deux ans. Il ne me reste que la vie et la volonté pour l'employer à tout ce qui vous plaira[70].»

* *

*

Que valait cette découverte? Et d'abord est-ce bien une découverte? Certes, le laborieux travail des conquistadors espagnols autour et le long du Mississipi, et en particulier, l'œuvre de Soto, ne sauraient être niés. Le récit de ces aventures, la cartographie espagnole de l'époque sur l'intérieur de l'Amérique du Nord, peuvent manquer de précision. Les découvertes de Soto, tout comme celles de ses prédécesseurs et de ses successeurs, n'en donnèrent pas moins naissance à une littérature de voyages et à un vaste mouvement cartographique dont on peut retracer les productions, non seulement en Espagne, au Portugal, en Angleterre, en Allemagne, mais même en France. Vingt ans ou presque avant l'expédition de Jolliet et de Marquette, en 1656 et de nouveau en 1657, Sanson publiait à Paris, sa *Description de tout l'Univers*, dont une partie consacrée à l'Amérique. L'une des cartes dont s'accompagne l'ouvrage, indique le Mississipi sous le nom de «R. de Spiritu Santo». En 1660 paraissait encore à Paris la *Description générale de l'Amérique*, d'Avity, ornée d'une carte qui, sous le tracé d'une large rivière, indique le même Rio. On trouverait les mêmes données dans la *Cosmographie* d'Heylyn, parue en 1652 et 1665[71].

Quel mérite revient dès lors aux voyageurs français? Un mérite assez considérable. Les premiers, parmi les Européens, les Français de 1673 ont découvert ou localisé quatre au moins des principaux affluents du fleuve du sud: le Wisconsin, l'Illinois,

241

le Missouri, l'Ohio. Par le Wisconsin et surtout par l'Illinois, ils ont encore découvert une articulation possible du Mississipi au réseau fluvial du Saint-Laurent. À quoi il faut ajouter un second mérite, un mérite d'explorateurs, pour le cours supérieur de ce même Mississipi, depuis le confluent du Wisconsin jusqu'à celui de l'Ohio. On le voit, les résultats du voyage de 1673 ne sont pas à dédaigner. Si l'expédition n'a pas obtenu le retentissement qu'elle méritait, voyons-y l'effet d'une circonstance plutôt fortuite: la suppression des *Relations des Jésuites*, en cette même année 1673. La Relation de 1674, celle qui contenait le récit de Jolliet fait au Père d'Ablon, resta dans les papiers de la Compagnie de Jésus; il en fut de même du journal de Marquette. Ce n'est qu'en 1681 que Thévenot tenta une première mais imparfaite publication des récits de la découverte. Dès le voyage de 1673, le Mississipi eût pu sortir du mystère où il restait jusqu'alors enveloppé. Jamais on ne l'avait encore décrit avec cette profusion de renseignements. De vrais techniciens de l'exploration venaient de révéler, non seulement la position, le cours, la nature du fleuve, mais encore les caractères physiques et la richesse de son bassin.

À certains égards ce voyage pouvait sembler une déception. On s'était proposé pour fin principale: la découverte d'un chemin à la mer du sud. Le Mississipi n'était pas ce chemin. Les explorateurs ont-ils abdiqué pour autant tout espoir de découvrir le but tant cherché? Par le Missouri, espèrent-ils, ils perceront un jour jusqu'à la mer californienne. Minutieusement, le journal de Marquette nous l'apprend, ils se sont enquis de cet autre chemin qu'ils tracent comme suit: montée du Missouri pendant cinq à six journées; traversée d'une prairie de vingt à trente lieues dans la direction du sud-ouest; descente d'une seconde rivière dix à quinze lieues encore vers le sud-ouest et vers un petit lac; enfin, de ce petit lac, entrée dans une troisième rivière, celle-ci s'en allant bel et bien vers le couchant, se déverser dans la Mer Vermeille. Aussitôt rentré à Québec, Jolliet confie le même espoir au Père d'Ablon. Dans les mêmes jours il y revient plus expressément dans sa lettre à Frontenac: par une de ces grandes rivières qui viennent de l'ouest et qui se déchargent dans le Mississipi, il trouvera passage, affirme-t-il, «pour entrer dans la Mer Vermeille». Arrivé deux jours plus tôt à certain village du confluent du Missouri, a-t-il encore écrit, il eût rencontré des Indiens en relations de commerce avec les Espagnols de Californie et qui avaient apporté à cet endroit, quatre haches en guise de présent[72]. Glissons sur l'excessive abréviation des distances dans les données du journal de Marquette, erreur imputable au système de mesurage si rudimentaire des Indiens; glissons davantage sur la nature peu pratique d'une telle route. Il reste que ce chemin à la Mer Vermeille par le grand affluent occidental du Mississipi se fonde vraiment sur la géographie. Le temps l'allait révéler: un tributaire du Missouri, la rivière La Platte, conduit aux approches des sources du Colorado, lequel débouche au golfe de Californie[73].

Frontenac exagérait, pour sa part, les avantages du réseau fluvial nouvellement découvert. En sa lettre enthousiaste à Colbert, le 14 novembre 1674, n'annonce-t-il pas au ministre que, du lac Ontario et du fort Frontenac, on peut aller en barque jusque dans le golfe du Mexique, sans autre portage à faire que celui de Niagara? L'espoir de cette «fort belle navigation», Jolliet l'avait fait miroiter devant les yeux du gouverneur. L'explorateur y mettait toutefois la condition d'un canal à creuser, canal d'une demi-lieue à travers la prairie pour relier le lac Michigan à la rivière des Illinois[74].

Cette part faite des espoirs perdus ou excessifs, quelle révélation apportait à son pays et à la France Louis Jolliet? Le fleuve qu'il vient de découvrir et d'explorer n'est pas, sans doute, à tous égards, le roi des fleuves; avec sa rallonge du Missouri, il constitue pourtant la plus longue des artères fluviales du monde. Son débit, à la naissance du delta, égale neuf fois celui du Rhin. Son bassin qui va des Apalaches aux Rocheuses, et, de la bordure méridionale des Grands Lacs au golfe du Mexique, couvre le tiers de la surface des États-Unis actuels[75]. Avec Champlain, Talon, La Vérendrye, Jolliet reste l'un des plus grands constructeurs de l'empire français d'Amérique. Et ajoutons que, cette nouvelle portion d'empire, la France venait de la conquérir comme les autres, sans débourser un sou, ni tirer un coup de feu. En cette étendue, quelles richesses ont relevées un peu partout les explorateurs? En tout premier lieu une population d'une densité bien supérieure, selon toute apparence, à celle des Grands Lacs; un climat doux, sans autre hiver qu'une saison de pluie; un sol d'une exceptionnelle fertilité, capable de porter du blé trois fois l'année; toute une région d'immenses pâturages, où grouillent des troupeaux d'innombrables ruminants: chevreuils, orignaux, bisons; une autre région plutôt forestière, remarquable celle-ci par ses puissants cotonniers, un seul arbre fournissant la coque d'un canot de cinquante pieds de long et de trois de large; un pays de fruits: raisins, pommes, prunes, marrons, grenades; un pays d'oiseaux: perroquets, cailles, coqs d'inde, «ces derniers si communs qu'on n'en fait pas grand cas»; un pays de mines; et c'est ici qu'il faut regretter la disparition du journal de Jolliet. Ses abrégés de descriptions laissent voir quelle attention il avait apportée à cette recherche. Fer, pierres sanguines, révélatrices de cuivre rouge, ardoise, marbre blanc et noir, salpêtre, tous les gisements sont relevés avec soin. L'une des cartes de Jolliet localise ceux de la rivière des Illinois et de la rive occidentale du lac Michigan. Plus que la description de ces richesses, un accent, le ton enthousiaste de certains passages des lettres du jeune explorateur auraient pu, bien avant La Salle, orienter, vers ces pays du sud, l'imagination française. Il écrira: «Je n'ay rien vu de beau dans la France comme la quantité des prairies que j'y ay admirées ni rien d'agréable comme la diversité des bocages et des forests...» En sa lettre à Mgr de Laval, il y revient: «Tous ces sauvages, ces fruits, ces oiseaux et ces animaux sont dans un pays plus beau que la France[76].»

Une région entre autres a ébloui Jolliet: le bassin de la rivière des Illinois. Dès lors, peut-on penser, datent ses projets de colonisation en ce lointain pays. Le jeune Québécois portait en lui, semble-t-il, autre chose que l'étoffe d'un explorateur. Pour le faire voir, il ne lui aura manqué que l'appui des autorités. Pour lui donner l'idée de la steppe illinoise, les Indiens lui avaient parlé de «terres sans arbres». Et Jolliet s'était figuré un pays brûlé, une terre désertique et stérile. Avec quel joyeux étonnement il avait aperçu ces prairies de trois, de six, de dix et vingt lieues de long, cerclées de forêts de même étendue, paysage qui se prolongeait indéfiniment le long des 350 milles de la Rivière Divine, prairies plus pleines qu'ailleurs des ruminants d'Amérique, et si peuplées de coqs d'inde que, «pendant l'espace de quatre vingt lieues, écrit Jolliet, je n'ay pas esté un quart d'heure sans en voir». Quel territoire merveilleux pour de nouvelles colonies! pensait le jeune homme. Plus de ces obstacles contre lesquels avait à se mesurer le défricheur du Saint-Laurent! «Un habitant, notait toujours Jolliet, n'employerait pas là des dix ans à abattre le bois et à le brusler. Dès les mesme jour qu'il y entreroit, il mettroit la charrue en terre.»

Et les missions! Après le champ des Grands Lacs, nul plus vaste ne s'est encore ouvert aux évangélisateurs. Jolliet prétend avoir retracé plus de 80 villages indiens de 60 ou de 100 cabanes, l'un même de 300 où «il y avoit bien dix mille ames»[77]. Depuis longtemps les Jésuites portent les yeux vers cette région du sud. Sur tous les peuples du Mississipi, Marquette vient de conquérir une sorte de droit à sa Compagnie. Entre les Illinois et le missionnaire, des engagements formels sont même déjà pris. Posté à la Baie des Puants, le Jésuite n'attend, de ses supérieurs, que le signal du départ.

Enfin, nous sera-t-il permis de souligner le magnifique exemple de courage et d'énergie physique que représentait ce voyage d'exploration? En cinq mois, ces canoteurs viennent d'accomplir, à l'aviron et par la force des poignets, un voyage de 2,900 milles: du Sault Sainte-Marie au Mississipi, 608 milles; sur le Mississipi, 1,112 milles; et, pour le retour, de Quapaw à l'embouchure de l'Illinois, 661 milles; de l'Illinois à Kaskakias, 230 milles; et pour les autres étapes: portage de Chicago, baie des Esturgeons, Saint-François-Xavier, 372 milles; soit pour le retour, 1,250 milles. Randonnée merveilleuse, l'une des plus longues et des plus hardies du Régime français, et qui ne serait dépassée peut-être que par la course des La Vérendrye vers les Rocheuses.

*   *
*

Talon, reparti pour la France, n'a pu assister au retour de Louis Jolliet. On l'imagine facilement, à Paris, se faisant montrer les cartes et les brèves relations de l'explorateur. Et sûrement, lui au Canada, le Mississipi n'eût pas encore attendu dix ans pour sortir de l'inconnu. En son esprit toujours en fermentation, quel bouillonnement! Rapprochons quelques dates qui marquent autant d'étapes. Le 23 mars 1670, prise de possession du lac Érié par les sulpiciens Casson et Galinée; le 4 juin 1671, au Sault Sainte-Marie, prise de possession, par Saint-Lusson, de tout le centre américain, jusqu'aux mers du nord, de l'ouest et du sud; à l'été de 1672, le 9 et 19 juillet, par le Père Albanel, prise de possession des terres entre la Baie du Nord et le haut Saguenay; à l'été de 1673, exploration du Mississipi, ouverture à la France de l'immense région du sud[78]. En trois ans l'empire français d'Amérique a pris ses lignes presque définitives; l'étendue de la Nouvelle-France a été triplée. Talon peut croire réalisé l'un des objets les plus ambitieux de sa politique: resserrer Anglais et Espagnols «dans de tres estroittes limittes», si bien, avait-il dit, que les nations étrangères qui bordent la mer, ne puissent s'étendre «qu'en mesme temps elles ne donnent lieu de les traitter en susurpateurs...»[79]

En revanche quelle besogne ce Français vient de tailler à son roi! Qu'était-ce que cette construction encore purement géographique, aux articulations à

247

peine liées? Le Mississipi promet une sortie vers la mer et une sortie ouverte en toute saison. Mais à quelle distance de Québec et par un réseau fluvial si peu rattaché à celui du Saint-Laurent! En réalité l'empire français se présente moins sous la figure d'un pays que de deux et même trois pays juxtaposés, entre lesquels ne pourront jouer que des charnières mal jointes. En outre, multiplier les estuaires, c'est accroître le péril de la dispersion. Quelle autre menace pour une colonie dont l'une des lois de vie est de s'attacher à la cohésion, au tassement continuel! Plus l'on y songe, plus le dessein de Talon effraie par ses proportions. L'excuse de l'homme, c'est d'avoir conçu son rêve dans le cadre de son temps. C'est le propre des hommes d'action de se faire illusion sur la vigueur interne et la durée de leur œuvre. Trop facilement se persuadent-ils qu'eux partis, les choses garderont l'élan qu'elles auront reçu. Conquérir, explorer, aménager un tel espace, confiner pour jamais les Anglo-Américains dans leur étroite bordure entre les Apalaches et l'Océan, refouler les Espagnols tant à l'est qu'à l'ouest du bassin du Mississipi, avec ceux-ci et ceux-là, développer, agrandir démesurément les lignes de contact, pareille entreprise présuppose une politique française d'une exceptionnelle envergure et d'une impeccable continuité; elle ne va point sans une métropole qui reste la première puissance coloniale du monde, qui s'épargne les défaillances sur mer autant que sur le continent européen. En Talon, il faut voir un Français d'avant 1672, encore habitué à considérer l'Île britannique comme une puissance de troisième ordre et qui, sur les ruines de la grandeur espagnole, assiste à l'avènement de l'hégémonie française. Le Canada, aux articulations immenses, ne pouvait rester une simple expression géographique. Il ne pouvait durer et grandir que sous le signe du nombre et de la force. Ces conditions de vie, Talon les avait-il bien assurées à la colonie? Sûrement il la concevait d'une croissance continue, rapide, soigneusement nourrie par un courant jamais interrompu d'immigration française. L'un de ses mémoires contient cette phrase significative: «La Colonie françoise continuant de recevoir les accroissemens qu'elle reçoit tous les ans, pourroit un jour soubsmettre à l'obéissance du Roy un grand pays fertil et assez peuplé[80].» Avec autant d'espoir, Talon comptait sur une autre force: la collaboration indienne. Ce fait ne lui a pas non plus échappé qu'en Amérique, missionnaires et explorateurs français conquièrent des peuples autant que des pays. Tous les Indiens avec lesquels ils viennent en contact, ils les attachent à la France: ceux du Nord, ceux des Grands Lacs, ceux du Sud. «Toutes [ces nations], écrit Talon au roi, se destachent insensiblement des autres Europëens, et à l'exception des irroquois, dont je ne suis pas encore asseuré, on peut presque se promettre de faire prendre les armes aux autres quand on le desirera[81].»

Enfin pour comprendre et bien juger le rêve de Talon, il faudrait se demander si, par suite de sa géographie et de son environnement, la Nouvelle-France pouvait se restreindre, rester une petite chose. Grave question qu'on ne saurait éluder. Laissons de côté l'expansion de la colonie vers l'est et vers le nord, commandée par les motifs que l'on sait. Négligeons de même la recherche haletante des mers de l'ouest et du sud, recherche à laquelle s'attachent tout de même de suprêmes intérêts. Il reste, au centre de tout, le fleuve Saint-Laurent et sa rançon, l'immense artère dont les sources se reculent jusqu'au plateau central américain. Tributaire des Indiens pour son assiette économique et pour sa défense militaire, la Nouvelle-France pouvait-elle devenir et rester viable, sans la possession des hautes sources laurentiennes, sans une présence active au pays des Grands Lacs?

En fin de compte, plus l'on examine ce dessin d'empire, tracé par une main de maître, plus l'on y discerne le simple jeu de ce que Ratzel a appelé, en histoire coloniale, le principe d'accroissement des superficies. Sous l'irrésistible poussée de causes diverses: géographiques, économiques, militaires, religieuses, agissant isolément ou simultanément, la base initiale de la colonie ne put éviter de s'élargir. Autour d'elle et de relais en relais, d'appui en appui, il fallut étendre la zone de couverture, gagner l'intérieur, s'assurer les points stratégiques, bref céder à l'engrenage de la conquête. Établis au lieu, à l'heure que l'on sait, la Nouvelle-France du Saint-Laurent, pour vivre et grandir, ne pouvait être qu'un vaste pays aux assises gigantesques.

TEXTES

I

La mort du Père Marquette

Un soir de mai de l'année 1675, un canot monté par deux hommes longeait péniblement la rive-est du lac Michigan. Empêchée bientôt par le vent, l'embarcation rebroussa chemin et vint aborder à l'embouchure d'une petite rivière. Les deux hommes prirent alors dans leurs bras, un de leurs compagnons couchés au fond du canot et le portèrent doucement à

quelque distance sur la rive. Il y avait là une éminence et le malade avait dit: ce sera le lieu de mon
dernier repos. En hâte les deux canotiers dressèrent
à leur compagnon une méchante cabane d'écorce et
lui firent un peu de feu. Devant eux s'étendait comme
l'infini, le grand lac des Illinois; cent lieues au delà
les séparaient de la mission de Michilimakinac où le
malade espérait arriver. Celui-ci, encore jeune, allait
succomber à trente-huit ans, usé par d'héroïques
fatigues; il s'appelait Jacques Marquette.

À peine revenu de la découverte du Mississipi,
et atteint déjà gravement, l'apôtre était reparti pour
les Illinois de Kaskaskia. La tâche avait achevé de
l'épuiser. Maintenant le vent l'empêche d'aller plus
loin et l'agonie approche. Il a demandé qu'on lui
tienne élevé devant les yeux, son crucifix de missionnaire. À cette heure suprême l'illustre moribond ne
regrette rien; il ne demande pas au monde de se
souvenir de sa gloire. Sa dernière parole est pour
recommander son âme à la Vierge: «Mater Dei, me-
mento mei». Quelques heures plus tard des deux
compagnons, deux autres des sept découvreurs du
Mississipi, le portaient dévotement en terre en «son-
nant la clochette», comme il le leur avait demandé,
et, sur son tombeau, «pour servir de marque aux
passants», ils dressaient une grande croix. Ainsi
mourait, dans une solitude aussi grande que sa pauvreté, le compagnon de Jolliet. Il mourait, comme il
l'avait toujours demandé à Dieu, «dans une chétive
cabane, au milieu des forêts et dans l'abandon de tout
secours humain». Sa tombe n'aurait pour tout ornement qu'une grossière croix de bois et la solennité
du grand lac étendu à ses pieds. Spectacle simple et
poignant dont n'approche point la grandeur antique.

II

Lettre de Jolliet au Gouverneur de Frontenac,
à son retour de la découverte du
Mississipi

À Monseigneur Le Compte de Frontenac, Cons^r du
Roy en ses conseils, Gouvern^r et Lieutenant gal põ
Sa maj^{te} en Canadas Acadie, Isle Terre neufve et aúes
pays de la nouvelle France

Monseigneur
   C'est avec bien de la ioye que iay de vo presen-
ter cette carte qui vous fera cog La situaõn des
riuieres et des lacs sur les quels on navige au travers
du canada ou ameriq Septentrionale qui a plus de
1200 lieuës de L'Est a L'oüest.
   Cette grande Riviere au dela des lacs Huron et
Illinois qui porte vre nom scav. Riere-Buade po.
avoir esté découvertes ces années dernieres 1673 et
1674 par les p^{ers} ordres que võ me donnastes entrant
dans vre gouvernemen^t de la nouvelle france passe
entre la Floride et le Mexique, et po se descharger
dans la mer coupe le plus beau pays qui se puisse
voir. Je n'ay rien veu de beau dans La france co^e La
quantité de prairies que iy ay admire n'y rien d'aggreable co^e La diversité des bocages et des forests ou
se cueillent des prunes, pommes grenades citrons,
meures, et plus^{rs} petits fruids qui ne sont point en
Europe dans les champs on fait Levers Les cailles,
dans les bois on y voit les perroquets; dans les rivieres on prend des poissons qui no sont inconnus po
Le goust et grosseur.

Les mines de fer et les pierres sanguines, qui ne s'amassent iamais que parmy le cuivre rouge n'y sont pas rares, non plus que L'ardoise, le Salpetre, le charbon de terre, marbe et moulanges po^r du cuivre Les plus gros morceaux que iay veu estoit gros co^e le poinct, et tres purifié, il fut decouvert aupres des pierres sanguines qui sont beaucoup [meilleures] que celle de france et en q^{tités}

Tous les sauvages ont des canots de bois de 50 pieds de long et de plus, po nourriture ils ne font point estat des cerfs. Ils tuent des bufles qui marchent par bande de 30 a 50. Jen ay mesme compté iusqu'a 400 sur les bords de la Riviere et les coqs d'Inde y sont si communs qu'on n'en [fait] pas grand cas.

Ils font du bled dinde La plus part trois fois l'année et tous des melons d'eau po se rafraischir dans les chaleurs qui ne permettent point de glace et fort peu de Nege.

Par une de ces grandes riuières qui viennent de L'Ouest et se décharge dans la Riv. Buade on trouverra passage pour entrer dans la mer vermeille. J'ay veu un village qui n'estoit qua cinq iournée d'une nation qui a comerce avec ceux de la Californie si J'y estois arrivé deux iours plustost j'aurois parlé à ceux qui en estoient venus et avoient apporté 4 haches pour present.

On auroit veu la description de tout dans mon iournal si le bonh^r, qui m'avoit toujõ accompagné dans ce voiage, ce m'eut manqué un quart d'heure devant que d'arriuer au lieu d'ou i'estois partis i'avois evité Les dangers des Sauvages, i'avois passé 42 rapides, restois pres de débarquer avec toute la ioye qu'on pouvoit auoir du succes d'une si longue et difficile entreprise Lorsque mon canot tourna hors des dangers ou Je perdis 2 hœs et ma cassette à la veue et a la porte des premières maisons françoises que i'avois quitté il y avoit presq deux ans, Il ne me reste que La vie et la volonté põ L'employer a tout ce qui vous plaira.

Monseigneur,
Votre tres humble et tres
obéissant serviteur et
subiet Joliet.

A Monseigneur

Le Comte de Frontenac Cons.du
Roy en ses conseils Gouuerr, et Lieutenant
g.nal po. Sa maj.té en Canadas Acadie Isle.
Terre neufue & autres pays de la nouuelle France

Monseigneur

C'est auec bien de la ioye que i'ay l'ho.r de prezenter cette carte qui vous fera u.r La Situa.on des
riuieres et des lacs sur les quels on nauige au trauers Ducanadas ou ameriq Septentrionale qui a plus de 1200 lieües
de l'Est à l'Ouest~

Cette grande Riuiere ou Isle des lacs Ilinois qui porte ce nom d'une Riu Peuade po. amo.r estledim.te
ces années dernieres 1673 et 1674 par les gu.erdres que u.re Dinastie en tant dans u.re gouuerne.t Hla nouuelle france passe
entre la floride et le Mexiq, et po. se descharger dans la mer coupe le plus beau pays qui se puisse uoir, i'en ay
rien veu de beau dans le france col la quantité des prairies que i'y ay admire n'y rien d'agreable col. la
diuersité des bocages et des forests ou se cueillent des prunes, pommes grenades citrons, meures, et plus petits fruits
qu'on ne uoit point en Europe dans les champs on fait leur les cailles dans les bois on uoit les perroquets. Dans les riuieres
un grand des poissons qui ne sont inconnus po. la plus part figure et grosseur~

Les mines de fer et les pierres sanguines qui se ramassent iamais que parmy le cuivre rouge et y sont prairies, sin plus
que l'ardoise le Salpetre le charbon de terre, marle, et moulins po. du cuivre les plus gros morceaux que i'ay u.r estoit
gros col le pirate, et les puisse, il fut decouvert auprès des pierres sanguines qui sont beaucoup qui celle se france à on y bati
Tous les sauuages ont des canots de bois de 50 pieds de long et de plus, plusieurs bois il ne sont point esté du caste
ils sont des bois qui marchent par bande de 30 et 40 i'en ay mesme compté iusquà 400 tout le bord de la Riuiere
et les coqs d'Inde y sont si commun qu'en non pas grand cas~

Ils font du blé d'Inde la plus part trois fois l'année et tous ces endroits d'eau po. se rafraischir dans l'hiuer
qui ne permettent point de glace et fait peu de neige~

Par me d'ces grandes riuieres qui viennent de l'Ouest et se decharge dans la Riu. Inde on pourra trouuer passage
po. entrer dans la mer vermeille. J'ay veu un village qui n'estoit qu'à cinq iournées d'une me.r qui a connue
auec ceux de la Californie Si i'y estais arriué deux iours plus tard i'aurois parlé à ceux qui en estaient venus
et auoient apporté 4 haches pour present~

On auroit veu la description de tout dans mon iournal Si le bois qui m'auoit tousiours accompagné dans tous
uoiages ne m'eut manqué un quart d'heure deuant que d'arriuer au lieu dou i'estois parti i'auois euité
Les dangers des sauuages, i'auois passé 42 rapides et estois près de descharger auec toute la ioye qui'on pouuoit
auoir du succez d'une Si longue et difficile entreprise Lorsque mon canot tourna hors des dangers ou ie perdis
2 bois, et ma cassette à la ueue et à la porte des premieres maisons francoises que i'auois quité il y a uing deux
deux ans, Il ne me reste que la vie et la uolonté po. l'Employer à tout ce qui vous plaira

Monseigneur

Uostre tres humble et
tres obeissant seruiteur
et subié

Joliet

Notes

1. *Relations des Jésuites* (Éd. Thwaites), XVIII: 236-238.
2. *Relations des Jésuites* (Éd. Thwaites), XXI: 200.
3. *Ibid.*, XLI: 184.
4. *Ibid.*, LIX: 307, note 15, l'origine du mot «Mer Vermeille».
5. RAPQ, (1930-1931): 158. — Margry, *Mémoires et documents...* I: 114. — *Relations des Jésuites* (Éd. Thwaites), XLVII: 146; LI: 52-54; LIV: 136-138; LV: 234-236.
6. *Relations des Jésuites* (Éd. Thwaites), XLVII: 144-146.
7. *Ibid.*, XLVIII: 142. Voir aussi pour le Père Ménard: XVIII: 256-257, note 5.
8. *Relations des Jésuites* (Éd. Thwaites), LI: 52-54.
9. *Ibid.*, LV: 184.
10. *Relations des Jésuites* (Éd. Thwaites), LIV: 305, note 6, emplacement de cette mission. Elle aurait été située au début, à l'embouchure de la rivière Oconto, presque à mi-chemin entre la Menominee et la Rivière des Renards.
11. *Relations des Jésuites* (Éd. Thwaites), LIV: 136.
12. Tailhan, *Mémoires* de Nicolas Perrot (Paris, 1861-1863), 270-271.
13. *Relations des Jésuites* (Éd. Thwaites), LIV: 230-232.
14. *Relations des Jésuites* (Éd. Thwaites), LIV: 146.
15. *Ibid.*, LV, en face de la page 94.
16. *Relations des Jésuites* (Éd. Thwaites), LV: 96, 206-208.
17. RAPQ (1930-1931): 114.
18. Steck, *The Jolliet-Marquette Expedition* (Quincy, Illinois, 1928), 115-116.
19. Jolliet, «très bon canoteur», Margry, *Mémoires et documents...* I: XVII: Jolliet, controverse sur sa découverte, *ibid.*, I: XVI-XVIII, 438-439; Jolliet, jugé par Renaudot, *Ibid.*, I: 398. Voir *Mid-America*, (oct. 1944 et janv. 1945), article du Père Jean Delanglez, s.j.; aussi, Jean Delanglez, *Louis Jolliet, Vie et Voyages (1645-1700)*, Les Études de l'Institut d'Histoire de l'Amérique française (Montréal, 1950).
20. *Journal des Jésuites* (Éd. Laverdière et Casgrain, Québec, 1871), 345.
21. BRH, XII: 310. Jolliet, avec deux ll, un seul t; ainsi presque toujours va-t-il signer.

22. RAPQ (1924-1925), entre les pages 198-199. Jean Delanglez, *Louis Jolliet, Vie et Voyages (1645-1700)* (Montréal, 1950), 21.

23. Auguste Gosselin, *L'Instruction au Canada sous le Régime français* (Québec, 1911), 327-329.

24. *Journal des Jésuites* (Éd. Laverdière et Casgrain, Québec, 1871), 330.

25. Ernest Gagnon, *Louis Jolliet* (Montréal, 1913), 166. D'après l'abbé de La Tour, on aurait commencé en 1664, lors de la bénédiction des trois premières cloches de l'église de Québec, «à se servir des orgues que M. l'Évêque avait apportées de Paris. Sur ce modelle un Ecclésiastique, qui a du génie pour la méchanique, en a fait dans plusieurs églises avec du bois seulement, qui rendent un son fort agréable.» (*Mémoire sur la vie de M. de Laval, premier évêque de Québec* (Cologne, 1761), 172.

26. Ernest Gagnon, *Louis Jolliet* (Montréal, 1913), 37-38.

27. *Relations* (Éd. Thwaites), XLVI: 144, 302.

28. Alla-t-il dans l'ouest dès 1668? Dans une lettre à Seignelay (en date du 10 nov. 1685) citée par Gabriel Marcel, *Cartographie de la Nouvelle-France* (Paris, 1885), 14-15, Jolliet écrit: «L'expérience que j'ay depuis dix huict ans que j'ay employez après mes estudes de philosophie et mathématiques dans les voyages que j'ay faicts tant sur la rivière de Mechesipi, païs des Illinois, lac des Ponteouatami, contrée des Ouenibégons, lac Supérieur...» Si l'on prend à la lettre ce chiffre et cette date de mathématicien, et même si l'on soustrait l'année passée à Paris, il faut bien reporter plus tard qu'en 1668 le premier voyage de l'explorateur dans l'ouest.

29. Lettre de Frontenac au ministre, 2 nov. 1672, RAPQ (1926-1927), 18.

30. *Relations des Jésuites* (Éd. Thwaites), LVIII: 92.

31. *Ibid.*, LVIII: 92; LIX: 86-88.

32. *Relations des Jésuites* (Éd. Thwaites), LIX: 86.

33. RAPQ (1930-1931): 168.

34. RAPQ (1926-1927): 18.

35. *Relations des Jésuites* (Éd. Thwaites), LV: 234-238; LVIII: 92; LIX: 86.

36. À la fin de son rapport sur la mission de Saint-Ignace de Michilimakinac, le Père Marquette écrivait: «Je me dispose cependant à La Laisser entre Les mains d'un autre missionnaire, pour aller selon L'ordre de V. R. Chercher vers La mer

du sud de nouvelles nations et qui nous sont inconnües, pour Leur faire connoitre nôtre grand Dieu qu'elles ont jusqu'à présent Ignoré.» (*Relations des Jésuites* (Éd. Thwaites), LVII: 262.

37. Ces cartes et autres ouvrages de même provenance prenaient alors la route du Canada. (Voir Steck, *The Jolliet-Marquette Expedition, 1673* (Quincy, Illinois, 1928), 217). En son bout de préface au *Récit de Marquette*, le Père d'Ablon écrit qu'entre autres fins, dans la découverte du Mississipi, l'on voulait s'assurer «touchant les 2 Royaumes de Thegaïo Et de Quivira, Limitrophes du Canada, ou l'on tient que les mines d'or sont abondantes.» (*Relations* (Éd. Thwaites), LIX: 86.) Or ces deux royaumes dont l'un se localise dans le Kansas nord-est, au delà de l'Arkansas et le second, dans le Nouveau-Mexique, près ou sur l'emplacement de la ville actuelle de Bernatille, n'étaient connus des Français que par la littérature de voyage espagnole, en particulier, par les récits de l'expédition de Coronado.

38. Tailhan, Mémoires... 258; La Potherie, *Histoire de l'Amérique septentrionale* (4 vol., Paris, 1753), II: 87.

39. *Relations des Jésuites* (Éd. Thwaites), LIV: 204.

40. RAPQ, (1926-1927): 18.

41. Cité par Ernest Gagnon, *Louis Jolliet* (Montréal, 1913), 59.

42. La Potherie, *Histoire de l'Amérique septentrionale* (4 vol., Paris, 1753). — Cité par Steck, *The Jolliet-Marquette Expedition* 110-111.

43. *Relations des Jésuites* (Éd. Thwaites), LII: 262, note 13.

44. La carte des grands lacs du Père d'Ablon (*Relations des Jésuites* 1670-1672 (Éd. Thwaites), LV: face à page 94) contient, le long d'une ligne pointillée qui, de la Pointe du St-Esprit descend vers le sud, cette mention: *Chemin aux Illinois à 150 lieuës vers le Midy.* — Voir aussi: *Revue d'Histoire de l'Amérique française,* VIII: 220-235, Sœur Marie de Saint-Jean d'Ars, c.s.c. «À la recherche de la Mer du Nord: 1661».

45. *Relations des Jésuites* (Éd. Thwaites), LIV: 166, 184, 188-190.

46. *Relations des Jésuites* (Éd. Thwaites), LIX: 66.

47. Charlevoix (petite édition, 6 vol., Paris, 1744), II: 248.

48. Voir Margry, *Mémoires et documents... I:* 259-261. — Lettre de Jolliet à Frontenac, RAPQ, (1924-1925), entre 230-232. — Gabriel Marcel, *Cartographie de la Nouvelle-France* (Pa-

ris, 1885), 15. — *Relations des Jésuites* (Éd. Thwaites), LVIII: 92, 108; LIX: 292-303. — Lettre de Frontenac à Colbert, 14 novembre 1674, RAPQ, (1926-1927): 76-77.

49. Voir ce «Récit», *Relations des Jésuites* (Éd. Thwaites), LIX: 88-162.

50. On trouvera une reproduction des cartes dont il a été question plus haut, dans Shea, *Discovery and Exploration of the Mississipi Valley*, with the original narratives of Marquette, Allouez, Membré, Hennepin, and Anastase Douay (New York, 1928); dans le 2ᵉ tome des *Relations* inédites de la Nouvelle-France, 1672-1779, publiées par le Père Martin, (2 vol., Paris, 1871); dans *Relations des Jésuites* (Éd. Thwaites), LIX: 108, 154.

51. Jean Delanglez, s.j. *Louis Jolliet, Vie et Voyages* (1645-1700) (Montréal, 1950), 186-189.

52. À cette époque, la mission n'était pas sise sur l'île, mais sur le côté nord, à l'opposite. Le poste était à l'entrée du goulet qui relie le lac Huron au lac Michigan. (Silvy, *Relation par lettres de l'Amérique septentrionale* (Paris, 1904), note, page 129. Voir aussi *Relations des Jésuites* (Éd. Thwaites), LVI: 116; LVII: 248.

53. *Relations des Jésuites* (Éd. Thwaites), LIX: 184. Nous connaissons, de façon certaine, le nom de l'un des compagnons de Jolliet: Jacques Largilier, embauché à Québec; et, de façon probable, les noms de trois autres: Pierre Moreau, Jean Plattier et Jean Thiberge. (Jean Delanglez, *Louis Jolliet, Vie et Voyages* (Montréal, 1950), 189).

54. Shea, *Discovery and Exploration of the Mississipi Valley* (New York, 1852), 12, note. — *Relations des Jésuites* (Éd. Thwaites), LIV: 306, note 7.

55. Steck, *The Marquette-Jolliet Expedition*, 1673 (Quincy, Illinois, 1928), 155, note 42. Il s'agit de villages de Péorias, plusieurs milliers d'Indiens dans 300 cabanes.

56. *Relations des Jésuites* (Éd. Thwaites), LI: 50.

57. *Relations des Jésuites* (Éd. Thwaites), LVI: 176.

58. Shea, *Discovery and Exploration of the Mississipi Valley...* (New York, 1852), 39. — Steck, *The Marquette-Jolliet Expedition 1673* (Quincy, Illinois, 1928), 157-158.

59. Ce tableau d'art rupestre, communément appelé le *Piasa* par les modernes, subsistait encore et en assez bon état de conservation au commencement du dix-neuvième siècle.

60. Baron Marc de Villiers, *La Découverte du Missouri et l'Histoire du Fort d'Orléans* (Paris, 1925), 21-22.

61. *Relations des Jésuites* (Éd. Thwaites), LIX: 312, note 37.

62. *Relations des Jésuites* (Éd. Thwaites), LVIII: 100.

63. Steck, *The Jolliet-Marquette Expedition 1673...* (Quincy, Illinois, 1928), 160-161, notes. Marquette et Jolliet ne sont pas d'une précision absolue sur le point exact du Mississipi où ils sont descendus. Le Récit de Marquette parle de 33 degrés, 40 minutes, et fixe l'embouchure du fleuve à deux ou trois journées de voyage. À Frontenac, Jolliet assure s'être rendu «jusques à dix journées du golfe de Mexique». Au Père Dablon, il dira qu'il n'avait plus que «50 lieues pour se rendre à la mer». (Margry, *Mémoires et documents...* I: 258. — *Relations des Jésuites* (Éd. Thwaites), LVIII: 100.

64. Atteint, autant que l'on peut voir, de dysentrie. *Relations des Jésuites* (Éd. Thwaites), LIX: 184.

65. Jolliet, pour se concilier les bonnes grâces de Frontenac, donna le nom de *Frontenacie*, au pays qu'il venait d'explorer; le nom de *Rivière Buade* au Mississipi; le nom de *Rivière de la Divine* ou de l'*Outrelaise* à la rivière des Illinois. *La Divine* était le surnom flatteur donné par Mlle d'Outrelaise à Mme de Frontenac. Frontenac, à son tour, donna le nom de Colbertie à la Frontenacie, et celui de fleuve Colbert au Mississipi. (E. Myrand, *Frontenac et ses amis* (Québec, 1902), 3, note 1. Voir aussi *Ibid.*, opinion de Margry, 13, note 1.

66. *Relations des Jésuites* (Éd. Thwaites), LVIII: 92.

67. RAPQ, (1926-1927): 77.

68. Jolliet ne fut jamais heureux avec ses papiers. On sait qu'en l'incendie du Sault Sainte-Marie, en 1674, il aurait perdu une copie de son journal de voyage au Mississipi, rédigé durant l'hiver précédent. (Frontenac à Colbert, 14 novembre 1674, RAPQ, (1926-1927): 77). En 1682, un incendie de la Basse-Ville de Québec détruisait tous ses papiers contenus en trois cassettes et déposés dans la maison de Claude Portier. (J.-Edmond Roy, *Histoire de la seigneurie de Lauzon* (6 vol., Lévis, 1897-1907), I: 236, note.

69. Jean Delanglez, *Louis Jolliet, Vie et Voyages* (Montréal, 1950), 220-225.

70. Voir cette lettre dans RAPQ, (1924-1925), entre 230-231.

71. Steck, *The Jolliet-Marquette Expedition 1673* (Quincy, Illinois, 1928), 207-213.

72. *Relations des Jésuites* (Éd. Thwaites), LVIII: 102; LIX: 142. — RAPQ, (1924-1925), entre 230 et 231.

73. *Relations des Jésuites* (Éd. Thwaites), LIX: 312, note 34.

74. *Ibid.*, LIX: 312, note 34. — RAPQ, (1926-1927): 76.

75. Henri Baulig. *Amérique septentrionale. — Généralités — Canada. Tome XIII de Géographie universelle* (Paris, 1935): 96.

76. Harrisse, *Notes pour servir à l'histoire, à la bibliographie et à la cartographie de la Nouvelle-France et des pays adjacents*, 1545-1700 (Paris, 1872), 322-323.

77. Lettre à Mgr de Laval, 10 octobre 1674, Harrisse, *ibid.*, 322.

78. Nous ne voyons nulle part que Jolliet ait pris possession de la région du Mississipi. A-t-il cru que l'acte de Saint-Lusson l'en dispensait? Ou cette prise de possession, l'aurait-il consignée en son seul journal?

79. RAPQ, (1930-1931): 163, Mémoire au roi, 2 novembre 1671.

80. RAPQ (1930-1931): 63.

81. RAPQ (1930-1931): 163.

 * (Extrait de *Notre Maître, le Passé,* 1ère série, (3ᵉ éd. Montréal, 1937), 88-89.

Troisième partie

LES ACHÈVEMENTS

CHAPITRE PREMIER

Les derniers constructeurs de l'empire

Le dessin de l'empire est tracé en ses lignes maîtresses. La charpente en est dressée. Le temps, les pressions rivales, les lois de la géographie et de l'économique vont néanmoins commander d'autres couvertures, d'autres compléments. Compléments ou achèvements qu'une autre génération va tailler à grands coups de ciseaux, dans l'étoffe continentale, comme si toujours il n'y avait qu'à prendre.

Cette nouvelle pléiade d'hommes, ouvriers de la dernière phase de l'empire, peut-être est-ce le lieu de les présenter, du moins leurs chefs de file. Comme à l'époque antérieure, la lignée se continue du coureur de bois de type supérieur, princes indiens, serait-on encore tenté d'écrire, si le mot s'accordait au paysage, fils de l'eau et de la terre vierges de leur pays, ou Français brusquement transformés par l'âpre et puissante nature. En ces hommes, tout en muscles, de corps et d'âme, l'on reconnaît toujours la même race pour qui le péril, l'aventure sont l'atmosphère favorite, naturelle, jamais si joyeux que l'aviron à la main, au départ d'une course de 500, de 600 milles; ambassadeurs ou dompteurs qui parlent les langues indiennes mieux souvent que les Indiens eux-mêmes, dont l'éloquence ingénieuse, imagée, remonte les tribus défaillantes, fait renverser les chaudières fatales. Mais voici qu'avec le développement de l'empire et ses prises de positions stratégiques, on rencontre cette sorte d'hommes dans un rôle agrandi, dans le rôle de délégués officiels de la puissance française: commandants de postes, chefs politiques dont la souveraineté s'étend parfois sur vingt nations, qui, entre les tribus brouillonnes, ont charge de dénouer les intrigues, de tenir le rôle de pacificateurs et de maîtres; intendants de police, sans en porter le nom, qui surveillent le commerce de la colonie, protègent l'Indien contre la cupidité du trafiquant; chefs militaires à qui les guerriers sauvages s'attachent plus passionnément qu'à leurs propres chefs; ce sont les mêmes qui, sur un mot d'ordre du lointain château Saint-Louis, rassemblent leurs troupes de Français et de sauvages, depuis les hautes régions du lac Supérieur, jusqu'à celles de la baie des Puants et jusqu'à la contrée des Illinois, pour voler aux frontières menacées de la Nouvelle-France. En résumé, grands serviteurs de la colonie à qui l'histoire n'a pas toujours fait leur part, planteurs de jalons, propulseurs de frontières par qui l'empire français a pu s'achever. Nous retrouvons Nicolas Perrot. Il survit à l'époque antérieure, et de 1684 à 1699, fait toujours figure de chef dans la région des lacs, combinant les fonctions de commandant, de trafiquant, d'explorateur[1]. En 1686 il reçoit ordre de Denonville de se rendre de son poste du Mississipi à Michilimakinac. Là, le Père Enjelran lui apprend ce qu'on attend de lui pour la prochaine campagne du gouverneur contre les Iroquois[2]. On sait, qu'avec diligence, lui, Tonty, Du Luth et La Durantaye, rassembleront 170 Français et 300 sauvages des Lacs, pour se porter à la rencontre de l'armée de Denonville en expédition de guerre contre les Sonnontouans. On sait aussi, par quelle rencontre merveilleuse, les deux corps d'armée, celui des lacs et celui du gouverneur, opéreront leur jonction sur une pointe de la Rivière des Sables, au sud du lac Ontario[3]. Le 8 mai 1689, voici Perrot qui prend possession de la Baie des Puants, des rivières des Outagamis, Maskoutins, Mississipi et du pays des madessioux, au nom du roi[4]. Étendue presque sans limites rattachée de façon plus formelle à l'empire. Habile orateur, Perrot, en 1690, se verra chargé par Frontenac, en qualité d'adjoint de Louvigny de La Porte, d'un rôle d'ambassadeur auprès des Sauvages de l'ouest[5]. À ce propos Frontenac dira de lui: «Nicolas Perrot, habitant de ce pays, lequel par la longue pratique et connaissance qu'il a de l'humeur, des manières, de la langue de toutes ces nations d'en haut, s'est acquis beaucoup de crédit parmi elles»[6].

Nommons, pour le moment, trois autres personnages de l'époque que nous retrouverons plus loin: le Chevalier de Troyes, Greysolon du Luth et son frère La Tourette. A Michilimakinac, commande, depuis 1683, Olivier Morel de La Durantaye, ancien capitaine au régiment de Chambellé, seigneur de Kamouraska, qu'on rencontre dans toutes les entreprises de guerre de l'époque, «homme de service, de mérite, et d'une sagesse éprouvée», dira La Barre; officier plein d'honneur et de mérite, dira Champigny; «bon officier», honnête homme, propre à tout», dira Frontenac. La Durantaye, seigneur pauvre, que sa vaste seigneurie n'a pas enrichi, plus propre, à ce qu'il semble, au métier des armes qu'à celui d'agriculteur, a été envoyé par La Barre en cette petite capitale de l'ouest, théâtre principal des tristes exploits des coureurs de bois. Le premier des commandants installés en ce lieu, il s'y rendait avec la mission d'y rétablir un peu de police et d'ordre, puis, en prévision de la guerre, de remettre sur pied l'alliance indienne dans la région des lacs. La Durantaye aurait à opérer dans un milieu trouble, centre d'intrigues favori pour les nations outaouaises et huronnes, nations d'esprit flottant, profondément travaillées par les menées souterraines des Iroquois et des Anglais. La diplomatie, la fermeté audacieuse de l'officier français réussiraient à maintenir la région des lacs dans l'obédience de Québec. En 1687 il serait assez heureux pour capturer, aux environs de Michilimakinac, l'un des deux partis de marchands flamands envoyés pour débaucher les Outaouais[7]. En 1684, puis en 1687, c'est lui surtout qui, en qualité de commandant en chef, conduirait à Niagara un valable renfort de Français et de sauvages à la rencontre de l'armée de la colonie.

Encore dans la région des lacs mais au sud-ouest, opère un autre de ces chefs de bandes, Henri de Tonty. Héros de légende, dans une certaine littérature, héros aux cent aventures, que ce fils d'un banquier napolitain exilé en France au temps de Mazarin. Cadet, garde-marine, puis, à partir de 1678, lieutenant de Cavelier de La Salle, Henri de Tonty se rendra célèbre par son exemplaire fidélité à son chef. Parmi les Illinois, il jouira du prestige d'un grand capitaine indien. Surnommé la Main-de-Fer, parce que, la main droite emportée au siège de Messine, il s'est fait ajuster un poignet de métal, son coup de poing sera fameux et redouté parmi les sauvages. Tonty sera aussi l'un des coureurs et canoteurs les plus renommés de l'époque. «Garçon très entreprenant, qui a de bonnes qualités», ainsi se plaît à le désigner Denonville[8]. Lorsque à l'été de 1686, Denonville le convoque à Québec, pour son expédition contre les Sonnontouans, le lieutenant de La Salle arrive de l'embouchure du Mississipi, à la recherche du malheureux Cavelier de La Salle. En quelques semaines, pour répondre à l'appel du gouverneur, il fait le voyage des Illinois à Montréal, et de Montréal aux Illinois; l'année suivante on le trouve à Niagara et à la rivière des Sables, ainsi que La Durantaye, Perrot et Du Luth, avec un contingent de sauvages, après une autre course de 400 lieues[9].

Dans la jeunesse des domaines seigneuriaux, qui distinguer et qui nommer? Nous savons le grand cas que fait Denonville des fils de la jeune race. S'il les trouve quelque peu indisciplinés, il admire sans réserve leur bravoure, leur vigueur délurée, leur adresse au canotage et à la guerre indienne. Denonville a cet autre mérite, pour le dire en passant, d'avoir été le premier, après Talon, et l'un des rares administrateurs qui ait eu une politique de la jeunesse. Il a cherché les moyens d'arracher les jeunes Canadiens à la course des bois, et, pour ce, de les occuper dès leur bas âge et «dans l'âge plus avancé». Pour la même fin, il eût voulu la multiplication des cures fixes où les curés, s'adonnant à «faire des Ecolles», accoutumeraient de bonne heure les enfants à obéir et à s'occuper[10]. Le premier encore, croyons-nous, Denonville a tenté de persuader le roi de composer les cadres de ses troupes coloniales à l'aide de la jeunesse des manoirs; il eût voulu même constituer des compagnies d'enfants du pays, avec officiers du pays. Quelques fils de seigneurs, quoique fort pauvres, lui paraissent d'une grande distinction[11]. Callières qui partage son avis, estime que trois compagnies de jeunes Canadiens rendraient plus de services que les troupes réglées pour aller en parti contre les Anglais et Iroquois[12]. Une famille, entre autres, s'est attiré l'admiration de Denonville, la famille des Le Moyne. À coup sûr incarne-t-elle les plus remarquables qualités de cette génération canadienne, de sève chaude, poussée en tuf particulièrement riche. Le chef, Charles Le Moyne, ancien domestique des Jésuites, devenu seigneur de Longueuil et de Châteauguay, grand marchand qui a ses magasins à Montréal, avec des succursales à l'Île Saint-Paul, à l'Île Ronde, aux Outaouais, procureur de sa petite ville, interprète, ambassadeur des grandes circonstances auprès des Iroquois — celui qu'ils nomment *Akouessan*, c'est-à-dire La Perdrix —, ce Charles Le Moyne, pionnier dont les services généreux et divers ne se pèsent point, figure l'une des ascensions sociales les plus étonnantes accomplies en Nouvelle-France. Point d'hommes, en tout le régime français, aussi grandement et universellement comblé d'éloges. Frontenac, La Barre louent en lui le soldat chevaleresque qui, depuis trente ans, sert la Nouvelle-France, de son épée et de son esprit, l'interprète habile, éloquent, d'un prestige incomparable auprès des Iroquois[13]. La plus belle réussite de Charles Le Moyne, ce sont pourtant ses fils, cette admirable famille de quatorze enfants, dont onze fils[14], deux filles (les futures mesdames de Noyan et de La Chassaigne), un autre enfant mort après sa naissance en 1672. À l'époque où nous sommes, disons en 1686, six des fils Le Moyne font déjà parler d'eux: Charles, l'aîné, le futur baron de Longueuil qui a 30 ans; Jacques, le sieur de Sainte-Hélène qui en a 27; Pierre, sieur d'Iberville qui en a 25, Paul, sieur de Maricour qui en a 23; François, premier sieur de Bienville qui en a 22; Joseph, sieur de Sérigny qui a dix-huit ans; François-Marie-Louis, premier sieur de Châteauguay; Jean-baptiste, le deuxième sieur de Bienville, Gabriel, sieur d'Assigny; Antoine, le deuxième sieur de Châteauguay, n'ont respectivement que 16, 13, 6, 5 et 3 ans[15]. Ces garçons qui ont hérité de la dignité morale et de la bravoure de leur père, «tous honnestes gens», possèdent aussi de rares dons physiques: «tous fort jolis Enfans», dira Denonville, dans le style du temps; mais il ajoute: «bien Elevez, famille de la plus grande distinction...»[16] «Joly, homme bien sage», l'aîné, Charles, passé jeune en France, en qualité de page du maréchal d'Humières, est destiné à devenir l'un des plus grands propriétaires de la colonie et à y vivre une remarquable carrière militaire et administrative: capitaine, major, lieutenant de roi, gouverneur des Trois-Rivières, de Montréal, candidat à la succession de M. de Vaudreuil au gouvernement du pays; entre temps, à l'expédition de 1687, on le voit se distinguer, avec Grandville, «par-dessus les autres», au jugement du gouverneur[17]; il sert à la Baie d'Hudson, au siège de Québec en 1690; a une jambe ou un bras brisé dans une terrible escarmouche contre les Iroquois le lendemain du massacre de La Chine en 1689; devient, comme son père, dans les cantons, l'ambassadeur favori, s'y fait même élever une maison pour y loger lors de ses ambassades. Le deuxième, Sainte-Hélène, paraît avoir été le plus sympathique, le plus attachant de tous, soldat qui porte la générosité, l'héroïsme à fleur de peau, chevalier des postes périlleux, éclaireur, batteur de marche qui risque sa vie aussi simplement que d'autres risquent un sou, chef adoré des Français et des sauvages, qui eût pu se faire suivre au bout du monde[18], interprète iroquois,

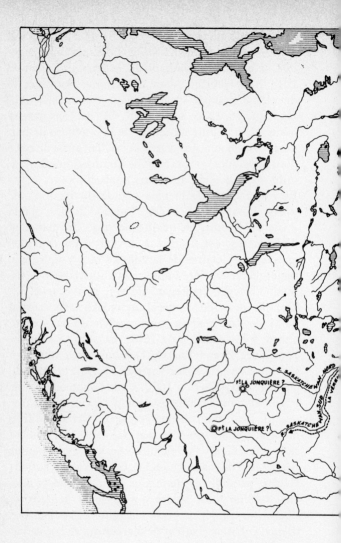

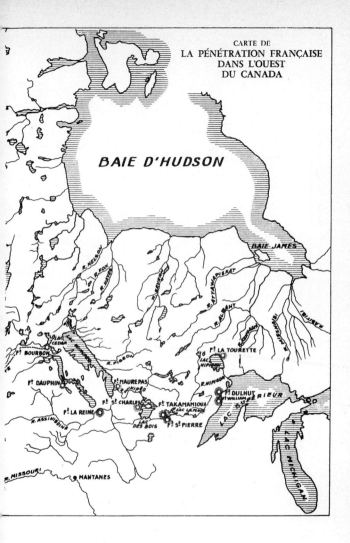

CARTE DE
**LA PÉNÉTRATION FRANÇAISE
DANS L'OUEST
DU CANADA**

BAIE D'HUDSON

BAIE JAMES

R. NELSON
R. FOX
R. HAYES
R. SEVERN
R. ATTAWAPISKAT
R. ALBANY
R. OGOKI
R. KABITI

Fᵗ LA TOURETTE
LAC NIPIGON
R. NIPIGON
Fᵗ DULHUT
FORT WILLIAM
LAC SUPÉRIEUR

LAC CEDAR
Fᵗ BOURBON
R. PIGEON
Fᵗ DAUPHIN
Fᵗ MAUREPAS
R. WINIPEG
Fᵗ St CHARLES
Fᵗ TAKAMAMIOUA
LAC LA PLUIE
Fᵗ LA REINE
LAC DES BOIS
Fᵗ St PIERRE
R. ASSINIBOINE

LAC MICHIGAN

R. MISSOURI
MANTANES

273

P. Bineteau del.

274

CARTE

DE

L'AMÉRIQUE DU NORD

POUR SERVIR A L'HISTOIRE

DE LA GUERRE DE 1755 A 1760

par

M^{RE} LE C^{TE} DE MALARTIC

comme son père et son frère l'aîné[19], «un des plus aimables cavaliers et des plus braves hommes qu'elle [la Nouvelle-France] eût jamais eus», a dit Charlevoix. Figure qu'il faudrait tirer de la pénombre où elle reste plongée. Le quatrième des fils, Paul, sieur de Maricour[20], moins connu que les autres, mais bien injustement, a dû jouir, parmi la jeunesse de son temps, d'un rare prestige. C'est quelque chose à cette époque que d'être réputé le meilleur canoteur du pays, gloire que ce Le Moyne partage avec son cousin de La Noue. Jeté très jeune dans les aventures militaires, il sera de l'expédition du chevalier de Troyes à la Baie d'Hudson; il participe à quelques-unes des glorieuses courses de son frère Iberville; il est du siège de Québec, en 1690, avec ses deux frères les sieurs de Longueuil et de Sainte-Hélène. Comme ses frères et son père, il sera interprète iroquois et peut-être plus populaire qu'eux dans les cantons. On l'y regardera comme un fils adoptif. Maricour, c'est le «*Taouistaouisse*» des Iroquois, c'est-à-dire «le petit oiseau toujours en mouvement»[21], et qu'ils nomment ainsi, soit pour sa vivacité de mouvement, soit pour son activité fébrile. Les Onnontagués feront de lui leur délégué officiel au congrès préliminaire de la paix à Montréal, en 1700[22]. L'année suivante, lors du traité entre la puissance française et les nations indiennes, il sera l'âme de ces assises solennelles!

Quatre des frères Le Moyne, Iberville, Assigny, le deuxième Bienville, de deuxième Châteauguay, leur beau-frère Noyan, deux neveux, un Noyan, un Châteauguay, sont morts ou ont surtout servi en Louisiane ou aux Antilles. On peut regretter que le Canada n'ait pas su retenir des hommes de ce prix.

Qu'on ne s'étonne point, si, pour le moment, nous paraissons ignorer le plus illustre de cette famille: Pierre, sieur d'Iberville. Nous le retrouverons tout à l'heure.

TEXTES

I

Le coureur de bois

Les historiens ont expliqué le coureur de bois par un triple facteur, le géographique, l'économique, le politique. A-t-on fait toute sa part au facteur psychologique? Sans doute la géographie reste, pour la large part, la grande responsable. Qu'on se rappelle une citation: «Nous sommes des amphibies, des habitants de la mer autant que de la terre ferme», disaient d'eux-mêmes les anciens Gaulois, marquant par là la double vocation maritime et continentale de leur pays. La Nouvelle-France à deux tronçons, avec sa colonie laurentienne repliée entre Québec et Montréal, et son pays des Grands Lacs, à cinq cents lieues l'un de l'autre, exposait à former bien pis qu'une race d'amphibies: deux races d'hommes, l'une sédentaire, l'autre nomade. Un duel presque fatal, ai-je dit bien des fois, devait dominer notre première histoire: le duel de la terre et de l'eau, de la terre qui nourrit et enracine; de l'eau qui ensorcèle et qui disperse.

Des causes d'ordre économique et social ont travaillé dans le même sens que la géographie: le développement trop agricole et par conséquent trop uniligne de la colonie; l'inadaptation de beaucoup d'immigrants, des soldats surtout, au défrichement et à la culture de la terre; l'absence de débouchés pour la production des céréales; la fréquence des années creuses; la production déjà passée à l'état de surproduction, à l'époque de Talon, trop exposée à moisir dans les greniers; en un mot cet engorgement d'une production trop unique, puis l'absence de métiers, de carrières pour la jeunesse; trop peu d'industries; les grandes ressources naturelles du pays, forêts, mines, pêches, restées presque intouchées jusque vers la fin du régime; d'ailleurs les entreprises d'exploitation, tentées audacieusement par des gens du pays, laissées par trop à leurs seules ressources, sans appui qui vaille de la finance métropolitaine: autant de faits économiques et sociaux qui constituent une menace à la stabilité de la population. En des seigneuries comme celles de Varennes, Verchères, Contrecœur, Saint-Ours, Chambly, La Durantaye, presque tous les troupiers des officiers de ce nom — c'est-à-dire environ cinquante hommes chaque fois — ont pris des terres sur le domaine de leur capitaine. Vers 1681, soit dix ans après l'établissement de ces seigneuries, qui trouvons-nous sur ces lots? Une moyenne de 11 à 12 ménages, nous disent les recencements. Les autres, où sont-ils allés? Dès 1671 l'abbé de Fénelon s'inquiète, pour toute une jeunesse, enfants de familles nombreuses, dont l'on ne sait que faire, jeunes gens qui ne se croient pas la vocation terrienne, que la terre devenue surproductive ne peut employer et à qui l'abbé voudrait qu'on apprît des métiers. Songeons, d'autre part, qu'à côté de ces emplois ou vocations par trop fermées, une porte s'offrait, largement ouverte, par où passer et s'en aller servir aussi efficacement la colonie. Le jour vint tôt où les Français, au lieu d'attendre chez eux les nations indiennes, pour obtenir plus de fourrures, facteur indispensable de la vie économique, partiront chercher eux-mêmes la précieuse marchandise dans les Pays d'en haut. Dès lors, une vocation nouvelle, irrésistible, qui s'associera à celle de découvreur, était née. Aubert de La Chesnaye, grand négociant, le note en 1697, en son *Mémoire sur le Canada*: «C'est aussy la quête de la fourrure, qui a fait faire de belles découvertes et 4 ou 5 cents jeunesses des meilleurs hommes du Canada sont occupées à ce métier[23].»

Enfin la politique, qu'on trouve souvent à l'origine de bien des maux, a fait sa large part pour déraciner la jeunesse. Le voisinage de l'Anglais et de l'Iroquois a déchaîné entre la Nouvelle-France et la Nouvelle-Hollande, qui va devenir la Nouvelle-York, une ardente rivalité commerciale. Pour tenir le coup, barrer la route au rival, maintenir les nations alliées des lacs dans le rayon de l'influence française, le gouvernement de Québec a dû dépêcher dans les Pays d'en haut, des raccoleurs de fourrure, des agents de commerce, des diplomates, des rassembleurs des forces indiennes. Dans la région de l'ouest et du sud-ouest, il a fondé des postes et des forts; dans ces forts, il a placé des commandants et des garnisons, multipliant partout les fourriers de l'empire français. Les autorités ont ainsi précipité, gravement accru une débandade de la jeunesse, tout en dressant, d'autre part, contre le mal, un appareil d'interdictions et de châtiments aussi formidable qu'impuissant.

*   *
*

Au principe de cette passion extraordinaire de la course, ne faut-il inscrire néanmoins quelques prédispositions psychologiques du colon ou de l'immigrant français? Quelle poussée a jeté cet homme de ce côté-ci de la mer? Nulle pression politique ou religieuse, comme ce fut le cas pour d'autres immigrants, les voisins du sud. L'immigrant français qui, un jour, s'est résolu à quitter le vieux pays, a cédé, en somme, à la tentation du risque, à l'appât, à l'espoir d'une vie meilleure: espoir qui n'allait point sans l'énergique détermination d'affronter de redoutables périls et les plus durs labeurs. Autant dire qu'en tout colon qui nous est venu d'outre-mer, se retrace un aventurier en puissance. Cet aventurier, mettez-le en face du pays que nous avons décrit plus haut, pays aux mille sortilèges, plein d'invites à toutes les dispersions. Et qui peut s'étonner que l'aventurier envolé un jour de France ne se sente des fourmis aux jambes?

Qui est-il ce coureur des bois, être si troublant, fait de parties si suspectes, mais que l'on a fini par auréoler de je ne sais quelle poésie capiteuse? Il appartient un peu à toutes les classes sociales: récents immigrants, encore sans profession et qu'on appelle des «volontaires»; habitants, fils d'habitants, fils aussi de seigneurs et de gentilshommes ou qui s'en donnent l'air. Oui, même ceux-là: des évadés de la routine, du milieu rural, de la contrainte sociale, et où la déchéance sera d'autant plus profonde qu'on descend de plus haut. «Ces dérèglements, écrira Denonville, se trouvent bien plus grands dans les familles de ceux qui sont Gentilshommes ou qui se sont mis sur le pied de le vouloir être... Car n'estans pas accoutumez à tenir la charue, la pioche, la hache, toute leur resource n'estant que le fuzil, il faut qu'ils passent leur vie dans les bois...»[24]

Au physique, il faut bien le dire, le coureur appartient à la plus virile, la plus robuste jeunesse. Parmi les coureurs libres, j'entends ceux qui courent pour leur propre compte, il n'est pas rare que l'on rencontre des enfants. Car, «dez le moment que les Enfants peuvent tenir un fuzil, nous dira encore Denonville, les Peres ne peuvent plus retenir leurs enfans». Souvent même d'ailleurs, par esprit de lucre, les parents se feront les complices de leurs enfants et se chargeront de les équiper en marchandises[25]. Le métier, très dur et fait pour user rapidement les hommes, écarte impitoyablement les faibles, les trop jeunes ou les trop âgés. Dans le canot, force est bien de laisser le plus d'espace possible à la marchandise et aux paquets de castor: trois canoteurs au plus auront à se charger de la manœuvre. En conséquence les embaucheurs les choisissent plutôt trapus que colosses; mais ils les veulent musclés, vigoureux. Rien de plus difficile et de plus dur à manœuvrer qu'un canot chargé à plein bord. La distance moyenne à franchir par jour est de quinze lieues en eau dormante, mais de bien davantage dans la descente des courants. Excellent canoteur, le Français ou le Canadien, une fois entraînés, en arriveront bien vite à dépasser l'Indien[26]. Et il y a l'épuisante besogne des portages. Retenus, enserrés par une courroie, bricole ou bande frontale, qui descend dans le dos jusqu'à la naissance des reins, la charge d'un portageur peut aller jusqu'à deux ou trois balles pesant de 180 à 270 livres. La vanité s'en mêlant, c'est à qui parfois se chargera le plus lourdement, au risque, pour le vantard, de s'exposer à quelque hernie étranglée qui le laissera mourant, le long du chemin. Spectacle d'énergie physique, mais aussi de misère que celui du portageur chargé comme un mulet,

suant, clochant, enveloppé d'un nuage de maringouins et de moustiques, grimpant, descendant, le
long de la cataracte, l'étroit sentier de chevreuils,
sans se priver de maugréer, sinon de sacrer contre les
pierres, les branches d'arbres qui accrochent sa
charge, ne la déposant toutefois qu'à bout de forces,
le temps de fumer une pipe. Sortes de repos qui
serviront aux voyageurs à mesurer les distances sur
l'eau comme dans les portages. Dans leur vocabu-
laire à eux, ils diront: portage de trois pipes, portage
de cinq pipes: nombre de pauses ou d'arrêts qu'il y
faut faire, nombre de pipes qu'on y allume.

Un coup d'œil sur le costume du coureur de
bois aide à le comprendre et à le définir. Toute description fantaisiste écartée, ce costume se compose
comme suit: un «brayet» ou courte culotte, des mo-
cassins ou souliers de peaux, des mitasses ou guêtres
de drap ou de cuir de chevreuil en guise de bas, le
tout complété par la tuque ou le bonnet de laine.
Comme l'on voit, nulles fanfreluches. Rien que le
nécessaire. Pas de larges feutres qui empêcheraient
les canoteurs de voir l'un en avant de l'autre. Un
corps d'homme enveloppé par ce qui le cerne de plus
près; un vêtement qui laisse la pleine liberté des
mouvements, qui ne s'accroche point aux brous-
sailles, fait pour marcher dans l'eau autant que sur
terre, où il y a peu à mouiller et peu à sécher. En
définitive un costume où une seule chose, dirait-on,
s'ajoute à l'homme et le complète: l'aviron[27].

Au moral, le coureur des bois que la course n'a
pas trop perverti, nous offre une physionomie plutôt
aimable, souriante. Débrouillard dans les bois à l'é-
gal du sauvage, dur au travail, point plaignard pour
la peine, forcé à la frugalité[28], il prend la vie avec une
douce philosophie. À force de pratiquer la vie, les

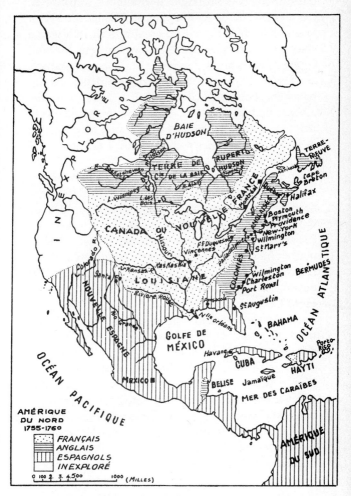

Carte de l'Empire

mœurs de l'indien, il en a pris le tour d'esprit, la tranquille indolence. Donnons-lui, en outre, un penchant facile à la nostalgie, à «l'ennui», ainsi qu'en témoignent tant de ses couplets ou refrains où revient le souvenir de la blonde ou «maîtresse». Infatigable chanteur, au surplus, triste ou joyeux, sous le soleil comme sous la pluie, il se garde toujours une chanson aux lèvres. Plus tard, au temps des Anglais, on l'embauchera, nous dit Mlle Grace Lee Nute, pour son adresse de bon chanteur, et sans doute, parce que le bon chanteur révèle un moral de meilleure condition et peut soutenir mieux qu'un autre l'ardeur de ses compagnons de peine[29].

Malheureusement tous les coureurs n'appartiendront pas à cette catégorie d'aimables philosophes. Quelques-uns, défricheurs ou fils de défricheurs, se sont jetés dans la carrière pour des fins estimables: amasser quelques francs pour se marier, hâter la mise en culture de leurs terres, élever le niveau de leur vie; d'autres sont mus par un motif encore fort acceptable: l'espoir, l'ambition de la fortune. Ceux-là ne se contentent point des six cents écus de salaire qu'on leur paiera au retour. Ambitieux, ils n'ont pas entendu parler pour rien, en 1660, des deux petits trifluviens, Groseilliers et Radisson, rentrés de l'ouest avec 200,000 livres de castor. À Montréal, ne chuchote-t-on point, un peu partout, qu'avec ses mille écus d'appointements, le gouverneur, M. Perrot, en fait cinquante mille par la traite clandestine des fourrures? Et combien de coureurs qui se vantent d'avoir gagné, au pays des lacs, avec une petite barrique d'eau-de-vie au coût de moins de 200 livres, plus de 15,000 livres de castor? D'autres et tous un peu, sans doute, ont cédé à l'envie de courir, de se déplacer, de voir du nouveau, de satisfaire leur goût de l'aventure. La Hontan voudra qu'on appelle les coureurs de bois des «coureurs de risques». Coureurs de risques, voilà le titre qui les enorgueillit plus que tout. En eux tous il y avait de l'aventurier. Au vrai, comment modérer, contenir une pareille race d'hommes? Autant mettre en cage l'aigle ou l'épervier ou les attacher à un piquet. En face d'un pays plein de mystère et d'appas, la course des bois apparaît, à certains égards, comme une explosion de jeunesse, d'audace impatiente, de débordante vitalité. On est las de la vie calme, des horizons familiers, trop fermés. On veut voir du neuf, faire de l'esbroufe, se dépasser, se mesurer à plus grand que soi.

Le malheur est qu'à prétendre se dépasser, trop de ces coureurs se rapetissent. Ce qui les attire et ce qui va les retenir, ce ne sera pas seulement le rare plaisir de plonger l'aviron dans des eaux inconnues, de s'enivrer les yeux d'une grande et puissante nature; ce ne sera pas même la jouissance si nouvelle de partager le campement de l'Indien; ce sera de partager la vie de l'Indien. Vie indépendante, hors des contraintes morales et sociales, vie d'oisiveté dans la seule occupation du jeu, de l'ivrognerie, du libertinage où ils deviennent insignes débaucheurs de jeunes Indiennes, et où ils dépensent capital et profits de leurs voyages. Quand ils réapparaissent à Montréal, ils font comme tous, marins, bûcherons et autres, qui ont été sevrés quelque temps de la civilisation; ils ne la retrouvent que pour en boire les philtres les plus malsains. Les voici bien les grands seigneurs de l'aviron, avec leur morgue, leur verbe haut d'orgueilleux guenilloux. Fiers de l'auréole que leur fabrique à leur retour, l'admiration naïve de leurs proches, des gens de leur patelin, orgueilleux de leur force physique, de ces voyages accomplis par la seule vigueur du poignet et du torse; orgueilleux même du hâle rapporté des pays d'en haut, les coureurs en viendront à trancher du gros monsieur, à n'afficher qu'un suprême mépris pour le terrien, le pauvre homme du petit carré de sol et du petit horizon, l'homme de la vie sans risques. «L'air de noble qu'ils prennent à leur retour, déplore Denonville, par leurs ajustemens et par leurs débauches au cabaret... fait que meprisans les peisans, ils tiennent au dessous d'eus d'epouser leurs filles, bien qu'eus mesmes soient peisans comme eus, et outre cela ne se veulent plus abesser à cultiver la terre et ne veulent plus entendre qu'a retourner dans les bois continuer le mesme metier...»[30] Hélas, les pauvres coureurs ne sont que nos premiers prolétaires, les hommes sans foyer, trop souvent sans famille, sans sou ni maille, exploités par le grand fonctionnaire, par le grand seigneur, par le marchand de la colonie qui, véritables usuriers, ne se contentent pas d'exiger du vagabond le remboursement total des marchandises à lui confiées, mais encore un retour en profits de 33 à 34 pour cent.

Vers 1680 c'en est fini, la Nouvelle-France est devenue comme un arbre qui aurait trop de sève et qui, par les moindres fissures de son écorce, en perd le flot irrépressible. Contre les coureurs on dressera vainement l'appareil des pires châtiments, sans excepter la peine de mort. Autant endiguer un torrent avec une botte de paille. Ordonnances et arrêts n'aboutissent, le plus souvent, qu'à faire du coureur de bois, un révolté ou un déserteur qui, plutôt que de rentrer au pays et dans la vie paisible, préfère s'enfoncer plus avant dans la plaine ou la forêt, quand il ne choisit pas de s'enfuir chez les Anglais ou de se fondre dans la masse indienne.

* *
*

Gardons-nous toutefois de mépriser en bloc et sans nuances, cette classe d'aventuriers. Dans le commerce des fourrures, le coureur s'affirma comme un facteur économique de conséquence. Lorsque l'Indien se mit à courtiser la route plus courte et les marchandises à meilleur marché des comptoirs hollandais ou anglais, le coureur de bois contribua à diriger vers Montréal la fourrure des Grands Lacs. Dans la découverte de l'intérieur américain, il n'est que juste de saluer en lui un fourrier d'une singulière audace. Où n'est-il pas allé? Que n'a-t-il pas ajouté à la géographie? À l'époque des guerres, la Nouvelle-France se trouve fort heureuse de faire appel, pour la défense de ses frontières, à la légion de ces fils dispersés ou perdus.

Et l'on pourrait distinguer deux espèces de coureurs. Denonville l'admettait. Encore que, parmi eux, l'honnête coureur ne fît point le nombre, «ce n'est pas, disait le gouverneur, qu'il n'y ait de tres bonnes gens»[31]. À côté de ceux que l'on pourrait appeler les gamins, les enfants perdus de la course, prenaient place les coureurs ou canoteurs de grande classe — voyageurs plus que coureurs — qui ont nom Nicolet, Jolliet, Péré, Saint-Lusson, Manthet, Du Luth, Nicolas Perrot, le jeune Des Groseilliers, Tonty, La Durantaye, Liette, Courtemanche, Louvigny, La Vérendrye, et que d'autres: explorateurs, ambassadeurs, chefs de guerre, et je l'ai dit, sorte de princes indiens, qui tinrent, entre les tribus querelleuses, le rôle si nécessaire de pacificateurs. Ce sont ceux là qui mirent à profit leur prestige pour reculer incessamment les marches de l'empire et porter si loin le renom français.

Types d'hommes d'une belle vigueur et d'un vigoureux relief. Ils se sont ouvert les portes de la légende et de l'art. Le folklore est allé leur demander quelques-uns de ses plus beaux contes et surtout sa chanson, la chanson du «Voyageur», tantôt ailée et joyeuse, tantôt traînante et nostalgique. Le coureur de bois a inspiré toute une littérature. Mlle Grace Lee Nute vient d'écrire encore tout récemment: *The Voyageur's Highway*. Peintres et sculpteurs se sont plu à découper sa fruste et puissante silhouette. Musée ouvert à tous les gestes et à toutes les formes d'humanité, l'Histoire elle-même lui a fait sa place; elle l'a fait avec mesure et discrétion, mais en bonne douairière qui croirait retrouver un peu de sa jeunesse en fleuretant avec la légende.[8]

II

Retour des enfants perdus

Autrefois, j'en suis sûr, quand de nos gars perdus dans les pays d'en haut, poussant leur canot toujours de l'avant, vers des régions mystérieuses, se voyaient tentés de renoncer au retour, de se laisser prendre pour jamais par l'attirance des bois, soudain, devant leurs yeux, passait, étreignante, la vision de la terre natale. Là-bas, bien loin, plus loin que les «mers douces» et plus loin que la Mattawan et l'Outaouais, sur les rives du fleuve, lentement, dans l'air apaisé, ils entendaient tinter un clocher; les grandes ailes d'un moulin tournoyaient dans l'air et semblaient leur faire signe, et, dans l'échancrure de la forêt, se déployait la terre paternelle, calme, sous la descente du soir, avec la silhouette du défricheur, travaillant pour deux et pour trois, s'épongeant le front devant l'amas des souches roulées, pendant qu'au pas de la porte de la maison blanchie, une femme vieillie par les vides du foyer plus que par les labeurs, regardait du côté de la route, par où les enfants étaient partis et par où, sans doute, ils reviendraient. Les gars voyaient passer devant leurs yeux cette scène vivante, douce et prenante bucolique, pendant que, silencieux, l'aviron presque en arrêt, ils poussaient déjà plus mollement leur coquille de bouleau. Tout à coup, autour d'eux, la voix des clochers lointains se mettait à vibrer plus forte, plus nostalgique; là-bas, les ailes du moulin tournaient plus vite, leur faisaient des signes plus pressants. Et les canotiers du fleuve Colbert ou des Arkansas, vaincus par cet appel de la terre et du sang, délivrés du sortilège des aventures, tournaient la proue de leur canot et reprenaient la route du pays*.

Notes

1. Voir *Relations des Jésuites* (Éd. Thwaites), LV: 320-321, un bout de biographie et quelques références. Voir aussi Harrisse. *Notes pour servir à l'histoire, à la bibliographie et à la cartographie de la Nouvelle-France et des pays adjacents, 1545-1700* (Paris, 1872), 354.

2. Mémoire de Denonville, AC, Coll. Moreau de St-Méry, F3, 2-1: 278-291.

3. Chevalier de Baugy, *Journal d'une expédition contre les Iroquois en 1687*, (Paris), 1883, 95; Abbé de Belmont, *Histoire du Canada* (Soc. litt. et hist. de Québec, 1840), 21.

4. AC, C IIA-10: 345-346.

5. P. de Charlevoix, *Histoire et description générale de la Nouvelle-France...* (petite éd., 3 vols., Paris, 1744), III: 83, 91.

6. RAPQ, (1927-1928): 36. Pour plus de renseignements sur Nicolas Perrot, voir en particulier son *Mémoire sur les mœurs, coustumes et Relligion des Sauvages de l'Amérique septentrionale*, publié pour la première fois par le R.P. Tailhan (Leipzig-Paris, 1864). Voir aussi «Nicolas Perrot au Fort Saint-Antoine», par Gérard Malchelosse, *Cahiers des Dix*, (1952): 111-136. Encore, Benjamin Sulte, MSRC (1901), 1ère section: 95, Nicolas Perrot faussement accusé par Margry d'avoir tenté d'assassiner Cavelier de La Salle.

7. M. de Belmont, *Histoire du Canada*, 19.

8. Denonville au ministre, 8 juin 1687. AC, C IIA-9: 31-50.

9. Voir MSRC (1893), section 1ère: 3-33. — Margry, *Mémoires et documents pour servir à l'histoire des origines Françaises des pays d'outre-mer* (6 vol., Paris, 1879-1888). III: 553-544.

10. Mémoire de Denonville, 13 novembre 1685, AC, C IIA-7: 42-87.

11. Champigny au ministre, 16 juillet 1687, AC, C IIA-9: 57-60. — Denonville au ministre, 25 août 1687, *ibid.*, C IIA-9: 83-111. — Mémoire de Denonville, 27 octobre 1683, *ibid.*, C IIA-9: 199-227. — Mémoire du roi à Denonville et Champigny, 30 mars 1687, *ibid.*, Coll. Moreau de St-Méry, F3-6: 397-398.

12. Mémoire de Callière, AC, C IIA-9: 438-468.

13. RAPQ, (1926-1927): 43. — La Barre au ministre, 4 novembre 1683,AC, C IIA, 6-1: 222-253. — Mémoire de Denonville, 13 novembre 1685, AC, C IIA-7: 42-87. — Denonville au ministre, 10 novembre 1686, AC, C IIA-8: 220-266. — Denonville au ministre, 31 octobre 1687, AC, C IIA-10: 163-164.

14. Pour les noms et surnoms des fils Le Moyne, voir *Nova Francia*, mai-juin 1930 et janvier-février 1931: 58-59.

15. Le Jeune, *Dictionnaire historique*. Charles Le Moyne, seigneur de Longueuil, mais surtout: Arch. du Séminaire de Québec, Jacques Viger, *Ma Saberdache* (rouge), lettre M, II: 153-160. — BRH, IV: 90-94.

16. Denonville au ministre, 10 novembre 1686, AC, C IIA-8: 220-226. — Denonville au ministre, 25 août 1687, AC, C IIA-9: 83-111.

17. Denonville au ministre, 25 août 1687, AC, C IIA-9: 83-111.

18. Champigny au ministre, 10 mai 1691, AC, C IIA-11: 453.

19. Il a appris la langue de ces Indiens à quatorze ans, semble-t-il, pendant l'hiver de 1673-1674, alors que son père, pour lors à Katarakoui, l'a envoyé passer la saison dans les cabanes iroquoises. RAPQ, (1926-1927): 43.

20. D'après Jacques Viger, *Ma Saberdache* (rouge), Lettre M, II: 153-160, Maricour signait *Maricour* sans *t*.

21. La Potherie, *Histoire de l'Amérique Septentrionale* (4 vol., Paris, 1753), IV: 154.

22. La Potherie, *id.*, IV: 136, 140.

23. AC., Coll. Moreau de St-Méry, F3, 2-1: 27.

24. Mémoire de Denonville, 13 novembre 1685, AC, C IIA-7: 42-87.

25. Voir Archives de la Province de Québec, *Ordonnances, commissions, etc., des gouverneurs et intendants* — Ordonnance de De Meulles, II: 86-89.

26. En 1716, lorsqu'il est question de la découverte de la mer de l'ouest, Bégon est d'avis qu'il faut «tenter cette découverte avec cinquante Canadiens qui y sont plus propres qu'aucunes nations, etant accoutumés aux fatigues de ces voyages, portés d'inclination à les faire, et habitués à la vie des sauvages» (AC, CE-16: 36-45).

27. Voir E.-Z. Massicotte, BRH, (1942), XLVIII: 235-240.

28. Louvigny s'en allant prendre le commandement des Pays d'en haut (1720) et à qui l'on recommande l'économie, répond: «Car du moins faut il vivre pendant 18 mois de marche

avec du pain, des pois et du lard et parler à seize différentes nations chez lesquelles je serai obligé d'aller...» (AC, C IIA-42: 168-170).

29. Dans un récit du voyage de Frontenac au lac Ontario, en 1673, on lit, dans Margry, I: 205: «On ne scauroit comprendre, sans l'avoir veu, la fatigue de ceux qui traisnoient les bateaux, estant la plupart du temps dans l'eau jusqu'aux aisselles et marchant sur des roches si tranchantes, que plusieurs en eurent les piedz et les jambes tout en sang; mais leur gayeté ne diminuoit point, et ils s'estoient fait un si grand point d'honneur de monter ces bateaux, qu'aussytost qu'ils estoient arrivez au camp, il y en avoit qui se mettoient à sauter, à jouer aux barres et autres jeux de cette nature.»

30. Mémoire de Denonville, AC, C IIA-11: 322-323.

31. Mémoire de Denonville, AC, C IIA-11: 322-324.

 * Pages empruntées à un article de l'auteur, paru dans l'*Action nationale* (janvier 1948).

 * (Extrait de *Chez Nos Ancêtres*, par l'abbé Lionel Groulx, (Montréal, 1933), 90-91).

CHAPITRE DEUXIÈME

Prise de possession du Mississipi
Encore le cas La Salle

Il ne reste plus, avons-nous dit, qu'à parachever l'empire sur divers points. Une expansion était restée en plan: celle du sud-ouest ou du Mississipi. Plus encore qu'au temps de Jolliet, l'urgence se faisait sentir de devancer là le rival anglais. Qui terminerait l'exploration du grand fleuve? Qui y établirait la puissance française selon le rite officiel? Un nom se présente ici qui a longtemps tenu la vedette parmi les explorateurs de l'Amérique du Nord. Gloire surfaite, hélas, entrée pour jamais, semble-t-il dans «l'âge ingrat», à ce point que les historiens se demandent s'il ne faudra pas, un de ces jours prochains, débarrasser l'histoire de cette imposture.

Nous connaissons déjà Cavelier de La Salle. Nous l'avons rencontré lors de l'expédition Casson-Galinée. Qu'est-il devenu depuis lors? Où l'ont conduit ses aventures ou ses courses? Sur quoi s'est fondée tout de même cette gloire considérable quoique frelatée? Il ne saurait être question de diminuer l'homme plus qu'il ne faut. Ce n'est pas sans peine qu'il a pu survivre. En 1837, Michel Chevalier écrivait à son sujet: «Pour que le nom de l'héroïque La Salle ne pérît pas, il a fallu que le Congrès américain lui érigeât un petit monument dans la rotonde du Capitole entre Penn et John Smith[1].» L'homme avait quelques parties des grands conquérants de l'espace. Il disait de soi-même n'avoir «d'autre attrait à la vie qu'il menoit que celui de l'honneur, dont il croyoit ces sortes d'entreprises d'autant plus dignes qu'elles présentoient plus de périls et de peine[2].» Pour tenir son rôle d'explorateur, il paraît avoir possédé un talent fort propre à lui gagner l'esprit des indigènes: l'éloquence. Un de ses contemporains fait de lui, à ce sujet, «le plus grand orateur de l'Amérique septentrionale»[3]. Il aura su manier comme pas un le langage imagé de l'homme des bois. Personne ne lui contestera non plus la ténacité, une ténacité inébranlable. Il est vrai, d'autre part, que La Salle aura été le favori de Frontenac, et peu importent en l'affaire les motifs du gouverneur. Il aura été aussi, en France, le favori du roi et de ses ministres. Nul explorateur, nul officier de la colonie n'aura joui d'une pareille faveur ou protection, «particulière protection», dira Sa Majesté. Le roi ne manquera jamais de réprimander ceux qui se permettront de contrecarrer les agissements du protégé La Salle, ou oseront seulement émettre des critiques ou des doutes sur ses découvertes[4]. Nul officier de la colonie, croyons-nous, n'aura joui non plus d'aussi considérables privilèges. Lorsqu'on le nomme au fort de Frontenac en 1675 et qu'on lui accorde en ce même lieu une vaste seigneurie, on lui décerne le titre de «gouverneur» du fort. À cette même époque, alors que La Salle n'a encore rien découvert, le roi l'anoblit, lui, sa femme, sa postérité et lignée[5]. Plus tard, en 1684, lorsque La Salle aura déménagé au pays des Illinois — cet

Illinois refusé à Jolliet — le roi lui conférera le titre de commandant sur un pays plus vaste qu'un royaume: «depuis le fort saint-Louis sur la rivière des Illinois jusques à la nouvelle Biscaye», avec pouvoir d'y établir des «gouverneurs et commandants particuliers dans les lieux qu'il jugera à propos»[6]. Frontières qui se préciseront, le 14 avril 1684, dans la nouvelle commission octroyée à La Salle. Cette fois, on le nomme commandant de toute la Louisiane, c'est-à-dire du pays qui a pour frontières, à l'ouest, le Rio Grande, qui remonte au nord-ouest jusqu'aux sources du Missouri, est borné à l'est par le Rio Perdido à sa naissance, de là, par les Apalaches en remontant, puis enfin, a pour limites, au sud, le golfe du Mexique et au nord, le Canada: entendons jusqu'au fort Ouiatanon sur l'Ouabache, premier poste canadien.

Honneurs et pouvoirs qui n'empêcheront pas La Salle d'être un perpétuel malchanceux, l'homme de toutes les déveines. Un délégué de la «Ferme et commerce de Canada» lui trouve peu de conduite en ses affaires au fort de Kataracoui, poste qu'il délaisse, lui reproche-t-on, pour des «conquêtes inutiles»[7]. Si l'on fait attention aux engagements qu'il prenait en acceptant l'entretien du fort, il est par trop évident que l'imprudent La Salle s'imposait des charges bien lourdes pour ce qu'il pouvait espérer de bénéfices[8]. Au reste, éternel rêveur, il n'a pas plutôt établi son fort Frontenac qu'il envoie des hommes lui préparer la route aux Illinois et se met en frais d'organiser son commerce sur les lacs. Il sera l'un des premiers armateurs sur les méditerranées canadiennes; mais l'on sait aussi le naufrage de son «Griffon» qui périt sur le Michigan, corps et biens, en septembre 1679. L'infortuné y perd plus de 40,000 livres de marchandises, outils et pelleteries[9]. Aurait-il le don particulier de se faire des ennemis? Constamment l'on voit à ses trousses de faux ou réels créanciers. Ses compagnons d'aventures le désertent[10]. En 1679, l'un de ses hommes menace de le tuer. On accusera un autre d'avoir voulu l'empoisonner[11]. Singuliers pronostics qui annoncent déjà la tragédie du Texas.

Venons-en à ses découvertes. Qu'a-t-il au juste découvert? Il est bien démontré aujourd'hui qu'on a faussement attribué à Cavelier de La Salle la découverte de l'Ohio. Nous en avons fait la démonstration plus haut. Ne citons ici que deux témoignages. Le Père Delanglez l'affirme carrément: ni en 1669-1670, ni en quelque autre temps, La Salle n'a jamais descendu l'Ohio[12]. Henri de Tony, compagnon de La Salle dans la découverte des bouches du Mississipi, se contente d'écrire lorsque l'expédition passa au confluent de l'Ohio: «et trouvasmes à quarante lieues de là, sur la gauche, une rivière appellée par les Iroquois Oyo, laquelle vient de derrière le pays desdits Iroquois, et doit avoir cinq à six cents lieues de cours»[13]. Si La Salle avait véritablement découvert l'Ohio, est-il vraisemblable que Tonty se fût contenté de cette vague désignation du grand affluent?

A-t-il découvert le Mississipi? En toute vérité il ne saurait être question d'une entière découverte du fleuve. En France comme à Québec, on en connaissait l'existence, l'exacte position géographique; on savait même en quelle mer le Mississipi déversait ses eaux. Il restait tout au plus à reprendre l'exploration où l'avaient laissée Jolliet et Marquette et à la mener jusqu'au golfe du Mexique. La Salle n'a découvert le Mississipi qu'en un sens peu flatteur pour lui et qui prouve bien qu'il n'en fut pas le premier découvreur. Après son établissement au fort Frontenac, c'est-à-dire deux ans après le voyage de Jolliet et de Marquette, il croit encore que le fleuve se jette dans la mer Vermeille[14]. En 1680, établi aux Illinois, il ignore tout du cours du Mississipi au-dessus et au-dessous de l'embouchure de la rivière Divine[15]; il ne sait même pas si le fleuve est navigable jusqu'à la mer[16]. Dans un mémoire présenté aux ministres de la marine, où lui ou l'un de ses amis relate des découvertes de 1679 et de 1681, notons ce passage fort significatif: La Salle n'y demande une commission que «pour la descouverte de l'embouchure» du Mississipi[17]. Et voilà bien, en effet, tout ce qu'il a découvert de la grande artère centrale de l'Amérique du Nord: les quelque 700 milles que n'avaient pu parcourir Jolliet et Marquette à la fin de leur voyage. Accordons aussi à La Salle le mérite d'avoir pris possession de la Louisiane: ce qu'avaient omis de faire ses prédécesseurs. La cérémonie eut lieu le 9 avril 1682[18]. Acte officiel qui mettait sous la domination de Louis Le Grand un autre pays immense, en somme tous les territoires depuis les sources du Mississipi, jusqu'à son embouchure dans le golfe du Mexique, et, de là, jusqu'à la rivière des Palmes du côté de l'ouest. La cérémonie s'accomplit avec plantation d'une croix et du poteau rituel, aux armes de France, suivie de la mise en terre d'une plaque de plomb et de salves de mousqueteries, ainsi que du chant du *Vexil la Regis* et du *Domine salvum fac regem* pour ponctuer le geste du découvreur.

Là, peut-on dire, ont pris fin les courses de La Salle à travers l'Amérique du Nord. Lorsqu'en 1684, il reviendra au golfe du Mexique, avec mission apparemment de trouver un bon port aux bouches du Mississipi et d'y établir la Louisiane, a-t-il manqué par maladresse l'entrée du fleuve ou a-t-il passé outre délibérément? La Salle, écrit le baron Marc de Villiers, médiocre astronome, «se trompa de deux degrés quand il releva la latitude des bouches du Mississipi[19].» Erreur où se mêle une histoire fort équivoque. En quelle mesure La Salle s'est-il laissé impliqué dans le plan de l'aventurier espagnol, Don Diego de Penalosa, ancien gouverneur du Nouveau-Mexique, qui aurait comploté une attaque contre la Nouvelle-Espagne; ce qui aurait conduit son associé aux rives du Texas? Ceux qui voudront s'édifier sur cette nouvelle et dernière aventure de La Salle, pourront lire, dans *Some La Salle Journeys* de Jean Delanglez: «Pensacola's Expedition and La Salle», (p. 65-99).

Ainsi, pour nous résumer, Cavelier de La Salle n'aurait jamais découvert l'Ohio; il n'aurait non plus rien découvert dans la chaîne des grands lacs; il y aurait même vu des accidents géographiques qui n'y sont pas; il n'aurait pas découvert l'Illinois ni le haut Mississipi. Tout au plus a-t-il découvert et exploré une minime part du cours inférieur du grand fleuve. Bilan assez pauvre et même tragique pour un homme dont on a voulu faire le «prince des explorateurs». Disons toutefois, à la décharge de La Salle, que lui-même ne s'est jamais attribué ni la découverte de la rivière des Illinois, ni celle du Mississipi[20]. Les responsables de cette histoire surfaite et embrouillée sont Frontenac, le protecteur intéressé de La Salle, un maître intrigant tel que l'abbé Bernou, un «gazettiste» tel que l'abbé Eusèbe Renaudot, et des historiens ou chercheurs passionnés comme Pierre Margry, Gabriel Gravier et P. Chesnel[21]. Si aujourd'hui la véridique histoire oblige à remettre à son rang un prétendu grand homme, à qui la faute, si ce n'est aux maladroits partisans qui ont construit sa statue d'un faux granit?

Triste fin, après une triste vie que celle de l'infortuné La Salle, tué d'un coup de fusil par l'un de ses hommes, dans la brousse du Texas. Comment ne pas rapprocher cette mort de celle du premier et véritable découvreur du Mississipi? Louis Jolliet meurt, autant qu'on peut le savoir, à l'été de 1700. Il aura vécu assez longtemps pour assister à l'établissement de La Salle, de Tonty, de La Forest, aux Illinois découvert par lui et qu'il aurait tant désiré mettre en valeur. A-t-il eu connaissance de la *Description de la Louisiane* et de *la Nouvelle Découverte* du Père Hennepin? C'est dans l'un de ces ouvrages paru en 1683 et dans le second, paru en 1697 que, selon le Récollet, Jolliet n'aurait pas dépassé l'embouchure de la rivière des Illinois, ou, en tout cas, ne serait pas allé au delà des «monstres» entre l'Illinois et le Missouri? La mort tragique de son rival, le vide, l'échec de cette vie d'homme à qui n'avait pourtant pas manqué l'appui des grands, durent apporter quand même quelque peu de mélancolie au glorieux canoteur de 1672. Singulier rapprochement: il meurt, lui aussi, sur une île du Bas Saint-Laurent, on ne sait au juste laquelle. On ne connaît pas davantage le lieu de sa mort, ni celui de son inhumation[22]. Pas une pierre n'aura marqué sa tombe.

(Cours d'histoire inédit)

Notes

1. Cité par Margry, *Mémoires et documents pour servir à l'histoire des origines Françaises des pays d'outre-mer*. Découvertes et établissements des Français dans l'Ouest et dans le Sud de l'Amérique Septentrionale (6 vol., Paris, 1879-1888), I: V.

2. *Ibid.*, I: IV.

3. Margry, *ibid.*, I: 534.

4. Le roi à M. de La Barre, 10 avril 1684, AC, C IIA, 6-1: 400-416; le même, 31 juillet 1684, *Ibid*: 463-466 — Le roi à Denonville, 20 mai 1686, AC, C 11A-8: 71-72 — Le même au même, *Ibid.*, 79-80.

5. Margry, *ibid.*, I: 283-288.

6. Commission pour le Sr de La Salle, AC, Coll. Moreau de St-Méry, F3-6: 185-186.

7. AC, C IIA, 6-1: 351.

8. Margry, *Mémoires et documents... op. cit.*, I: 278-280.

9. Margry, *ibid.*, I: 451.

10. Margry, *ibid.*, I: 579.

11. Margry, *ibid.*, I: 581-584.

12. Jean Delanglez, *Some La Salle's Journey* (Chicago, 1938), 22.

13. Margry, *Mémoires et documents...* I: 596.

14. Chrestien Le Clercq, *Premier établissement de la Foy dans la Nouvelle-France*, contenant la publication de l'Évangile, l'Histoire des Colonies Françoises, et les fameuses découvertes depuis le fleuve de St-Laurent, la Louisiane et le fleuve Colbert jusqu'au golphe Mexique, achevées sous la conduite de feu M. de La Salle. (2 vol., Paris, 1691,) II: 139.

15. Margry, *Mémoires et documents...* I: 477, 479.

16. Margry, *ibid.*, I: 470.

17. Margry, *ibid.*, I: 439.

18. Baron Marc de Villiers, *La découverte du Missouri et l'histoire du Fort d'Orléans* (Paris, 1925), 17, note 1.

19. *La Découverte du Missouri et l'histoire du Fort d'Orléans* (Paris, 1925), 17, note 1.

20. Baron Marc de Villiers, *op. cit.*, 14.

21. Gabriel Gravier, *Découvertes et établissements de Cavelier de La Salle, de Rouen, dans l'Amérique du Nord* (Paris, 1870), V-VIII, 410 p. avec carte. — P. Chesnel, *Histoire de Cavelier de La Salle, Exploration et conquête du bassin du Mississipi* (Paris, 1901), 227 pages.
22. Jean Delanglez, *Louis Jolliet, Vie et Voyages* (Montréal, 1950), 381.

CHAPITRE TROISIÈME

Iberville en Acadie et à Terre-Neuve

Iberville, à dessein, plus haut, pour lui faire une place à part, nous avons passé par-dessus le troisième des frères Le Moyne, le plus étonnant de tous et le plus étonnant des Canadiens de l'ancien régime. En Pierre Le Moyne, sieur d'Iberville, reconnaissons le plus grand des fils de la Nouvelle-France, celui qui peut-être eut du génie: le jeune homme prodige, en tout cas, qui avait comme l'intuition des choses de guerre. Aussi à l'aise sur mer que sur terre, aussi maître de soi, au fond d'un canot d'écorce, sur une paire de raquettes, que sur un pont de frégate, «soldat comme l'épée qu'il porte», disait de lui M. de Comporté[1], en lui il y avait surtout un homme de mer. Il aurait fait son apprentissage de marin, dès l'âge de quatorze ans, sur un petit voilier de son père qui navigue dans le fleuve, à Gaspé, à Percé. Il n'a que vingt-deux ans, en 1683, lorsque La Barre l'envoie à la cour porter ses dépêches. Déjà sa réputation est celle d'un vieux loup de mer, qui a mené en France et ramené de France plusieurs vaisseaux, «jeune homme qui entend fort bien la mer», témoigne La Barre[2]. De nos jours, une maison d'édition de France lui a fait une place dans une série d'ouvrages qui ont pour titre: *La grande légende de la mer*[3]. Pour le louer, l'on évoque quelques-uns des noms les plus fameux des fastes maritimes: on le surnomme le Duguay-Trouin, le Jean-Bart canadien; d'autres, le Nelson américain. On l'a aussi appelé le «Cid canadien»[4]. Du héros chevaleresque, il a le courage impétueux, un peu téméraire, le goût des beaux risques, la passion de la bataille, le don de forcer le succès. Avec une franche fierté, le héros ne se fera pas faute de rappeler, au besoin, pour gagner l'aide de la cour, la série de ses bonnes fortunes: «Si on veut bien se donner la peine de faire attention au succès que j'ai eu dans mes projets, on verra que j'ai réussi à la baie de Deson (sic), à Corlar, dans la prise de Pemquid, de Terre-Neuve et enfin dans la découverte du Mississipi, où mes devanciers avaient échoué[5].» D'une dévorante activité, un peu éparpillée, il ne tient pas en place. Il sera l'homme d'affaires qui rêve à l'exploitation d'une seigneurie de 12 lieues de front sur 10 de profondeur, à Ristigouche, dans la baie des Chaleurs; de 1697 à 1706 il devient le principal actionnaire de l'exploitation de fourrures au fort Bourbon (Nelson); il finance, de ses propres deniers, ses expéditions à la Baie du Nord, sa campagne d'hiver à Terre-Neuve; plus tard il exploitera avec M. Cochon de Maurepas, une plantation de mille cacoyers à Saint-Domingue; il y possède une habitation et une sucrerie, l'une à Haut-du-Cap, l'autre au Grand-Islet; il sera l'homme à large vision qui fonde la Louisiane. Esprit à la fois idéaliste et pratique, il fera mentir la légende qui veut que les héros meurent pauvres. L'éparpillement de son effort ne l'empêche pas de laisser à sa veuve et à ses enfants un héritage princier[6]. Quel champ que celui de ses expéditions!

Baie d'Hudson, Terre-neuve, Acadie, courses par terre vers la baie James, vers Corlar, courses dans la mer antillaise, dans le golfe mexicain, dans le delta mississipien, projets de conquête, du côté de Boston, de New York, de la Virginie, des Carolines, de la Floride. Homme au-dessus apparemment de toute fatigue et fait de l'on ne sait quel métal. Cependant ce fougueux allie à sa fougue une rare placidité d'esprit, un jugement, une prévoyance qui n'abandonnent rien au hasard. «Très sage garçon entreprenant et qui scait ce qu'il fait...»[7] pense Denonville qui juge bien les hommes. Lui-même, Iberville, a écrit, un jour, à la veille de l'une de ses entreprises les plus audacieuses: «Rien ne semble difficile à un homme dénué d'expérience. Mais un homme qui se fait un point d'honneur d'executer ce qu'il a conçu, se réserve d'adopter les meilleures mesures pour réussir.»

Nous étonnerons-nous que ce Le Moyne ait séduit ses contemporains? «Gentilhomme d'un très grand mérite et d'une conduite admirable», disait encore M. de Comporté[8]. Comme à tous ceux de sa famille, il ne lui manque même pas la beauté physique, s'il faut en croire M. Denonville: «C'est un très joly homme»[9]. Il est dommage que tous les portraits que nous possédons de lui soient d'une authenticité douteuse. L'un d'entre eux nous montre une belle tête, trop belle ou trop molle en vérité, mais qui s'attache à un buste qu'on sent virilement campé, dégagé, où se devine la sveltesse sportive de tout le corps. Tout aussi peu authentique ce portrait déniché par Aegidius Fauteux dans une maison d'enseignement de Montréal et qui proviendrait de la collection des Papiers Baby. Le héros succombera à un accès de fièvre jaune, le 9 juillet 1706, dans la rade de la

Havane. Son lit funèbre sera, comme il convient à ce marin, son vaisseau, *Le Juste*. Il meurt à l'heure où il médite la destruction de la flotte de Virginie. Il n'a pas encore quarante-cinq ans.

* *

*

Vers les années 1690-1695 une marche de l'empire et non la moindre est en grand danger: celle des bords de l'Atlantique. Et c'est l'un des sujets affligeants de l'histoire des colonies françaises d'Amérique, que cette marche d'Acadie et de Terre-Neuve, d'une valeur stratégique hors pair, la France ait tant paru s'en désintéresser. Nul prétexte ne pouvait excuser l'ignorance. Depuis le long mémoire de l'intendant de Meulles, la Cour connaît à tout le moins la richesse des pêches acadiennes. «Cette pêche est un Pérou», répétait de Meulles en 1683. «Toutes les côtes sont si poissonneuses», disait encore un rapport anonyme de 1690, qu'il serait à souhaiter qu'il n'y eût que les servants du Roy à y pescher.»[10] Colbert a encouragé, sous l'autorité du marquis de Chevry, la fondation d'une «compagnie de pêche sédentaire sur les côtes de l'Acadie et à la rivière Saint-Jean». Les Anglo-Américains, la Cour en est bien instruite, ont volé son monopole à la compagnie française. En dépit des avertissements réitérés de Frontenac, à Boston, rien qu'en 1686, plus de 800 bâtiments anglais viennent pêcher sur les côtes d'Acadie. Haliburton assure que les puritains de la Nouvelle-Angleterre vont alors cueillir sur ces côtes, de 80,000 à 100,000 quintaux de poissons. Leurs comptoirs sont devenus si puissants et attirants que colons et sauvages d'Acadie y portent leur pêche plutôt qu'à ceux de la compagnie de Chevry[11].

La cour de France peut-elle aussi bien se cacher l'importance stratégique de la vieille colonie de MM. de Monts et Poutrincourt? On ne peut perdre la Baie d'Hudson sans perdre d'importants comptoirs de commerce, l'un des piliers, à vrai dire, de la structure économique de la colonie. On ne peut perdre l'Acadie sans risquer de perdre tout le Canada. Qui ne sait alors que la conquête du pays abénaquis, tout comme celle des établissements français de la rivière Sainte-Croix et de la rivière Saint-Jean, ouvriraient aux Anglo-Américains une autre route vers Québec[12]? Un simple regard jeté sur une carte de la Nouvelle-France en avertit: cette guerre pour la possession de l'Acadie et de Terre-Neuve, peut s'appeler proprement la guerre des portes. Comment, en effet, garder accès au Saint-Laurent, si l'on en cède à l'ennemi les quelques voies d'entrée? La cour, dûment et fréquemment mise en garde, sait fort bien, du reste, que l'ambitieux voisin n'en est plus à convoiter ces seules portes de l'Atlantique. «Si la France un jour avait une guerre avec l'Angleterre, écrivait de Meulles en 1686, la colonie du Canada étant renfermée dans les terres, il n'y aurait rien de si aisé aux Anglais de ce continent que de se rendre maîtres du fleuve Saint-Laurent et en deux ou trois ans de faire périr facilement l'ouvrage de tant d'années[13].»

L'Acadie n'a pas été plus heureuse que la Nouvelle-France. Plus proche qu'elle des colonies anglaises et, par conséquent plus menacée, elle a été, comme l'autre, laissée à soi-même pour son peuplement et développement. En 1689, après 85 ans d'existence, sa population blanche n'atteint pas le millier d'âmes. Pour faire face aux 200,000 habitants des colonies anglaises, dont 75,000 en Nouvelle-Angleterre, et capables d'armer, outre leur flotte, une milice de 10,000 combattants[14], la force militaire de la petite colonie se réduit à 150 hommes de troupes régulières. Et quelle dispersion que celle de ces huit cents et quelques habitants! Ils s'éparpillent sur des rives qui vont de la Hève, en passant par Cap du Sable, Port-Royal, les Mines, Beaubassin, jusqu'à la rivière Saint-Jean et jusqu'à Pentagouët. On trouve même des îlots de colons au nord de la péninsule et dans le golfe Saint-Laurent, à Chedaboucctou, Nipisiguit, Miramichi, l'Île-Percée. Chose étrange — pour le dire en passant — alors que Terre-Neuve est en train de passer aux Anglais, nul établissement ne s'est encore accroché à la partie septentrionale ou orientale du Cap-Breton. Par cette île, Talon l'a pourtant dit avec force, l'on tiendrait l'un des battants de la grande porte océanique. L'un de ses ports, le futur Louisbourg, est libre de glace en tout temps. La Potherie, qui passe en ces parages, en 1697, vante le Cap-Breton pour sa «terre admirable», l'abondance de ses pêches, de son gibier. «L'on y feroit une seconde Normandie si l'on vouloit y planter des Pepins de Pommes...», écrivait encore La Potherie[15]. L'on s'avisera un peu tard de s'y établir. Autre sujet d'inquiétude: en dépit de ses admirables conquêtes terriennes, quoi de plus précaire que le sort de la petite population acadienne! Elle ne s'agrandit et ne prospère que par à-coups, entre les visites périodiques des pirates voisins. Pas plus reliée à Québec qu'elle ne l'était au départ de Talon, mal fournie de marchandises et par sa compagnie de pêche et par les vaisseaux de France, elle a fini par tomber dans l'orbite économique de Boston et de Manhatte[16].

Au lendemain de 1690 son état n'a guère changé. Villebon[17], successeur de Menneval, n'ayant pu tenir à Port-Royal, s'en est allé construire le fort de Saint-Joseph, à Naxouat, sur la rivière Saint-Jean, où il établit ses quartiers. Plus bas, sur la rivière, un petit groupe de colons végètent, en butte aux incursions anglaises. De France, ne viennent toujours que des secours dérisoires: quelques poignées de soldats, ou encore, en 1695, la somme effarante de 16,595 livres pour toutes les dépenses ordinaires de l'Acadie[18]. Et l'on garde la mauvaise habitude d'envoyer ces secours en droiture, par un vaisseau isolé qui a toutes les chances de tomber aux mains des pirates américains. En 1692, Frontenac et Champigny, dans leur correspondance avec Pontchartrain, ont déjà laissé tomber cette réflexion désabusée: «Quelque précaution que l'on puisse prendre pour la conservation de l'Acadie, et pour les secours des habitants français du même lieu, on ne saurait y réussir avec le peu de forces qu'il y a, quand les Anglais y en voudront mener de considérables comme il leur est aisé[19].» Autant dire qu'empêcher les Anglais de s'établir en Acadie équivaut à néant si l'on n'établit l'Acadie. Au vrai, pour tenir tête sur mer, aux forces ennemies en ces parages, le roi s'en remet à deux ou trois flibustiers, dont le capitaine Baptiste[20], et à Simon-Pierre Denys, sieur de Bonaventure, et à un sieur Guyon. Sur terre, pour opérer une diversion, on fera appel, comme dans le passé, aux tribus abénaquises. À partir de 1691, l'on peut dire que la collaboration militaire des Abénaquis devient une pièce de la politique officielle. Le roi dépêche en Acadie, Villebon, Portneuf, quatre ou cinq officiers réformés du Canada, une troupe de 40 Canadiens, avec aumônier et chirurgien, pour seconder d'autres Indiens, les Cannibats, et se mettre à leur tête. Sa Majesté fait un fonds spécial pour l'entretien de cette troupe[21]. On fournira des vivres aux Indiens, des munitions; on les comblera de présents pour entretenir leur humeur belliqueuse. Et les braves Abénaquis, conduits par Saint-Castin, aidés parfois de Villebon et de quelques Canadiens, guerroyent de leur mieux, promènent, à travers la Nouvelle-Angleterre, une indicible terreur[22]. Le ravitaillement qu'on leur fournit n'est pas tel néanmoins que, seuls trop souvent en face des Anglo-Américains, ils ne soient tentés d'y aller chercher des vivres et parfois même de signer avec eux des trêves suspectes[23].

En 1692 et en 1693, alors qu'il est empêché d'aller à la baie d'Hudson, Iberville est venu croiser avec le capitaine de frégate Bonaventure, le long des côtes d'Acadie. Il semble, en effet, que cet homme de guerre ait eu pour rôle d'user sa vaillance à redresser des situations aux trois-quarts perdues. Au cours de ces croisières, manque-t-il d'un pilot côtier? comme l'affirme Charlevoix; se refuse-t-il à des risques inutiles? Iberville fait peu de zèle, si peu qu'auprès du ministre, Frontenac l'accuse sévèrement d'inaction. Au vrai, deux vaisseaux de guerre français, après avoir croisé à Terre-Neuve, devaient se joindre à lui. Ces vaisseaux lui manquèrent[24]. On retrouve Iberville, dans les mêmes parages, à l'été de 1696. Une place forte a été relevée, au bord de la mer, par les Anglais, au prix de 20,000 sterlings: Pemquid. Situé près de l'embouchure de la rivière Kénébec, c'est-à-dire sur les confins du pays des Abénaquis, ce solide fort, de haute muraille de pierre, flanqué de quatre tours, armé de 18 canons, inquiète et humilie grandement les alliés indiens. Iberville a l'ordre de le détruire. Il y prélude par un engagement naval. Le

14 juillet, à cinq lieues de la rivière Saint-Jean, il mouille dans la brume, avec ses deux vaisseaux, l'*Envieux* qu'il commande lui-même, le *Profond*, confié à Bonaventure. Au milieu d'une éclaircie, trois vaisseaux anglais paraissent, à une lieue environ, qui donnent aussitôt contre les vaisseaux français. C'était le *Sorling* de 36 canons, le *New Port* de 24, et un brigantin, tous trois venus là pour intercepter le vaisseau de ravitaillement destiné à Naxouat. Iberville ne répugne pas aux ruses. Il donne ordre au *Profond* de se mettre à la suite de l'*Envieux*, en façon de prise, et sous pavillon anglais, puis de n'ouvrir ses sabords qu'à portée de l'ennemi. Ainsi fait. Le *New Port* essuie la volée du *Profond*, puis deux autres de l'*Envieux*. Démâté, le *New Port* tente de fuir, mais Iberville le force à se rendre. Le *Sorling* après trois volées de l'*Envieux*, s'est enfui à toutes voiles. Dans une course excitante, Iberville finit par l'approcher à portée de canon. La nuit, une brume épaisse lui dérobent sa proie[25].

L'*Envieux*, le *Profond*, le *New Port*, ce dernier radoubé et confié à M. de Lauzon, se mettent en route vers Pemquid. Sébastien Villieu s'est joint à l'expédition avec vingt hommes de sa compagnie; de Montigny l'accompagne. Iberville a déjà pris à son bord 24 sauvages du Cap-Breton; il a donné ordre à ceux de la région d'aller l'attendre à Pentagouët[26]. Le 7 août, ils s'y trouvent au nombre de plus de 250, Saint-Castin à leur tête. Le 14 on mouille dans la rade de Pemquid. Saint-Castin a déjà pris les devants avec ses sauvages et Villieu; leur projet est de s'emparer des postes environnants et d'empêcher l'alerte d'atteindre Boston. Sommé de rendre son fort, le gouverneur Chubb répond «en brave homme», nous dit Iberville. Le lendemain, aux premières bombes lancées par des batteries de terre, le «brave homme» s'effondre. Quatre-vingt-douze hommes, cinq femmes, cinq enfants passent sur les vaisseaux français pour échapper à la vengeance des Indiens. Le fort est démoli «à ras de fondement»[27].

* *
*

Iberville peut maintenant mettre à la voile pour Terre-Neuve. Le 3 septembre, après escale à l'île des Monts-Déserts, ses trois vaisseaux prennent la mer. Or voici bien qui montre encore avec quelle inégalité de forces la France défend son empire colonial: huit navires ennemis sont là qui guettent Iberville pour lui donner la chasse. Le marin leur échappe par une habile manœuvre: à la faveur de la nuit il fait voile arrière et revient à son point de départ. Le lendemain il peut prendre le large. Le 12 il est dans la rade de Plaisance. Terre-neuve, autre point de l'Amérique où s'affiche avec grande pitié le délabrement des colonies françaises. Situé sur la côte méridionale de la grande île océanique, avec son port incomparable, «l'un des plus beaux qui se puissent voir, dira La Potherie, où peuvent mouiller à l'aise, à l'abri de tous vents, plus de cent cinquante vaisseaux de guerres»[28], Plaisance reste, à vrai dire, le seul point de la région où flotte encore le drapeau de la France. La Baie Verte, l'Île Saint-Pierre, d'autres pied-à-terre, ne sont que de vulgaires cabanages. Ce qui n'empêche point Plaisance de rester une colonie indigente, indignement exploitée par les marchands-pêcheurs qui y passent, en butte depuis quelques années, aux attaques presque annuelles des Anglais. En 1693 pas moins de 19 vaisseaux rangés en bataille sont venus forcer l'entrée du port. Plaisance qu'on pourrait rendre facilement imprenable, mais que défend une ridicule garnison de dix-huit soldats, et, en cas de besoin, une troupe auxiliaire de quatre-vingts habitants occupés à la pêche, ne doit sa sécurité relative qu'à la difficulté de franchir son goulet[29]. Cependant, avec leur méthode persévérante, les Anglais ont poursuivi leur conquête de la côte orientale de Terre-Neuve. Depuis le Cap Forillon jusqu'à celui de Bonneviste, ils ont déroulé la chaîne presque ininterrompue de leurs postes, s'accrochant à tout le littoral des grandes baies de la conception et de la Trinité, fortement installés en des lieux comme Saint-Jean, Hâvre-de-Grâce, Carbonnière. En tout 38 établissements et une population de près de 2,000 âmes[30].

En face d'un pareil envahissement, l'insouciance de Versailles a quelque chose d'inexplicable et de presque douloureux. Abandonner Terre-Neuve, c'est presque abandonner au rival le commerce des morues, tenu alors pour le plus productif du monde: un commerce de dix-sept millions par année, au rapport des Anglais. Du même coup, c'est mettre en danger Plaisance, le seul port de relâche, aux bords de l'Atlantique, pour les vaisseaux de France, du Canada ou des îles; c'est même risquer de se voir interdire, un jour prochain, la grande porte d'entrée et de sortie aux abords du Golfe. Installés là, dira bientôt le traître La Hontan, les corsaires anglais pourraient fermer aux vaisseaux de France, l'entrée du golfe Saint-Laurent. «Mais peu de gens, a écrit avec sévérité Charlevoix, connoissoient alors de quelle importance il etoit de nous... assurer la possession entière» de Terre-Neuve[31].

Pourtant non. Un homme s'occupe de renseigner la cour sur l'importance de ce poste stratégique et de ce commerce lucratif. Et cet homme, c'est, après Talon, Frontenac, et peut-être même avant Frontenac, Pierre Le Moyne d'Iberville[32]. En 1691 Iberville entretient le gouverneur Frontenac de l'état de Terre-Neuve; il s'offre à la reconquérir sur les Anglais[33]. Il fait si bien qu'il gagne la cour à son projet. D'autant qu'il va se charger de faire à ses dépens la conquête par terre de l'Île, tout comme il se chargera de tous les frais de son expédition à la Baie d'Hudson[34]. Voici, en effet, le plan que lui tracent, en 1696, et sa commission et les instructions expédiées à M. de Brouillan, gouverneur de Terre-Neuve. Brouillan et Iberville se concerteront pour une attaque simultanée des postes anglais par mer et par terre. L'attaque par mer sera conduite par de Brouillan aidé de Bonaventure et de huit vaisseaux de Saint-Malo frétés à cette fin. L'attaque par terre sera confiée à Iberville qui s'en acquittera avec une troupe de sauvages d'Acadie et de Canadiens, ces derniers recrutés avec autorisation du roi, à Québec et à Montréal. Les opérations commenceront aussitôt le retour du Sieur d'Iberville du siège de Pemquid. Pendant l'hiver, il achèvera seul la conquête des postes encore à prendre. L'ordre de la cour est de détruire de fond en comble les établissements anglais de Terre-Neuve, de ne rien laisser subsister ni des forts ni des batteries, de déporter en France, puis en Angleterre, tous les habitants, prenant garde néanmoins de traiter les prisonniers «avec toute la douceur et l'humanité possible»[35]. Une disposition quelque peu maladroite, en ce plan, pouvait tout faire échouer: l'indépendance des deux chefs quant à leur partie d'exécutants. Iberville servira, sans doute, sous les ordres du gouverneur de Plaisance; mais les deux hommes, entend le roi, se concerteront sur tous points et Brouillan laissera à son associé «la disposition entière de l'entreprise par terre». Et comme le Sieur d'Iberville, ajoute le roi, «est un officier de capacité et qui a beaucoup d'expérience de ces sortes d'entreprises, Sa Majesté désire que ledit Sieur du Brouillan ayt pour lui tous les égards et toute la considération possible...» C'était beaucoup demander à ce M. de Brouillan[36] qui, sans mauvais calembour, est bien près d'être un brouillon, brave soldat, mais, au demeurant, un cupide et vaniteux jaloux, et quoique ancien capitaine au Canada, plein de la morgue métropolitaine. En bref, François de Brouillan croit avoir raison de s'offusquer de la collaboration qu'on lui impose de cet officier colonial, venu de si loin, quand Monsieur le gouverneur de Plaisance se croit de taille à se tirer d'affaire tout seul.

Les brouilles ne manquent pas d'éclater. Iberville devait se trouver à Plaisance à la fin d'août. Trop longtemps retenu à Pemquid pour un échange de prisonniers avec Boston, lui et Bonaventure n'arrivent, avons-nous dit, que le 12 septembre. Brouillan est parti seul, avec les vaisseaux malouins, pour tenter la prise de Saint-Jean. Iberville ne reçoit que le 10 octobre les vivres et la troupe de Canadiens que le *Wesph* est allé lui chercher à Québec. Sur ce, Brouillan revient d'assez mauvaise humeur de Saint-Jean où il a raté son coup, aussi mécontent au surplus des Malouins que les Malouins le sont de lui-même. Un premier éclat s'ensuit entre le gouverneur et l'officier canadien. Iberville qui a profité du retard du *Wesph* pour se renseigner, juge imprudent de retourner à Saint-Jean, mis en alerte. Il voudrait commencer par un poste du Nord, Carbonnière, facile à surprendre, puis, de là, par terre, se rabattre sur Saint-Jean. Brouillan, pour une raison que l'on devine, s'entête à commencer par le poste où il a échoué, et pis que tout, refuse de remettre à Iberville son régiment de Canadiens, menace même de casser la tête au premier qui refusera de suivre le gouverneur. Iberville menace de repasser en France; les Canadiens protestent qu'ils fuiront dans les bois plutôt que de suivre M. de Brouillan. Les choses, par bonheur, finissent par s'arranger. Brouillan fait savoir qu'il ne prétend rien au pillage de Saint-Jean, et que, le poste pris, il se retirera de l'expédition. Iberville, chevaleresque, aussi accommodant que bouillant, accepte de commencer par Saint-Jean. Le 1er novembre, il part avec ses hommes à travers bois. Brouillan s'embarque sur le *Profond*, pour Rognouse où les deux troupes doivent opérer leur jonction. Après quelques aventures et d'autres brouilles non moins orageuses, le 28 novembre, les deux chefs arrivent par les terres, à travers d'épaisses neiges, à Saint-Jean. Les Canadiens marchent à l'avant-garde, avec leurs chefs, battant la route. «Si cela continue, écrit l'abbé Jean Beaudoin, MM. les Plaisantins n'auront pas grande part à cette guerre, n'estant propres qu'à marcher sur la piste des autres.» À trois quarts de lieue, une assez chaude affaire se présente: un avant-poste est là, caché derrière des rochers. Dans un élan irrésistible, on le culbute. L'ennemi perd cinquante-cinq hommes. Saint-Jean, situé en face d'un très beau havre, est défendu par trois forts, sans compter la batterie installée à l'entrée du port, goulet dominé par de hautes montagnes et large au plus d'une portée de fusil. «Mais que peuvent ces obstacles contre des hommes qui se sentent invincibles, telle la dixième légion romaine, quand ils ont un César à leur tête»[37]? Iberville, qui est entré dans la place sur les talons de l'ennemi, s'empare des deux premiers forts que leurs garnisons viennent, du reste, d'abandonner. Le troisième, le plus puissant, et qu'on eût cru dur à prendre, se rend deux jours plus tard, devant une simple menace de siège. Brouillan signe la capitulation sans la présenter à Iberville, puis, après une autre brouille violente avec son associé sur le partage des dépouilles, repart pour Plaisance.

L'officier canadien est maintenant libre de mener sa conquête, selon qu'il l'entend. Alors commence, pour la petite troupe de Pierre Le Moyne, tout le long de la côte de Terre-Neuve, cette campagne d'hiver qui est bien la plus extraordinaire randonnée jamais courue par les milices coloniales de la Nouvelle-France. Le chef n'a avec lui que 120 hommes au plus, 83 venus de Québec par le *Wesph*, dont 50 soldats, 30 Canadiens[38], quelques gentilshommes d'Acadie et de Nouvelle-France: les sieurs de La Perrière, de Montigny, de Bois-Briant, de La Pérade, les deux frères Damours, le sieur de Plaine, le sieur de Chauffours, Bienville, frère d'Iberville, jeune homme de seize ans: une poignée de troupiers, mais pour qui le chef est l'idole, «dixième Légion, dira Charlevoix, qui ne combattoit que sous la conduite de César, & à la tête de laquelle César était invincible»[39]. Un prêtre accompagne la légion à titre d'aumônier, un ancien mousquetaire dans les gardes du roi devenu sulpicien, et naguère missionnaire en Acadie, l'abbé Jean Beaudoin qui se fera l'historiographe de l'expédition[40]. Pendant deux mois, bagage sur le dos, raquettes aux pieds, fusil sur l'épaule ou au poing, souvent aveuglés par les bordées de neige, cette poignée d'hommes venus des lointains bords du

Saint-Laurent ou de l'Acadie continentale, courra les bois de Terre-Neuve, fouillera toutes les sinuosités de la rivière, le fond des baies, capturant, l'un après l'autre, les postes anglais. Marches et contre-marches de plus de deux cents lieues, en des chemins, comme «le Canada n'a rien de semblable», nous dit-on; pays de bois épais, pays mouillé, couvert de mousse de savane où l'on enfonce jusqu'à mi-jambe; pays de neige, pays de verglas, d'où l'on n'arrache qu'avec peine pieds et raquettes. Parmi les arbres morts, entrecroisés comme des trappes, l'on trébuche, sans pouvoir «s'empescher de rire»; pays de rivières et de torrents glacés qu'on traverse de l'eau jusqu'à la ceinture, y laissant parfois son épée, son fusil, pour n'y pas laisser sa vie. Quelques-unes de ces marches durent huit jours, neuf jours, sans arrêt. Les Canadiens marchent et se battent avec un héroïsme froid, aimant mieux mourir que de s'arrêter où que ce soit, sachant, comme l'écrit leur aumônier, qu'«il vault mieux être tué sur le champ que blessé, vu l'éloignement de tous secours... dans des pays aussi méchans et impraticables comme le sont ceux de cette isle». Au vrai, sauf en deux ou trois endroits, ils éprouvent peu de résistance parmi les envahis, tellement leur audace inspire de terreur. «L'épou-vante, note encore l'aumônier, est terrible parmy les ennemis qui regardent quasi comme des diables les Canadiens qui font des cents lieues pour les venir attaquer sur les neiges à eux impraticables». D'ordi-naire, les choses marchent si rondement que les en-vahisseurs pourraient se prendre pour des sorciers. Un signe fait aux postes suffit, semble-t-il, pour qu'ils se rendent. Une fois les places principales capturées, Iberville dépêche l'un ou l'autre de ses lieutenants, Montigny, Bois-Briant, La Perrière, La

Pérade, les Damours, prendre les postes des environs. Lui-même y va de son côté. Ces officiers partent avec dix, quinze, vingt, cinquante hommes, et reviennent avec trente, quarante, quatre-vingts prisonniers qu'ils ont désarmés. «Il n'est pas naturel, observe La Potherie, que cent hommes dûssent triompher de mille.» Voilà pourtant ce qui est arrivé. À la fin de l'hiver, à la faveur de coups de main, de courses endiablées par les bois et même de courses en barques sur mer, la petite troupe d'Iberville aura saccagé, brûlé sans pitié tous les établissements anglais, depuis Baie-Verte à l'extrémité nord de la Baie de la Trinité, jusqu'à Baie-Boulle, au sud de Saint-Jean. On n'y est pas allé de main morte. La petite légion aura tué, en divers combats, plus de deux cents hommes, aura fait 700 prisonniers, n'ayant eu elle-même, au rapport de l'abbé Beaudoin, que deux blessés. Deux postes au plus restent à prendre: l'Île Carbonnière, au nord de la Baie de la Conception, île escarpée, imprenable l'hiver, et Bonneviste, qu'Iberville s'est réservée d'aller prendre par mer au printemps[41].

Que resterait-il de l'étonnante expédition? Un souvenir à peine, comme si cette merveilleuse histoire eût été écrite sur l'océan. À quoi servait de reprendre aux Anglais tant de places et de territoires si l'on n'avait ni les moyens ni la volonté de les garder? En Acadie, à peine Iberville a-t-il fait voile au large des Monts-Déserts que l'ennemi auquel il vient d'échapper, s'empare de Villebon et va saccager Beaubassin. La conquête de Terre-Neuve ne tourne guère mieux. On ne sait où mettre tant de prisonniers, ramassés le long de la côte. Iberville les dirige par détachements à Plaisance d'où les vaisseaux les devaient transporter en France. Quelques-uns s'échappent en route; à Plaisance on les garde mal. Point de prisons pour les mettre; un bon nombre parviennent à s'enfuir à travers bois[42]. En somme, autre dépense d'héroïsme en pure perte. Après la vaine tentative du marquis de Nesmond, viendra le traité de Ryswick, cette première ébauche du déplorable traité d'Utrecht. De ce jour, on peut dire que la France avait perdu en Amérique, ce que l'on pourrait appeler une guerre capitale: la guerre des portes.

(Cours public d'histoire
du Canada à l'Université
de Montréal — Inédit.)

Notes

1. M. de Comporté à M. de Villemont, 30 octobre, 1687, J.-Ed. Roy, *Rapport sur les Archives de France relatives à l'Histoire du Canada* (Ottawa, 1911), 753.
2. La Barre au ministre, 4 novembre 1683, AC, C IIA, 6-1: 222-253.
3. Charles de La Roncière, *La grande légende de la mer — Une épopée canadienne* (Paris, 1930).
4. *Ibid.*, 78, 187.
5. Charles de La Roncière, *La grande légende de la mer: une épopée canadienne* (Paris, 1930), 177.
6. BRH (mars 1941): 90. Le Jeune, *Le Chevalier Pierre Le Moyne, sieur d'Iberville* (Ottawa, 1937), 249-252. À consulter surtout, Guy Frégault, *Iberville le Conquérant* (Montréal, 1944), 418 pages.
7. Denonville au ministre, 31 octobre 1687, AC, C IIA-10: 163-164.
8. Charles de La Roncière, *La légende de la mer: une épopée canadienne*, 175. — J.-Ed. Roy, *Les Archives de France*, 753.
9. AC, C IIA-10; 340.
10. Cité par Émile Lauvrière, *La tragédie d'un peuple* (2 vol., Paris, 1923), I: 132.
11. *Ibid.*, I: 131-140.
12. Le ministre à Frontenac, 28 mars 1696, RAPQ, (1928-1929): 296.
13. Émile Lauvrière, *La tragédie d'un peuple*, I: 140.
14. *Ibid.*, I: 143, 174.
15. La Potherie, *Histoire de l'Amérique septentrionale* (4 vol., Paris, 1753), I: 19-21.
16. RAPQ, (1927-1928): 176, 195, 188.
17. Robineau de Villebon, fils du baron de Portneuf, seigneur de Bécancour et de Marie-Anne Lebeuf de La Potherie.
18. Lauvrière, *La tragédie d'un peuple*, I: 136. — Pierre Daviault, *Le Baron de Saint-Castin, chef Abénaquis* (Montréal, 1939), 92-94. RAPQ, (1927-1928): 130, 175, 181.
19. RAPQ, (1927-1928): 107.
20. Voir sur ce personnage, Index du BRH, «Baptiste, le flibustier». — Pierre Daviault, *Le Baron de Saint-Castin, op. cit.*,

97. — RAPQ, (1927-1928): 156, 181, 188, 190. — Abbé Gosselin, *Journal d'une expédition de d'Iberville* (Evreux, 1900), 32-33.

21. RAPQ, (1927-1928): 55, 69, 83. Pour ce qui est des Indiens de cette région, consulter Pierre Daviault, *Baron de Saint-Castin, chef Abénaquis*. — Kingsford, *History of Canada* (10 vols, London, 1887-1898) III: 72, note.

22. Pierre Daviault, *Le Baron de Saint-Castin*, 95-119. — Relation de Champigny (novembre 1691 à octobre 1692), AC, C IIA, 21-1: 152-165. — Relation de ce qui s'est passé en Canada au sujet de la guerre contre les Anglois et Iroquois depuis le mois de novembre 1692, AC, Coll. Moreau de St-Méry, F3, 7-1: 85-101. — RAPQ, (1927-1928): 113-115, 130, 145.

23. RAPQ, (1927-1928): 181, 185, 188. — Relation de Champigny, novembre 1693 au 26 octobre 1694, AC, Coll. Moreau de St-Méry, F3, 7-2: 732-747. — Relation de ce qui s'est passé en Canada de novembre 1695 à novembre 1696 (Champigny), AC, *id.*, F3, 7-2: 870-885. — Relation de ce qui s'est passé en Canada (novembre 1696 à octobre 1697), *Ibid.*, F3-8.

24. RAPQ, (1927-1928): 131, 155.

25. Lettre d'Iberville à Pontchartrain, Gosselin, *Journal d'une expédition de d'Iberville* (Evreux, 1900), 72-73. Voir aussi *ibid.*, 31-33. — RAPQ, (1928-1929): 320. — Relation de ce qui s'est passé au sujet de la guerre, depuis le départ des vaisseaux en 1695 jusqu'au mois de novembre 1696, Champigny, AC, Coll. Moreau de St-Méry, F3, 7-2: 870-885. — Champigny au ministre, 18 août 1696, AC, C IIA-14: 279-285. — Relation de Callières, 1696, AC, Coll. Moreau de St-Méry, F3, 7-2: 886-914.

26. Aujourd'hui Penobscott.

27. Voir lettre d'Iberville à Pontchartrain, 24 septembre 1696, Gosselin, *Journal d'une expéditin de d'Iberville* (Evreux, 1900), 61-81. Voir aussi *ibid.*, 34-37. — Relation de Champigny, AC, Coll. Moreau de St-Méry, F3, 7-2: 870-885.

28. La Potherie, *Histoire de l'Amérique septentrionale*, I: 15.

29. Collection Oakes, *Nouveaux documents de La Hontan sur Terre-Neuve*, publiés par Gustave Lanctot (Arch. du Canada, Ottawa, 1940), 54, 56, 58. — Robert Le Blant, *Un colonial sous Louis XIV, Philippe de Pastour de Costebelle* (Paris, 1935), 79-86.

30. Abbé Auguste Gosselin, *Journal d'une expédition de d'Iberville* (Evreux, 1900), 68-69.

31. *Nouveaux documents de la Hontan sur le Canada et Terre-Neuve*, publiés par Gustave Lanctot (Collection Oakes, AC., Ottawa, 1940), 56, 58. — Abbé A. Gosselin, *Journal d'une expédition de d'Iberville*, 67. — Charlevoix, *Histoire et description générale de la Nouvelle-France* (petite éd. 4 vol., Paris, 1744), III: 272-273, 290-291.

32. La colonie océanique garde encore avec la Nouvelle-France quelques relations. Selon la lettre de leur commission, elle entre au moins nominalement dans la juridiction des gouverneurs et des intendants de Québec. Versailles tient Québec au courant de ce qui se passe à Plaisance. Quelques échanges ont lieu entre les deux colonies. RAPQ, (1928-1929): 297-298.

33. Le Jeune, *Le Chevalier Pierre Le Moyne, sieur d'Iberville*(Ottawa, 1937), 62.

34. RAPQ, (1928-1929): 297-298.

35. Mémoire pour servir d'instruction au Sieur du Brouillan... 4 avril 1696, AC, Collection Moreau de St-Méry, F3, 7-2: 857-861. Voir aussi AC, C IIA-14: 419-425. — RAPQ, (1928-1929): 297-298.

36. Voir sur Brouillan, Robert Le Blant, *Un colonial sous Louis XIV, Philippe de Pastour de Costebelle* (Paris, 1935), 70-71, 74, 78, 115, 221.

37. Charles de La Roncière, *Histoire de la marine française* (6 vol., Paris, 1932), VI: 273, qui cite d'ailleurs Charlevoix.

38. Iberville avait confié le recrutement de ses hommes à d'Auteuil à Québec et à son frère Maricour à Montréal. Il n'en demandait que 80; 300 s'étaient offerts. RAPQ, (1928-1929): 297. — Abbé Aug. Gosselin, *Journal d'une expédition de d'Iberville*, 83.

39. *Histoire et description générale de la Nouvelle-France*, (petite éd.) III: 278.

40. Voir abbé Auguste Gosselin, *Les Normands au Canada — Journal d'une expédition de d'Iberville* (Evreux, 1900), 25-30, notes biographiques sur l'abbé Jean Beaudoin — Voir aussi: l'abbé Henri Gauthier, *La Compagnie de Saint-Sulpice au Canada* (Montréal, 1922), 25; et du même auteur, *Sulpitiana* (Montréal, 1925), 167.

41. Voir, pour cette expédition d'Iberville à Terre-Neuve, outre le *Journal* de l'abbé Beaudoin, La Potherie, *Histoire de l'Amérique septentrionale*, I: 22-25; Charlevoix, *Histoire et*

description générale de la Nouvelle-France, III: 272-292; Charles de La Roncière, *La grande légende de la mer, une épopée canadienne*, 85-94; du même auteur, Histoire de la marine française, VI: 272-274; P. Daviault, *La Grande Aventure de Le Moyne d'Iberville* (Montréal, 1934), 78-93; Le Jeune, *Le Chevalier Pierre Le Moyne d'Iberville* (Ottawa, 1937, 114-143; W. Kingsford, *The History of Canada*, (10 vols., Toronto, 1887-1894); III: 51-58; voir surtout Guy Frégault, *Iberville le Conquérant* (Montréal, 1944), 209-235.

42. Abbé Auguste Gosselin, *Journal d'une expédition de d'Iberville...* 57, 59, 60, 63, 65.

CHAPITRE QUATRIÈME

Iberville à la Baie d'Hudson

Des rivalités entre marchands troublent, depuis quelques années, les solitudes de la Baie d'Hudson. Les Anglais, on se le rappelle, y ont devancé les Français. Conduits là, en 1668, par Des Groseilliers — Radisson, son compère, a été contraint de rester en Angleterre, — ils y ont établi en quelques années, quatre postes ou forts pour la traite des pelleteries: le fort Charles sur la rivière Nemiskau ou Rupert, le fort Monsoni sur la rivière Monsoni ou Abitibi, le fort Quichitchouanne sur la Rivière Albany ou Sainte-Anne, et plus haut, le fort Nelson sur la rivière de ce nom. Brouillés avec les nobles aventuriers de la Compagnie de la Baie d'Hudson, Radisson et Des Groseilliers se joignent, en 1682, à la Compagnie du Nord, compagnie de fourrures, en train de se fonder par de hardis marchands du Canada, à la tête desquels l'on aperçoit Aubert de La Chesnaye et Gauthier de Comporté, les sieurs Pachot et Hazeur, Charles Le Moyne, d'autres. Radisson, prompt, comme l'on sait, à la volte-face, repart pour la Baie et y va brûler le fort Nelson et établit sur ses ruines le fort Bourbon. Nous sommes en 1683. La France est en guerre avec les Pays-Bas et l'Espagne. Louis XIV entretient de bonnes relations avec Charles II d'Angleterre, son pensionné[1]. À Québec, La Barre, qui ne sait trop que penser de la politique royale, craint-il de se faire des affaires? Il reçoit mal Radisson à qui il refuse d'accorder la prise d'un corsaire bostonnais. L'aventurier ne fait qu'un tour; il repasse au service des Anglais, et va brûler le fort Bourbon, après avoir enlevé à la compagnie française du Nord, pour 400,000 livres de pelleteries[2]. Londres, prié d'intervenir, se dérobe. C'est «affaire de Marchands», se borne-t-on à répondre[3]. La compagnie française ne se laisse pas démonter. En 1685 des lettres patentes lui confèrent, pour vingt ans, avec le monopole de la traite des fourrures dans la Baie d'Hudson, la propriété exclusive de la rivière Bourbon et la permission d'établir deux postes, l'un sur le lac Abitibi, l'autre sur le lac Nemiskau. Denonville vient d'arriver. Avec inquiétude, il voit se développer l'encerclement anglais de la colonie. Par leurs postes de la Baie d'Hudson, non seulement, à son avis, les rivaux ravissent aux Français les plus belles fourrures de l'Amérique. Mais, par les rivières des hautes terres de l'Outaouais, du Saguenay, du Saint-Maurice, du Temiscamingue, du lac Supérieur, une forte portion du castor est en train d'échapper aux colons et aux fermes du roi[4]. Fallait-il opposer la force à la force? avait déjà demandé La Barre. Puisque c'était «affaire de Marchands», la compagnie française inclinait à se faire justice. Elle était prête à y engager la jolie somme de 50,000 livres[5]. Denonville fut d'avis de lui donner les moyens de soutenir ses affaires, lesquelles lui paraissaient au surplus d'intérêt public[6]. N'oublions pas, en effet, que l'empire français est à la fois construction économique et stratégique. La maîtrise de la

Baie d'Hudson pouvait apparaître comme l'un des grands moyens de s'assurer le monopole des fourrures et d'empêcher l'infiltration anglaise du côté du nord et du côté de l'ouest.

Ainsi se décide, pendant l'hiver de 1686, l'expédition du chevalier de Troyes à la Baie d'Hudson[7]. Les instructions du Chevalier lui enjoignent cette double opération: établir et fortifier, à la baie du Nord, les postes les plus avantageux, se saisir des coureurs de bois et en particulier de Radisson, coupable d'avoir molesté et fait captifs des émissaires de la compagnie du Nord[8].

Racontons cette expédition, l'une des plus audacieuses accomplies sous le régime français, et où l'on ne sait ce qu'il faut le plus admirer, de l'endurance morale ou de la vigueur physique de cette race de mangeurs de routes. Ils partent cent hommes, 30 soldats des troupes régulières, soixante-dix Canadiens, hommes d'élite, on le pense bien, choisis tout exprès, pour une aventure de l'espèce. À leur tête, le chevalier Pierre de Troyes, au Canada depuis moins d'un an, mais qui, pour ces sortes d'expéditions, rachète son peu d'expérience par une force physique extraordinaire, une volonté de fer. «Le plus intelligent et le plus capable de nos capitaines», dira de lui Denonville[9]. Sous lui cinq officiers brillants: trois des frères Le Moyne, les sieurs de Sainte-Hélène, d'Iberville et de Maricour, alors l'orgueil de la jeunesse; leur futur cousin, le jeune Zacharie Robutel, sieur de La Noue, Ignace Juchereau-Duschesnay de Saint-Denis. Sainte-Hélène a 27 ans, Iberville 25, Maricour 22, La Noue 21 ans. Dans cette troupe de choix, nommons encore François de Chavigny de La Chevrotière, Gédéon de Catalogne[10], Pierre Allemand, commissaire des vivres, pilote, géographe[11], le sieur de Saint-Germain, capitaine des guides, enfin l'aumônier de la troupe, le jésuite Silvy. Pierre Allemand et le Père Silvy ont déjà fait, par d'autres routes, le voyage à la Baie d'Hudson; le premier, en 1682, en qualité de pilote au service de Chouart et Radisson, puis en 1684 avec M. de La Martinière; le second y est allé d'abord par terre au temps de sa mission à Tadoussac, puis en 1684, lui aussi, avec M. de La Martinière. Un troisième, le sieur de Saint-Germain, connaît fort bien la route que l'on va prendre[12]. Seigneur depuis 1682, au bout de l'île de Montréal, Pierre Lamoureux, sieur de Saint-Germain, qui méritera plus tard d'être appelé «le plus fameux traiteur du pays», avait déjà, en 1673, un poste de fourrure sur l'une des branches de l'Abitibi[13].

L'expédition quitte Montréal dans les derniers jours de mars[14]. Le Chevalier et ses hommes entreprennent de remonter l'Outaouais jusqu'à la fourche de la Mataouan et du Témiscamingue, pour de là, gagner la hauteur des terres et descendre à la baie James d'aujourd'hui par la rivière Abitibi. Ils ont choisi cette route, de préférence à celles du Saguenay et du Saint-Maurice, parce que plus solitaire, moins suspecte à l'ennemi. Ils partent à la glace fondante. Les matins de gelée, le chevalier de Troyes sonde à la pointe de l'épée le cristal fragile durci pendant la nuit. Les bains glacés se multipliant, on renvoie les bœufs qui charrient sur des traînes une partie du bagage. Cinquante traînes sauvages tirées par des chiens portent les vivres, les munitions, soit 2,000 livres de lard, 8,000 de biscuits, 1,000 de riz, 120 minots de blé d'inde et de pois pesant environ 6,000 livres, 250 livres de jambon; outre les armes des 31 soldats, 130 fusils et leurs fourreaux, 50 pistolets,

100 baïonnettes, 50 grenades, 60 épées ou sabres, deux carabines virolées, 1,500 livres de poudre, 4,500 de plomb, 80 grandes haches, 150 moyennes, 100 pioches, pelles et bêches, 50 paires de raquettes, 100 livres de camphre et de soufre, 60 flambeaux avec camphre et soufre, 1,200 livres de tabac[15]. Trente-sept traîneaux portent, pour leur part, les trente-cinq canots et avirons dont l'on se servira, la débâcle venue[16]. Elle se déchaîne le cinq avril au Long-Sault où l'on campe deux jours. Sur la rive, une ruine dresse, sur la grand'route, un portique d'héroïsme. Après vingt-six ans, le souvenir n'est pas perdu de l'exploit de 1660. Le Chevalier de Troyes note, en son *Journal*: des «vestiges» subsistent encore du fortin où «dix-sept françois soutinrent pendant les antiennes guerres des Iroquois, l'effort de sept cents de ces barbares...»[17]

Alors chiens et traînes renvoyés, commence la montée en canot du fougueux Outaouais: cent lieues de route de Montréal à la fourche de la Mataouan, 400 millcs d'après d'autres[18]. La rivière s'en vient grossie par le dégel, débordante, enserrant et poussant en désordre l'armée de ses blocs de glace, élevant, ici et là, de redoutables embâcles. Sur terre, souvent les portages sont impraticables. Force est de haler les canots à la perche, ou l'amarre au poing, dans l'eau froide jusqu'à la ceinture, jusqu'au cou, et, certains jours malgré le froid excessif, plus souvent à l'eau qu'en canot. Montée harassante où, du soir au matin, à peine parfois les solides gaillards franchissent-ils une lieue et demie. Pas moins rude l'épreuve des portages. De ces portages, il y en a de quelque centaines de pas; il y en a d'autres d'un quart de lieue, d'une lieue et demie, de deux lieues où, canots et bagages sur le dos, il faut gravir coteaux après coteaux, passer même des montagnes. Dans le sentier étroit, barré d'«épaisses fredoches», d'arbres écroulés, enchevêtrés, impossible de transporter à la fois plus que la charge d'un canot. La troupe s'en va quand même bon train, apparemment infatigable, disposée en trois brigades et par groupes forcément séparés. Rapides et portages s'enfilent les uns après les autres, déjà baptisés ou baptisés bientôt de jolis noms: portage de la Chaudière, portage des Chênes, portage des Chats, portage des Petites-Allumettes, portage des Grandes Allumettes, rapides des Calumets, rapides des Joachims, rapides de la Roche-Capitaine, rapides des Grelots. Ballottés comme des feuilles de papier dans les roulis, coincés entre les blocs de glace et la rive pierreuse, les frêles canots d'écorce de bouleau se crèvent, se rompent, sont emportés dans les tourbillons. Les hommes s'en tirent à peine mieux. Cependant, au rapide la Chaudière, quatre au plus, malades ou blessés, s'en retournent à Montréal. Les trois frères Le Moyne qui rivalisent à qui accomplirait les plus téméraires exploits, vont et viennent, aidant, stimulant les retardataires. Sainte-Hélène, à la tête de sa brigade, va le plus ordinairement de l'avant, dans le rôle d'éclaireur ou de batteur de marche. Iberville conduit l'arrière-garde. Chargés, lui et ses frères, du commandement des gens du pays, mieux que tous autres ils obtiennent l'esprit de discipline, la seule qualité, selon de Troyes, qui «manque à la valeur naturelle des Canadiens». Maricour et La Noue, déjà réputés les meilleurs canoteurs du pays, dédaignent parfois les portages, jettent intrépidement leurs canots dans les bouillons et les remontent ou les descendent par des prodiges de muscles et d'aviron. À ce jeu, Sainte-Hélène, Maricour, La Noue, viennent à deux doigts de se noyer. Iberville entreprend de sauter les fameuses Chutes-aux-Iroquois; son compagnon s'enfonce dans les remous pour ne plus reparaître; lui-même ne doit son salut qu'à son sang-froid et à son adresse d'émérite nageur. Et l'on va, l'on va sans cesse, par le chemin sans bout, sous la pluie, sous le vent, le visage, certains jours, cinglé par les rafales de neige. Les 11 et 13 mai il neige à la fourche de la Mataouan; il neige encore le 13 juin en Abitibi. Un autre jour, au cours d'un portage, un feu de forêt, poussé par un vent violent, passe en furie à la crête des arbres, gagne les marcheurs, leur barre le chemin; le chevalier de Troyes a sa manche de chemise brûlée. Petites misères qui n'empêchent pas ces braves de s'amuser. Le 1er mai, ils plantent un *mai* avec salve devant la tente de leur commandant. Le 5, le long de la rivière creuse, les vétérans, parmi les voyageurs, ainsi le veut la coutume, administrent le «baptême», c'est-à-dire une généreuse aspersion d'eau, aux novices qui n'ont pas encore dépassé ce point de l'Outaouais et qui refusent de promettre une messe à Sainte-Anne. La troupe n'oublie point, non plus, de prier. Chaque fois que la chose est possible, le Père Silvy dit la messe. Le jour de Pâques, on chante, sous le bois, une grand'messe solennelle où chacun s'acquitte de ses dévotions. Le commandant a déjà fait élever, sur une pointe du Long-Sault, une croix «que l'on découvre de bien loin». Quelques jours plus tard il en fait dresser une autre sur la pointe de la fourche de la Mataouan. Pour rapide que soit leur course, ces Français ne traversent point ce pays du nord sans rien soupçonner de sa richesse. Au Témiscamingue, de Troyes va en personne reconnaître une mine de plomb. Il note qu'à cinquante lieues en deçà «de la hauteur de la terre», les terres sont «partout assez belles». On décide même de planter là un autre jalon de l'avance française. Du 3 au 5 juin, le commandant fait bâtir, sur une éminence au bord du lac Abitibi, un fort de pieux flanqué de quatre petits bastions dont il confie la garde à quatre de ses hommes.

Ce fort marque la quatrième étape du voyage. La fourche de la Mataouan a marqué la deuxième; c'était déjà un pays moins connu, d'une solitude plus pesante. Sur une île du lac Témiscamingue, île aujourd'hui rongée par les eaux, la troupe atteint la troisième étape: un poste de traite établi là depuis 1679 et que les voyageurs trouvent habité par quatorze Français. Au delà s'étend désormais l'immense forêt du nord, forêt plus triste, plus silencieuse, où ils ne croiseront plus que des Indiens isolés. Plus qu'ailleurs la petite troupe dut éprouver la sensation des explorateurs lancés à travers les grands bois, joie de l'aventurier devant le mystère des solitudes sans fin, mais et tout autant sensation d'une puissance maléfique qui, à mesure qu'elle happe les hommes, s'applique, par derrière, à refermer la route sur eux. Le 31 mai, ils touchent à ce qu'ils appellent «la hauteur de la terre». La marche s'accélère. Les rapides et les portages ne sont ni moins nombreux, ni moins rudes; mais le courant emporte les canots. On se hâte pour se trouver à la Baie avant l'arrivée des vaisseaux d'Europe. En un jour on traverse, presque d'un bout à l'autre, le lac Abitibi, pour retomber, le 7 juin, dans la rivière du même nom: la rivière qui «descend aux Anglois», se disent-ils tout joyeux. Dans une course de 240 milles, elle descend en effet à la baie James. Rivière fougueuse, accidentée. Troyes et les siens ne manquent pas, on peut bien le penser, d'admirer, à son Grand-Portage, le superbe canon qu'elle forme, canon de 30 à 40 verges de largeur et si escarpé et si verticalement coupé que, d'en haut, l'œil n'aperçoit pas le lit de l'eau.

Le 18 juin, halte d'importance. Un ordre du chef commande la mise en garde, les préparatifs d'attaque: le premier fort n'est plus qu'à une journée de marche, à la rencontre de la Monsoni (Moose) et de l'Abitibi. Les instructions écrites de Denonville n'autorisent point la prise des forts anglais[19]. Le gouverneur en aurait-il donné d'autres verbalement? On se prépare à un assaut. Repéré par Iberville et le sieur de Saint-Germain, au milieu d'un désert de vingt arpents environ, le fort est imposant: une enceinte formée par une palissade de dix-sept à dix-huit pieds de hauteur disposée en quatre courtines de 130 pieds chacune, flanquées d'autant de bastions, ceux-ci tous munis de canons; au centre, une redoute à trois étages, surmontée d'une terrasse garnie d'un parapet et munie de canons pour balayer en cavalier les approches du fort. Telle est la position à enlever. De Troyes n'a nul besoin d'exciter cette poignée d'hommes qui arrivent d'une course épuisante de trois cents lieues. Il retient à grand'peine, raconte-t-il, «la fougue de nos Canadiens». C'est le matin, à la première aube. En un clin d'œil, Sainte-Hélène, Iberville, Maricour, La Noue, Pierre Allemand escaladent la palissade, tombent dans l'enceinte, l'épée à la main. Un bélier, amené par de Troyes, enfonce, en un clin d'œil, la porte du fort. La troupe entière fait irruption. Le bélier s'attaque alors à la porte de la redoute. Iberville se jette par l'entrebâillement. Un Anglais referme la porte sur lui. Le fils Le Moyne «chamaillant hardiment de son épée», ferraille, tire du fusil. Un autre coup de bélier démolit cette fois la porte tout de bon; chacun s'y précipite, sur les pas d'Iberville, l'épée au poing. Dix Anglais, en chemise, demandent quartier. La prise du fort a pris une demi-heure.

Une semaine plus tard, le 25 juin, de Troyes se met en route avec «soixante bons hommes» vers le fort Rupert. Il emmène avec lui Sainte-Hélène et Iberville. Le fort est à quarante lieues, au fond de la baie de Rupert, à l'embouchure de la rivière de ce nom. On prend cette route, parce que ce poste, a-t-on appris, est moins bien défendu que le fort de Quichitchouane. Et de Troyes espère y capturer un vaisseau qui facilitera la troisième opération. Les canots partent donc, chargés de tout un attirail de siège, pics, pioches, pelles, deux petits canons. Le premier juillet, à travers les glaces parfois et par un froid d'hiver, les quarante lieues sont franchies. Sainte-Hélène, encore envoyé à la découverte, repère un fort assez semblable à celui de Monsoni, et sur la rive, à une demi-portée de pistolet, le vaisseau. Sur les deux, Troyes décide une attaque simultanée. Iberville, avec treize hommes en deux canots, ira prendre le vaisseau; Sainte-Hélène, à la tête d'un autre détachement, enfoncera, à coups de bélier, la porte du fort. Troyes, avec le reste de la troupe et ses deux canons, se tiendra prêt à soutenir l'action. C'est au petit jour. Et «ce qui est de meilleur», écrit encore ici de Troyes, ce sont «tous nos gens fort animez». Sous le bélier la porte s'écroule. Une pluie de balles crible les fenêtres, les embrasures, les meurtrières. Un assaillant, grimpé sur le haut de la redoute, jette dans la cheminée une poignée de grenades. À ce moment, les deux canons mêlent leur musique à celle des fusils. D'inquiétantes trouées s'ouvrent dans la porte de la redoute. Le commandant du fort n'en exige pas davantage; il se rend avec ses trente hommes. Pendant ce même temps, Iberville, avec sa petite troupe, aborde le vaisseau. Un coup de fusil tue la sentinelle endormie, sur le pont, dans sa couverture. Mais il faut éveiller l'équipage; on frappe du pied. D'un coup de sabre, Iberville abat le premier qui essaie de monter l'escalier. Mais déjà, à coups de hache, ses hommes ont percé la pièce occupée par les gens du vaisseau et y passent leurs canons de fusil. Les Anglais demandent quartier. Parmi les prisonniers se trouve le sieur Bridgar, hier commandant au fort Monsoni, et qui s'en allait assumer la même fonction au fort Quichitchouanne.

Le 9 juillet, le fort de Rupert, en grande partie rasé et brûlé, n'est plus qu'une ruine fumante. Les dépouilles, y compris cinq pièces de canon de fer, ont été chargées sur le vaisseau capturé. De Troyes donne le signal du retour. Le commandant a choisi de revenir en canot; il n'arrive à Monsoni que le 16 ou 17 juillet, après avoir pensé mourir en chemin de misère et de faim. Le troisième fort, le fort Quichitchouanne ou Albany, dans la direction de l'ouest, à trente lieues, reste à prendre. La troupe chemine en canots, le long de la baie, sans guide cette fois, suivie au large par le vaisseau qui, monté par Iberville et Pierre Allemand, bat le pavillon de la compagnie anglaise. Sainte-Hélène est encore dépêché en éclaireur. Le fort Albany, situé dans un coude de la rivière, est d'emblée le plus imposant des trois forts anglais. Le plus puissamment armé: deux grands corps de logis, de pièces sur pièces, l'un du côté de la rivière, l'autre du côté du bois, faisant la courtine sur l'avant et l'arrière; sur les deux autres flancs et pour relier les deux logis, de grosses palissades garnies de pointes de fer; et, pour renforcer le tout, quatre bastions couronnés d'une plate-forme, chacune portant quatre canons; puis encore des canons à chaque porte des courtines, sans compter les autres pièces disposées aux divers étages des flancs.

Place redoutable. Comment la prendre? Épuisés par la fatigue et le froid, sans vivres par la faute du vent qui retient au large le vaisseau d'Iberville, les hommes du chevalier «tomboient sur les dens». De Troyes essaie de s'en tirer par une sommation. Il somme le commandant anglais d'avoir à remettre en liberté trois Français retenus prisonniers et de rendre la place. Une réponse équivoque lui arrive. Rien d'autre à faire que le siège du fort. À coups de hache dans la terre gelée, on dresse une batterie pour huit canons, pendant que Sainte-Hélène, Maricour, par une fusillade nourrie, tiennent en respect les assiégés. Cependant le navire qui contient à son bord, canons et vivres, est toujours au large. La troupe ne se nourrit que de «persil de macédoine». En leur détresse, ces braves gens se souviennent qu'ils ne sont plus qu'à quelques jours de la fête de sainte Anne. Sur la proposition de leur commandant, ils récitent les litanies de la sainte, font vœu, si elle leur est secourable, de fournir chacun quarante sous pour la réparation de son église de Beaupré; ils s'engagent même à y porter le pavillon arboré sur un des bastions du fort anglais. Miracle! Le vent change; le bateau entre dans la rivière; la batterie est prête à ronfler. En moins d'une heure plus de cent-quarante volées s'abattent sur le fort. Les Anglais ne ripostent point; ils offrent la reddition. Cinquante hommes, Iberville à leur tête, s'accordent le plaisir d'entrer dans le fort tambour battant.

En toute hâte, le chevalier de Troyes pourvoit au rapatriement des Anglais. À la conduite des affaires, il laisse à la Baie d'Hudson, Sainte-Hélène,

Iberville, Maricour, La Noue et quarante hommes. Le 19 août, pressé par le manque de vivres, n'ayant plus qu'un peu d'orge germée et cinq livres de lard pour chaque homme, il reprend, par terre et à grandes enjambées, le chemin de Québec. Il y arrive au commencement d'octobre. En six mois, des hommes aux jarrets de fer avaient parcouru, en canot et à pied, une course de près de 2,000 milles.

*　*
*

Après le départ du Chevalier de Troyes et pendant les années qui vont suivre, Iberville continue à défendre intrépidement la Baie d'Hudson, paradis de la belle fourrure, tête de ligne ou plutôt point aboutissant de tant de routes commerciales, centre d'attraction de tous les Indiens de ce bassin maritime. Autour de l'immense étendue d'eau, le plus souvent barrée de glaciers, la tâche est d'y garder, avec une poignée d'hommes, des forts éloignés l'un de l'autre de trente à quarante lieues. C'est aussi d'y affronter un ennemi encore plus à craindre que l'Anglais, le froid horrible, et pis peut-être que le froid, la demi-claustration de six mois dans la nuit polaire. Guerre de nerfs et d'endurance, où l'on n'est jamais sûr du ravitaillement, du retour des vaisseaux de France ou de Québec; guerre d'usure qui exige des hommes d'une trempe d'acier. Entre les forts de la baie James et Québec, Français et Canadiens n'en multiplient pas moins leurs voyages à pied et en canot avec autant d'aisance que l'on irait aujourd'hui de Québec à Montréal. Pendant l'été de 1687, laissé sans provisions par la compagnie du Nord, manquant de navires pour l'expédition de la fourrure, Iberville prend le parti d'aller voir à Québec de quoi il en retourne.

Au cours du printemps, deux de ses hommes ont accompli un exploit qui vaut d'être narré. Iberville les avait envoyés avec trois autres, pendant l'hiver, en voyage de reconnaissance à l'île de Charleston. Un navire anglais, disait-on, s'y était mis en hivernement. Des cinq hommes, deux rebroussent chemin, pour cause de maladie. Les trois autres, des Canadiens, se laissent prendre par les cinq Anglais du navire, une barque de 20 tonneaux, venue du fort Nelson, l'automne précédent. Enchaînés à fond de cale avec ses compagnons, l'un des prisonniers réussit à s'échapper et à gagner le fort Monsipi au mois de mars. Un deuxième, forcé de travailler au grément de la barque, saisit l'occasion opportune. Il saute sur une hache, tue deux Anglais à sa portée sur le pont, descend à fond de cale délivrer son compagnon et tous deux se rendent maîtres du petit voilier et mettent le cap sur le fort Monsipi. En route, ils rencontrent une barque armée, portant pavillon anglais. C'était Iberville qui, sous ce déguisement, s'en venait délivrer ses hommes et capturer le vaisseau[20].

À l'été de 1687 Iberville rentre donc à Québec par terre, avec ses deux frères, Sainte-Hélène et Maricour. À peine arrivé, Sainte-Hélène, on s'en souvient, s'embarque pour l'expédition contre les Sonnontouans. Encouragé, recommandé par Denonville, Iberville, pour sa part, passe en France en vue d'y obtenir un vaisseau. À l'été de 1688, après un court passage à Québec, il repart avec Maricour pour la baie, sur le vaisseau que le roi vient d'accorder à la compagnie du Nord: le *Soleil d'Afrique*. Ce vaisseau dont le nom seul est un défi aux glaces septentrionales, le fils Le Moyne le conduit victorieusement à travers une mer encombrée de banquises. Malheureusement deux navires anglais qui font leur apparition aux abords du fort Sainte-Anne, quelques semaines plus tard, l'obligent à rester dans la baie. Il laisse repartir, sans lui, le *Soleil d'Afrique*. Il hiverne au fort, face aux Anglais. Il n'a que dix-sept hommes; l'ennemi en a 80 à 90. Le cousin Martigny, envoyé sur les neiges porter des lettres à Québec, accompagné d'un Français et d'un sauvage, est contraint, par la présence d'Iroquois ou Témiscamingue, d'obliquer à l'ouest; il va aboutir au Sault Sainte-Marie. Un autre messager, le sieur de Bellefeuille, parti de la baie le 15 avril 1689, avec deux sauvages de l'Abitibi, parvient à gagner l'Outaouais par la Lièvre. Qu'apporte-t-il à Québec? La nouvelle de la prise des deux vaisseaux anglais et de leur équipage. Avec son mélange habituel d'audace, de ruse et de bonheur, Iberville a réussi cet exploit sur la fin de l'hiver[21]. Il a même capturé un troisième navire aux environs du fort Rupert. Le 5 juillet, par un chemin nouveau, Sainte-Hélène est reparti vers le nord, à travers les terres, avec cinquante hommes, la plupart des matelots, pour aller chercher les deux navires capturés. Et pendant que là-bas, Maricour continue à monter la garde dans la baie et que Sainte-Hélène s'en revient en canot, Iberville rentre à Québec sur le plus considérable des vaisseaux anglais, un voilier de 24 pièces de canon chargé de castor. Il arrive le 28 octobre 1689, huit jours après le départ de Frontenac pour Montréal[22]. Quelques jours plus tard, le gouverneur écrit en France: «Le Sr d'Iberville qui commandait à la baie d'Hudson y a fait des prises considérables sur les Anglais et d'une manière fort extraordinaire.» Dans l'immense pitié de la Nouvelle-France, en ces années-là, Pierre Le Moyne apporte un valable réconfort. Une frontière au moins tient encore bon, celle du nord.

* *
*

Nous sommes en l'année 1696. Louis XIV, à bout de finance, se désenchante lentement de sa colonie d'Amérique. Cependant, au septentrion lointain, la Baie d'Hudson, marche ultime de l'empire colonial, reste l'un des champs de bataille. Les Français, il faut se le rappeler, ne peuvent émettre sur la baie que des prétentions de valeur douteuse; ils ne laissent pas de s'y cramponner avec force pour les intérêts considérables qu'elle figure à leurs yeux. Non seulement tirent-ils de là, les plus belles pelleteries; mais ces pelleteries, l'extrême pauvreté des Indiens de la région permet de les cueillir à meilleur marché que partout ailleurs. Bien entretenu, le seul fort Bourbon de la rivière Sainte-Thérèse peut assurer chaque année 100,000 livres de profit[23]. La Baie commande au surplus, bien au delà de ses estuaires, un large bassin commercial qui va de l'extrême-ouest au Labrador[24]. Deux compagnies rivales se disputent ce bassin: la fameuse «Compagnie des Aventuriers trafiquant à la baie d'Hudson», la Compagnie du Nord, compagnie canadienne et française. Revenons quelque peu en arrière. Nous avons narré l'expédition du chevalier de Troyes en 1686, puis les audacieuses captures du Sieur d'Iberville en 1689. Un poste reste aux Anglais, plus au nord que le fort Sainte-Anne, le fort Nelson, à l'embouchure de la rivière de ce nom. Le roi qui entend que l'on chasse les Anglais de la baie, est d'avis que la Compagnie du Nord charge Iberville d'enlever à l'ennemi ce dernier poste[25]. Pierre Le Moyne n'a pas tardé à se proposer de soi-même pour l'expédition. Cette mer du nord attire le héros pour les intérêts qu'il possède dans la compagnie de fourrures et pour le champ de bataille qu'elle offre au jeune loup de mer. L'esprit ouvert à toutes les audaces, il s'est laissé séduire, lui aussi, par le vieux rêve d'aller, par la mer polaire à la mer de Chine. N'a-t-il pas écrit à Pontchartrain: «J'ay l'entetemens de vouloir trouver un passage à la mer de l'ouest»[26]? La reprise du fort Nelson, il l'a tentée une première fois en 1690 avec son frère Maricour et le Sieur de Bonaventure. Il a dû y renoncer devant les forces imposantes des Anglais[27]. Le roi est encore frustré de son espoir, en 1691, faute de navires et d'équipages aptes au voyage et dépêchés à temps[28]. Même déveine pour Iberville, en 1692 et en 1693. «Tandis que Louis XIV surprenoit ses Ennemis par sa diligence à entrer en Campagne, écrit Charlevoix, les Vaisseaux, qu'on envoyoit par ses ordres en Amerique partoient toujours deux, ou trois mois trop tard de nos ports[29].»

Inconvénient de conséquence quand il s'agissait d'un voyage à la Baie d'Hudson. Ouverte à la navigation rarement avant la mi-juillet, balayée, dès la fin de septembre, par les bourrasques de neige, la grande baie du Nord n'est guère navigable que deux mois au plus. Pour comprendre les difficultés d'un voilier du dix-septième siècle à travers ces eaux boréales, il faut avoir lu ce qu'en écrit Bacqueville de La Potherie qui fut de la dernière expédition d'Iberville en 1697. Dès l'entrée du détroit qui conduit à la baie, imaginons, à perte de vue, un hérissement de glaciers gigantesques, plus hauts «que les clochers de Nostre-Dame», écrit Chrestien Le Clercq[30], image, comme dit La Potherie, «d'une des plus grandes villes du monde qu'un tremblement de terre eut mise sans dessus dessous». Coincés entre les monstres implacables que poussent vents et courants, le pauvre navire de bois gémit, craque, se fait arracher des lambeaux, emporter son gouvernail, briser son éperon, risque, s'il est trop fragile, d'être broyé comme une coquille de noix. Pendant des semaines parfois, les glaciers le cerneront ainsi, lui barreront le route, le refouleront vers le détroit, lui-même bordé de glaciers énormes. Que les vaisseaux de guerre de France soient tenus de convoyer les navires marchands faisant route vers l'Amérique, puis de pousser jusqu'à Québec pour y renouveler leur équipage, et qu'ils n'arrivent à ce port du Saint-Laurent, comme c'est l'ordinaire, que vers la mi-juillet, autant renoncer au voyage de la Baie. À plus forte raison lorsque Sa Majesté exige de ses vaisseaux qu'ils rentrent en France la même année. Mauvaise fortune qui échoit à Iberville, deux années de suite, en 1692 et en 1693[31].

Les Anglais ont profité de l'absence et négligence des Français pour leur reprendre, pendant l'été de 1693, le fort Sainte-Anne[32]. La Compagnie du Nord y perd près de 200,000 livres dont 50,000 écus de castor[33]. La perte du fort Sainte-Anne entraîne celle des forts Monsipi et Rupert. Enfin, en 1694, Iberville triomphe des lenteurs de l'administration. Une fois de plus, il obtient deux vaisseaux équipés et armés; des ordres exprès du roi intiment aux autorités de la colonie de lui accorder secours et protection, et en particulier, de le laisser embaucher une troupe. Avec son goût du risque, même en affaires, Pierre Le Moyen finance lui-même l'entreprise. Il s'y engage pour 100,000 livres. La Compagnie du Nord qui préfère attendre jusqu'en 1697, le résultat de l'expédition, s'y intéresse pour une somme légère. D'autre part, le roi s'engage à payer les salaires des équipages, au cas où les profits ne doubleraient pas la mise du Sr d'Iberville[34]. Le 10 août le héros quitte Québec sur le *Poli*, frégate de 30 canons; son frère Sérigny commande la *Salamandre*, frégate de 20 canons. Ils emmènent avec eux 110 Canadiens et six Iroquois du Sault Saint-Louis. Iberville a embauché les uns et les autres sur la promesse d'un partage dans la traite et dans les prises qu'il évalue à 140,000 livres[35]. Le 24 septembre, un peu retardé par les vents, le voici enfin en vue du fort Nelson. Le fort est bâti à quatre milles environ de l'embouchure de la rivière Sainte-Thérèse[36], sur une langue de terre formée par les canaux convergents des deux rivières Bourbon et Sainte-Thérèse. La position est imposante: à ras d'eau, près de la rive, une plate-forme défendue par quatre grosses pièces; en arrière de la plate-forme, «une palissade en espèce de demie lune», elle-même entre deux bastions et armée de huit canons; puis, y attenant, un carré palissadé de trente pieds, avec un bastion à chaque coin, tous bien protégés. En tout, 36 canons, 14 pierriers; une garnison de 53 hommes. Les gens d'Iberville sont entrés dans la rivière Bourbon au chant du *Vexilla Regis*. La rade est déserte. Les vaisseaux anglais, deux frégates venues au mois d'août, sont partis avec la cargaison de fourrures, 145,000 livres de castor. Les contretemps s'accumulent. Le *Poli*, la *Salamandre* ont cherché un endroit propice à leur hivernement, le premier dans la rivière Bourbon, le second, dans la rivière Sainte-Thérèse, un peu plus haut que le fort, en vue de l'investir par le bois où il est sans défense. De gros vents surviennent avec tourbillons de neige qui jettent les vaisseaux sur des battures. Assaillis à la fois par les vagues et les bancs de glace, les deux s'échouent et viennent sur le point de périr. Vers le même temps, un parti s'est rendu aux approches du fort, y escarmoucher pour empêcher une sortie des Anglais. Le jeune frère d'Iberville, Châteauguay, enseigne sur la *Salamandre*, est tué d'une balle qui le traverse de part en part. Épreuve suprême pour le frère aîné. Le commandant, nous dit le P. Marest, aumônier de l'expédition, fut «extraordinairement touché de la mort de son frère, qu'il avait toujours aimé tendrement»[37]. L'année précédente, en recommandant Châteauguay pour un brevet de garde-marine, Iberville décernait à son jeune frère, cet éloge qui fait voir l'éducation précoce que recevaient ces Le Moyne dans la marine et l'armée: «Lun qui s'apele Chateaugué de deix huict années a toujours esté avec moy a la mer du Nort depuis cinq années, il est capable luy seul de conduire un vaisseau pour ce qui regarde le pilotage et le commendement...» Vers le même temps, Tilly, lieutenant de Sérigny, est mourant sur le *Poli*. Pour ne pas semer la consternation parmi ses hommes[38], Iberville refoule, du mieux qu'il peut, son chagrin. En peu de jours le fort Nelson est investi. Le 13 octobre, canons et mortiers mis en place, sommation de se rendre est faite à l'ennemi. Harcelé depuis quinze jours et plus par les fusilliers canadiens, il cède. Le 15 le fort Nelson devient le fort Bourbon. Les vainqueurs s'y établissent pour l'hivernement. Vers la fin de juillet de l'année suivante, les deux vaisseaux, en rade à l'entrée de la rivière Sainte-Thérèse, attendent les voiliers anglais qui ne viennent pas. Iberville avait conçu le plan suivant: enlever les vaisseaux anglais, renvoyer le *Poli* en France, s'en aller hiverner avec la *Salamandre*, auprès du fort Sainte-Anne et s'en emparer pendant l'hiver. Il lui faut prendre d'autres dispositions. Sa traite bâclée avec 450 canots indiens venus à Bourbon, une traite de 45,000 livres de castor, il s'embarque, le 7 septembre, pour Québec, avec ses deux vaisseaux, laissant au fort Bourbon, 70 Canadiens et six Iroquois sous le commandement du sieur Testard de La Forest[39] et du lieutenant Le Moyne de Martigny[40]. Sur la côte du Labrador, trop retardé par les vents et son équipage affaibli par le scorbut, — au fort Bourbon 20 hommes ont succombé à la maladie pendant l'hiver — Iberville prend la route de la Rochelle où il arrive le 9 octobre 1695, suivi bientôt de son frère Sérigny qui y amène la *Salamandre*.

L'expédition est à reprendre. Les deux forts Sainte-Anne et Rupert sont restés aux mains des Anglais. Puis, le malheur veut que, fin d'août ou commencement de septembre 1696, quatre vaisseaux de guerre anglais et une galiote à bombes, sous la direction du commodore Allen, paraissent à l'embouchure de la rivière Sainte-Thérèse. L'ennemi dispose d'une force de 400 hommes. La Forest manque de vivres et de munitions de guerre. Cette année-là, on voudra bien se le rappeler, Iberville guerroye, sur ordre de France, en Acadie et à Terre-Neuve. Sérigny a été chargé d'aller ravitailler le fort Bourbon; il a quitté La Rochelle sur deux petits vaisseaux, le *Hardi* et le *Dragon*. Iberville envoyait son frère terminer l'œuvre de 1694 par la reprise des postes du fond de la baie. Cette fois, il avait encore accepté de faire seul la dépense de l'expédition[41]. Sérigny arrive à Bourbon deux heures après les Anglais. Il n'a qu'à rebrousser chemin. La Forest qui s'est rendu après quelque résistance, avait obtenu qu'on le déposât à Plaisance (Terre-Neuve) avec sa garnison, effets et pelleteries. Ses vainqueurs l'emmènent, lui et les siens, en Angleterre et les jettent en prison. La Forest meurt à Londres. Ses compagnons ne sortiront de captivité que pour prendre passage sur l'armement français de 1697 qui s'en revient à la Baie d'Hudson[42].

*   *
*

En Europe la coalition contre la France est en train de se disloquer par la défection, en 1696, du duc de Savoie. Louis XIV, qui souhaite la paix, a manœuvré pour faire tomber le poids de la guerre sur les puissances maritimes: la Hollande et l'Angleterre. Guillaume III prend peur. Pendant ce temps-là Iberville poursuit ses brillantes campanges sur les côtes de la Nouvelle-Angleterre, de l'Acadie et de Terre-Neuve. Louis XIV a-t-il voulu accroître ses pressions diplomatiques sur Londres, déjà un peu inquiet de ce qui se passe en Amérique? À la veille des jours où, près du village de Ryswick, va s'ouvrir le congrès de la paix, le roi de France décide de renvoyer Iberville à la baie d'Hudson. Le 18 mai Sérigny arrive à Plaisance, pour y prendre son frère qui vient de passer à Terre-Neuve le glorieux hiver que l'on sait. Sérigny lui apporte une petite escadre de quatre vaisseaux, bientôt suivis d'un cinquième: le *Pélican*, le *Palmier*, le *Profond*, puis le *Wesph* et le *Violent*. Les trois premiers sont armés respectivement de 50, 40 et 36 canons. Iberville laisse à regret sa conquête inachevée de la grande île. Au surplus les vaisseaux qu'on lui amène, vaisseaux de gros tonnage, seront, à son avis, de manœuvre difficile à travers les glaces du Nord et dans les rivières de la baie d'Hudson, sans compter que le tiers des équipages est malade, et que les hommes sont vêtus, comme s'ils devaient aller aux Antilles[43]. Le 8 juillet, il prend la tête de l'escadre, sur le *Pélican*; son frère Sérigny commande le *Palmier*; Dugué, le *Profond*; Chartrié, le *Wesph*. Bacqueville de La Potherie est à bord du *Pélican*, en qualité de commissaire du roi, et nous laissera une relation de l'expédition. Séparés, à l'extrémité nord du détroit d'Hudson par les glaces, les vaisseaux perdent un mois à louvoyer, à «grapiner»[44], en lutte désespérée contre les glaciers à la dérive. *L'esquimau*, simple brigantin attaché à la flotte, est écrasé, en quelques secondes, entre le *Palmier* et une banquise[45]. Seul, le *Pélican* a pu prendre les devants. Le 26 août, pendant qu'il évolue péniblement près du Cap de Digue, le *Profond* se voit subitement attaché par deux navires anglais, le *Derbing* de 36 canons et l'*Hudson Bay* de 32[46]. Un troisième le *Hampshire*, le plus fort, est retenu au large. Ces trois navires font route eux-mêmes vers le fort Nelson. Dugué porte à son bord les munitions et l'équipement destinés au siège du fort de la rivière Sainte-Thérèse. Dugué ne peut attendre de secours ni du *Palmier* ni du *Wesph*, pris eux aussi dans les glaces. Il accepte quand même la bataille. De 8 heures du matin à 11 heures du soir la canonnade gronde sans répit. Le *Profond*, gêné dans ses mouvements, ne peut se défendre que de deux canons. Vers le soir, criblé de coups, toutes ses manœuvres hachées, il lui faut encore subir la bordée du *Hampshire*, vaisseau de 56 canons. Les assaillants ne s'enfuient que pour échapper au *Palmier* et au *Wesph* qui, enfin dégagés, accourent.

Le 3 septembre le *Pélican* arrive seul à l'embouchure de la rivière Sainte-Thérèse. Le 5, trois vaisseaux paraissent sous le vent. Serait-ce le reste de son escadre? Iberville reconnaît trois vaisseaux

anglais, ceux-là mêmes qui viennent de livrer bataille au *Profond*. Le *Pélican* ne peut tirer que de 44
pièces; des 250 hommes embarqués à son départ de
France, il ne lui en reste plus que 150 valides. Quarante scorbutiques sont hors d'état d'agir. Pour comble une chaloupe de 22 hommes est partie à la
découverte, du côté du fort, avec Le Moyne de Martigny. La prudence conseillerait de fuir. Le commandant du *Pélican* accepte le combat, et selon sa
tactique habituelle, court droit à l'ennemi. À tout
prix il faut empêcher les vaisseaux anglais d'aller
secourir le fort. Iberville a confiance en ses Canadiens qu'il a pris à son bord à Terre-Neuve; il a
confiance en ses seconds, en Bacqueville de La Potherie, placé au château d'avant, en La Salle et
Grandville, commandants de la batterie d'en bas, en
son frère, Bienville, jeune commandant de dix-sept
ans, qu'il charge, avec le Chevalier de Ligondez, de
la batterie d'en haut. Et il compte sur ses ressources
de manœuvrier, peut-être le plus habile de France, au
dire de Charlevoix[47]. Pendant trois heures et demie
les vaisseaux anglais tentent l'impossible pour démâter le *Pélican*[48], cherchent à le cerner, à le coller
entre une batture ou deux d'entre eux. Les combattants se poursuivent, s'approchent jusqu'à se mitrail-
ler à coups de pistolet, et de mousquets. Dur combat,
«un des plus rudes de cette guerre», dira la Marine
de Rochefort[49]. Dans le *Pélican*, criblé de boulets,
percé à la ligne de flottaison, l'eau entre à gros
bouillons. Ses manœuvres ont été coupées, deux de
ses deux pompes crevées et ses haubans endomma-
gés. Iberville n'a plus que le choix d'une tentative
suprême. Ordre est donné à tous les canons de la
bordée d'avant de pointer à couler bas. D'un mouvement rapide, le *Pélican* passe à l'arrière du *Hamps-*

hire, se glisse à côté de lui, vergue à vergue, et dressé, lui crache sa décharge. En quelques secondes, éventré, le vaisseau ennemi coule bas sous toutes ses voiles. Sans perdre un moment Iberville se tourne contre l'*Hudons Bay*; en hâte celui-ci a pris la fuite et tente de se jeter dans la rivière Sainte-Thérèse. L'*Hudson Bay* amène pavillon. Le *Pélican* repart à la poursuite du *Debring*. Trop blessé, sa proie lui échappe.

Hélas, un dernier ennemi reste à vaincre au glorieux vaisseau: la tempête. Un jour ou deux après sa victoire, un furieux ouragan de la mer du nord jette le *Pélican* à la côte; il s'y rompt par le milieu. Dix-huit matelots périssent de froid. Le même sort échoit à la prise d'Iberville, l'*Hudson Bay*[50].

Ces naufragés n'en vont pas moins entreprendre le siège du fort Nelson. Par bonheur, le *Palmier*, le *Profond* et le *Wespb* font tout à coup leur apparition. Réfugiés à l'embouchure de la rivière Danoise, ils ont échappé à l'ouragan. Le *Palmier* a perdu son gouvernail; il s'en vient conduit par des avirons et des boute-hors. En peu de temps Iberville fait dresser une plate-forme pour mortier. Le fort est défendu par un homme de courage, le gouverneur Bailey. La garnison a été renforcée par les naufragés de l'*Hudson Bay*. Les Anglais connaissent le sort de leurs vaisseaux; en revanche ils croient Iberville mort et son équipage en grande partie tué ou noyé. Plusieurs fois avec l'ennemi, il faudra donc parlementer et échanger de vigoureuses bordées. Enfin Iberville menace Bailey d'un assaut général et nocturne. Il n'en faut pas plus au gouverneur; il se rend à discrétion. Encore une fois les Français redeviennent maîtres de cette «dernière place de l'Amérique septentrionale». Y a-t-il au moins quelque espoir que

Liste des Canadiens engagés par Iberville pour l'entreprise du Nord, 6 juillet 1697

(Archives du Port de Rochefort)

Joseph de robitaille
pierre marot
sausié
joseph chenié
carcy
laplaine
bellefon
pierre villaire
françois faux
berichon
matte
anthoine Roussin
paul ducheron
maurice crepeau
pierre allain
jean pierre
Philippe de briere
alexis françois
louis lemoine
jean trépanié
jean françois ayet
forestier
clement
graveline
ange guion
charles carose
nicolas chauvin
lamarche
beau soleil
jacques chauvin
andre Roy
laval
S^{te}. marie

labarre
laramée
luca
lafontaine Soldat
s^t. martin soldat
le garçon
leveillé
jean baptiste
pierre la fontaine
claude trepanie
bonne Volonté
la junesse
charles aigron
lavigne
antoine duclos
charles Francœur
jean la briere
Monsieur Caumon
lamarche canadien
laviolette soldat
le piemontois
charles savage
brossard
Bellerive
la tulipe
poudrié
gaulin
la doceur
bastien charpantier
la chambre
pierre martin
monsieur s^t. Denis
jean gautier

joyeuse
gilbert d'ardenne
Prevost
bourbonniere
sans chagrin
denis darbois
jean geofroy
turpin gaudefroy
jeremie
françois hamel
joseph la pointe
pierre l'arrivée
jacques la brie
lavergne
ignas simon
dit lapointe
la boutillerie
minet
courville
laloire
jean aussou
simon lespine
doré
montreuil
sans cartier
la fortune soldat
matagon
Cœurbien
s^t. michel
gros jean
bourgeois
dupré bombardeur
jean montanboux

cette terre et cette mer d'Hudson restent françaises? Le 24 septembre Iberville s'embarque sur le *Profond*, accompagné du *Wesph*, pour le retour en France. Il quitte la baie pour n'y plus revenir. D'autres cieux l'appellent à d'autres gloires. À propos de ce fait d'armes, Frontenac aurait dit, d'après La Potherie, «qu'il falloit être Canadien ou avoir le cœur d'un Canadien pour être venu à bout d'une telle entreprise»[51].

(Cours public d'histoire
du Canada à l'Université
de Montréal-Inédit.)

Notes

1. Cependant la politique du roi n'est pas simple. Ainsi, le 5 août 1683, ordre du roi vient à La Barre d'empêcher l'établissement des Anglais à la baie d'Hudson et de les y troubler autant que possible. Déjà, sous Frontenac, quelques-uns des habitants et marchands les plus entreprenants avaient envoyé à la baie deux petits vaisseaux, puis établi un poste dans la rivière Nelson et pris possession de la rivière au nom du roi, y avaient même laissé dix hommes en garnison. À son tour, La Barre avait suscité une compagnie qui pût soutenir l'entreprise. Le 19 mars 1684 il prenait sur lui d'envoyer une barque de 40 à 50 tonneaux porter au poste de la rivière Nelson, des hommes, des vivres et des munitions (AC, C IIA, 6-1: 368-371.)

2. La Potherie, *Histoire de l'Amérique septentrionale* (4 vol., Paris, 1753), I: 147, parle de 300,000 livres.

3. Mémoire de Denonville, 8 nov. 1686, AC, C IIA-8: 220-266.

4. Denonville au ministre, 12 novembre 1685, AC, C IIA-7: 203-223.

5. Exactement 50,037 et 10 sols. Mémoire de frais, AC, C IIA-8: 390-407. Voir sur la Compagnie du Nord, détails intéressants dans *Revue d'histoire de l'Amérique française*, IV: 481-482.

6. La Barre au roi, 13 novembre 1684, AC, C IIA, 6-2: 40-69. Denonville au ministre, 12 novembre 1685, *ibid.* C IIA-7: 203-223. Le 8 mai 1686 (AC, C IIA-8: 2-43), Denonville écrit au ministre qu'il a retenu des Anglais dans la colonie en représailles «des François que les marchands anglois retiennent dans leurs forts establis à la d^e. Baye contre tout droit.

7. Il faut noter qu'en cette année 1686 l'Angleterre et la France ont conclu ensemble un traité de neutralité, par lequel on tentait de régler pacifiquement les griefs des deux colonies en Amérique du Nord. La nouvelle en était-elle parvenue au Canada? Le traité ne fut enregistré au Conseil de Québec que le 21 juillet 1687, pendant l'expédition de Denonville chez les Iroquois (Voir *Édits et Ordonnances*, (Québec, 1854), 257-262). Le traité avait été conclu le 16 novembre 1686. Le 30 mars 1687 — un peu tard comme on le voit — le roi défendait expressément à Denonville «de faire aucune entre-

prise contre les Anglais». Des commissaires nommés de part et d'autre, devaient «terminer» les différends qu'il y a actuellement entre le compagnies françoises et angloises au sujet de la baie d'Hudson.» (*Documents historiques* (Québec, 1893, I: 23-24.)

8. Ivanhoë Caron, *Journal de l'expédition du Chevalier de Troyes* (Beauceville, 1918), 5-7. Voir Guy Frégault, *Iberville le Conquérant* (Montréal, 1944), 65-127. — Bacqueville de La Potherie, *Histoire de l'Amérique septentrionale, op. cit.,* I: 147-163; AC, C IIA-9: 69-72.

9. AC, C IIA-8: 273.

10. Gédéon de Catalogne faisait-il partie de l'expédition? De Troyes ne le nomme nulle part. Le plus étrange est que, dans le *Recueil de ce qui s'est passé en Canada au sujet de la guerre, tant des Anglais que des Iroquois, depuis l'année 1692 jusqu'en 1712,* et qu'on attribue à Catalogne, ce dernier s'y donne avec Duchesnay comme capitaine des troupes «pour commander les soldats». De Troyes l'aurait-il volontairement ignoré? Les deux hommes ne s'aimaient guère si l'on en juge par la conduite assez odieuse que Catalogne attribue au Chevalier au fort Niagara. Aegidius Fauteux a tanché ce petit point d'histoire (*La Patrie*, 9 juin 1944, 40-42): Catalogne fut du voyage, mais sous le nom de Laliberté. Il paraît, sous ce nom, dans le journal du Ch. de Troyes.

11. BRH, XXI: 129-133.

12. Dans le *Journal de l'expédition...* p. 71, alors qu'il laisse le fort de Monsoni sous la garde de St-Germain, de Troyes écrit «ne sachant pas le chemin plus loin, donna un sauvage du lieu pour nous conduire.» Voir autre texte, *id.* 84.

13. BRH, I: 148-149. Voir aussi Ernest Voorhis, *Historic Forts and Trading Posts of the French Regime* (Ottawa, 1930), 138. — Dans le récit de l'expéditon (édité par l'abbé Ivanhoë Caron), on voit (19-20) que Saint-Germain a deux bœufs, au départ, pour traîner son bagage.

14. Veut-on connaître l'habillement des 30 soldats? Pour chacun un «capot de drap bleu galloné, deux chemises, un tapabord, une camisole de drap rouge, 2 paires de bas ou mitasses, 1 paire de souliers français, 2 paires de souliers sauvages, 1 caleçon de molton». AC, C IIA-8: 390-407.

15. Mémoire de frais de la Cie du Nord, AC, C IIA-8: 390-407.

16. AC, C IIA-8: 398. Les canots utilisés pour cette expédition ont été payés 100, 75 et 60 livres. *Ibid.*: 393.

17. Les notes du chevalier de Troyes pourraient permettre de fixer, sans doute possible, le lieu exact de la bataille du Long-Sault.

18. Ernest Vorrhis, *Historic Forts and Trading Posts of the French Regime* (Ottawa, 1930), 10-11.

19. Mémoire de Denonville, 8 novembre 1686, AC, C IIA-8: 220-266.

20. AC, Corr. gén., 1687, fol. 61. — *Relations des Jésuites (Éd. Thwaites), LXIII*: 282-286.

21. Ivanhoë Caron, *Journal de l'expédition du Chevalier de Troyes à la Baie d'Hudson en 1686* (Beauceville, 1918), appendice K, 119-127.

22. AC. Corr. gén., C IIA-10: 480, 540. — RAPQ, (1927-1928): 21-22.

23. Nicolas Jérémie, «Relation du Détroit et de la Baie d'Hudson», *Bulletin de la Société historique de St-Boniface* (1912), II: 23.

24. AC, C IIA-13: 281-284.

25. RAPQ, (1927-1928): 7, 34.

26. Iberville au ministre, 3 février, 1693, AC, C IIA, 12-2: 639-654. — Voir «Relation du Détroit et de la Baie d'Hudson», *Bulletin de la Société historique de St-Boniface*, II (1912): 9, les idées qu'entretenaient les Indiens de la Baie, sur le sujet.

27. Ivanhoë Caron, *Journal de l'expédition du Chevalier de Troyes*, 130-131. — La Potherie, *Histoire de l'Amérique septentrionale*, I: 163-165. — Chrestien Le Clercq, *Premier établissement de la foy dans la Nouvelle-France*, II: 445-449. — Le Jeune, *Le Chevalier Pierre Le Moyne d'Iberville* (Ottawa, 1937), 56-62.

28. RAPQ, (1927-1928): 63-64, 150.

29. *Histoire et description générale de la Nouvelle-France*. III: 218. — RAPQ, (1927-1928): 148-150; *Ibid*. 1928-1929: 274.

30. *Premier établissement de la foy dans la Nouvelle-France*. II: 445.

31. RAPQ, (1927-1928): 98-99, 108, 113, 132, 136-137, 145, 148-150, 184.

32. *Ibid*: 164.

33. *Ibid*: 164. — Lettre du Sr d'Iberville, 16 décembre 1693, AC, C IIA, 12-2: 669-674.

34. AC, C IIA-13: 486-489. — RAPQ, (1928-1929): 322-323. — AC, Coll. Moreau de St-Méry, F3, 7-2: 707-715. — Lettre

d'Iberville 12 octobre 1695,AC, C IIA-13: 481-485. — RAPQ, (1927-1928): 184, 207-208.

35. AC, C IIA-13: 137-142. — *Id.*, Coll. Moreau de St-Mery, F3, 7-2: 716-719. — RAPQ, (1927-1928): 197. — Le Père Marest (Rochemonteix, *Les Jésuites et la Nouvelle-France au dix-septième siècle* (3 vol., Paris, 1895), III: 628, fixe le départ au 10 août, La Potherie (*Histoire de l'Amérique septentrionale*, I: 166), au 8 août.

36. Ce nom de Sainte-Thérèse appartenait déjà à cette rivière. Il ne lui aurait pas été donné, comme quelques-uns l'ont prétendu, par Iberville et parce qu'il aurait repris le fort Nelson, le 15 octobre, fête de sainte Thérèse. D'après le Père Marest, cette rivière aurait été découverte par un Français dont la femme porait le nom de Thérèse. (*Relations des Jésuites* (Éd. Thwaites), LXVI: 84-86).

37. *Relations des Jésuites* (Éd. Thwaites), LXVI: 94.

38. Lettre d'Iberville 3 février 1693, AC, C IIA, 12-2: 639-657.

39. Le M. de La Forest dont il est ici question, n'est pas le lieutenant de La Salle.

40. Voir, pour cette expédition, Nicolas Jérémie, «Relation du Détroit et de la Baie d'Hudson», *Bulletin de la Société historique de St-Boniface* (1912), II: 13. — La Potherie, *Histoire de l'Amérique septentrionale*, I: 166. — Lettre du Père Gabriel Marest au Père de Lamberville (*Relations des Jésuites* (Éd. Thwaites), LXVI: 66-119. — Autre lettre du Père Marest, *id.*, LXIV: 260-267. — Charlevoix, *Histoire et description générale de la Nouvelle-France*, (petite éd.), III: 215-219.

41. RAPQ, (1928-1929): 298.

42. Nicolas Jérémie, «Relation du Détroit et de la Baie d'Hudson», *Bulletin de Soc. hist. de St-Boniface*, (1912), II: 13. — AC, C IIA-14: 22-31. — La Potherie, *Histoire de l'Amérique septentrionale*, I: 166-167. — Charles de La Roncière, *Histoire de la marine française*, Le crépuscule du grand règne — L'apogée de la guerre de course, (6 vol., Paris, 1909-1932), VI: 262-266.

43. Iberville au ministre, 5 juillet 1697, AC, C IIA-15: 212-227.

44. La Potherie, *op. cit.*, I: 69, 70.

45. La Potherie, *op. cit.*, I: 68.

46. *Ibid.*, I: 84-85.

47. Charlevoix, *Histoire et description générale de la Nouvelle-France* (petite éd.), II: 304. La Potherie, *op. cit.*, I: 90-96. —

Kingsford, *History of Canada*, (10 vol., Montréal, 1887-1894), III: 33-38. Iberville à Pontchartrain, 8 nov. 1697, Archives de Québec, *Manuscrit... relatifs à l'histoire de la Nouvelle-France* (4 vol., Québec 1883-1885), série 2, VIII: 4567-4576. Consulter surtout Guy Frégault, *Iberville le Conquérant* (Montréal, 1944), 236-263.

48. N'oublions pas que démâter un voilier, c'est lui enlever toute sa force motrice, le paralyser sur place.

49. La Potherie, *op. cit.*, I: 95.

50. Voir encore pour le combat du *Profond* et du *Pélican* et ce naufrage, Nicolas Jérémie, «Relation du Détroit et de la Baie d'Hudson», *Bull. Soc. hist. St-Boniface*, II: 14. — La Potherie, *Histoire de l'Amérique septentrionale*, I: 84, 101. — Charlevoix, *Histoire et description générale de la Nouvelle-France*, III: 300-305. — Charles de La Roncière, *La grande légende de la mer — Une épopée canadienne* (Paris, 1930), 94-104; *id., Histoire de la marine française*, VI: 293-295.

51. La Potherie, *op. cit.*, I: 167.

CHAPITRE CINQUIÈME

Découverte de l'Ouest

Une autre partie de l'Amérique du Nord contiguë aux grands Lacs, restait à découvrir et à conquérir: celle de l'ouest, de toutes, la plus vaste, la plus mystérieuse, la moins accessible et d'autant plus que personne ne s'en rend compte. Passé le lac Supérieur une autre géographie et un autre monde surgissaient. Rien, en ce nouvel espace, de l'axe gigantesque du Saint-Laurent qui, par son cours et ses affluents et ses sources, véritables mers intérieures et plaque tournante, avait sitôt conduit les Français jusqu'au cœur du continent, et de là, dans toutes les directions. Au delà du lac Supérieur, d'autres chemins d'eau s'ouvrent, sans doute, mais peu articulés les uns aux autres et, le plus souvent, coupés de chutes, de marais de folle avoine, épouvante du voyageur pour le harassement de leurs longs et durs portages. Puis, par delà cette première région, à la même latitude est-ouest, s'étendait la prairie illimitée avec ses énigmes et ses mirages, et, plus au nord, au niveau des lacs Nipigon et Winnipeg, la forêt à deux franges, celle des feuillus et des hauts conifères et des bois subartiques. La faune humaine ne déconcerte pas moins avec ses bigarrures: des races et des langues nouvelles, des nomades plus que sédentaires, aux territoires mal définis, n'ayant de commun avec les Indiens du centre que leur passion de la guerre ou de la chasse à l'homme entretenue bientôt par la course à la fourrure.

Cependant cet ouest à visage de sphinx attirera de bonne heure l'explorateur ou le traitant français[1]. Dès le temps de Frontenac, pour resserrer les Anglais à la Baie d'Hudson, l'on songe déjà à l'exploration du «continent» inconnu. Le gouverneur y situe même la source du castor[2]. En 1680, le P. Louis Hennepin et deux Français en séjour au pays des Nadessioux, y rencontrent des sauvages venus en ambassade de près de 500 lieues, dit-on, du côté de l'ouest et qui apportent, sur leur pays, des notions assez précises: à l'ouest et au nord-est, des Assinipoualacs et autres nations habiteraient des prairies immenses remplies de bœufs sauvages et autres pelleteries, régions où, faute de bois, l'on se chaufferait avec de la fiente de bœuf[3]. Des rumeurs de courses audacieuses, rumeurs vraies ou fausses, ne cessent d'inviter à l'aventure. Vers 1694 ou 1695, les sieurs de La Forest et Tonty, pour s'indemniser de dépenses que leur a coûtées le service du roi, seraient allés chercher de la fourrure au pays des «Assinibois», soit à 500 lieues de Michilimakinac, du côté du nord, avec qui l'on n'avait encore fait la traite[4]. L'attention de Versailles finit par s'éveiller. La mer de l'ouest ne serait-elle pas de ce côté-là et tout proche? On en vient même à se demander si, pour atteindre la mer Vermeille — autre nom de la mer de l'ouest — le mieux ne serait point de partir du Canada plutôt que de la Louisiane.

Des audacieux n'ont pas attendu si longtemps pour pratiquer des sondages vers la fascinante énigme. Le premier qui s'offre à l'histoire, sur les pas de Radisson — pour authentique que soit cette part des récits de Radisson — est un gentilhomme originaire du pays lyonnais, Daniel Greysolon Du Lhut[5]. L'un des grands voyageurs de son époque, Du Lhut occupe déjà, en 1678, un poste au lac Nipigon. Aidé de son frère, Greysolon de La Tourette, son fort, centre de traite, doublé d'un autre à la baie de Nipigon, sert de point de rencontre aux sauvages d'un large environnement. Y séjournent aussi les coureurs de bois qui interceptent le courant de la pelleterie vers la baie d'Hudson. Il n'est pas sûr que, vers le même temps, Daniel Greysolon ait bâti un autre fort à la baie du Tonnerre et à l'embouchure de la rivière Kaministikwia. Il y a certainement développé un réseau d'influences non moins important que celui du Nipigon.

Lac Nipigon, rivière Kaministikwia, deux postes stratégiques qui pouvaient paralyser, ou du moins affecter gravement le commerce anglais de la grande Baie. Par le lac Nipigon, en effet, et par sa baie, l'on tenait l'embouchure prochaine des rivières orientées vers le bassin de la baie James: rivière Kénogami, Petit-Courant, Ogoki, Albany; par la Kaministikwia, l'on aboutissait au lac La Pluie, puis au lac des Bois (appelé aussi lac Assiniboine) et de là, par la rivière Winnipeg, au lac du même nom qui, à son tour, mettait à la portée des sources d'autres rivières s'en allant à la Baie d'Hudson: Pigeon, Severn, Hayes, Nelson. La chronique permet-elle de retracer l'itinéraire, les allées et venues de Greysolon Du Lhut? Si l'on en croit Benjamin Sulte, le voyageur aurait pénétré dans l'ouest plus avant qu'on ne l'avait fait avant lui. Il se serait rendu jusqu'à la frontière ouest du Manitoba d'aujourd'hui, y cueillant, de la bouche des sauvages, des aperçus sur la profondeur du continent[6]. Nous savons où le trouver en 1678. Au printemps de 1679 le voici au fond du lac Supérieur, à l'emplacement, semble-t-il, de la ville actuelle de Dulhut. Il y préside, dans le rôle de pacificateur, une rencontre de Sioux et de Sauteux. Rôle assez ordinaire à ces grands coureurs de bois. L'intérêt de leur commerce, à défaut de motifs d'humanité, les déterminait à cette fonction. Le sauvage en guerre chassait peu ou point et frappait d'insécurité la présence française parmi les tribus. Enchanté de son premier succès, Du Lhut se rend chez les Sioux, nation puissante, passablement évoluée, de la vallée du haut-Mississipi, pays riche en castor. Là encore Du Lhut se comporte comme un chargé de mission: ce qui ferait penser à quelque délégation officielle ou secrète de Frontenac. Au nom du roi, le 2 juillet 1679, il prend possession du pays des Sioux. L'écusson royal est affiché sur un arbre aux bords du lac Mille Lacs, au sud-ouest du lac Supérieur. À l'été de 1680, dans une autre randonnée, et pour délivrer le Père Hennepin et deux compagnons français du Récollet faits prisonniers par les Sioux, Du Lhut aurait atteint le Mississipi, à proximité de ses sources, au-dessus des chutes Saint-Antoine[7]. En ses courses de cette année 1680, le voyageur aurait donc visité, ainsi que les sources du grand fleuve du sud, celles aussi du Saint-Laurent, c'est-à-dire, la rivière Saint-Louis qui se décharge au fond du lac Supérieur, à petite distance de l'actuelle ville de Dulhut.

Bien entendu, en ce chapitre, nous ne pouvons faire état des autres pérégrinations du voyageur: son retour à Michilimakinac, en 1680, par le Wisconsin, la rivière-des-Renards, la baie Verte, le nord du lac Michigan; en 1681 son départ précipité vers Québec pour s'y justifier de l'accusation de traite illégale; son voyage en France; puis, en 1683, son retour dans l'ouest; en 1684, sa participation à la triste campagne du gouverneur La Barre contre les Iroquois, à la campagne du gouverneur Denonville en 1687; enfin son rappel en Nouvelle-France en 1689. Ses dernières randonnées ne nous intéressent que pour le progrès accompli dans la découverte de l'ouest. Il ne semble pas que, de 1683 à 1689, Du Lhut, non plus que son frère, La Tourette, tout en élargissant chacun de son côté, l'aire de leur commerce et tout en faisant échec au commerce anglais, il ne semble pas, dis-je, que Du Lhut ait poussé beaucoup plus loin son avance vers l'ouest. Il n'abdique en rien pour autant ses aspirations de découvreur. En son voyage de 1679, il a laissé trois de ses hommes chez les Sioux. Or, que lui racontent ces trois hommes? Une tribu siouse, au cours d'une excursion de guerre qui l'aurait menée jusqu'au bord d'un grand lac, en aurait rapporté du sel. Sans doute, ne s'agissait-il que d'un sel ramassé aux rives du lac salé de l'Utah. Mais cette eau salée, se demande Du Lhut, cette eau qui «ne vaut rien à boire», ne serait-ce pas l'eau du Pacifique, de la mer de l'ouest? C'était aller un peu vite. Mais qui alors, soit en France, soit au Canada, soupçonne la largeur du continent? Lors de sa course à la recherche du Père Hennepin qu'il aurait atteint à quatre-vingts lieues au-dessus des Mille-Lacs, Du Lhut nous révèle, une fois de plus, son dessein: «pousser, ainsi qu'il dit, jusqu'à la mer du côté de l'ouest-nord-ouest, qui est celle que l'on croit la mer Vermeille» (le Pacifique). L'agression des Sioux contre le Récollet fait apercevoir au voyageur le côté hasardeux de pareille entreprise. Il prend la route de Michilimakinac. Pendant trois ans, Greysolon Du Lhut restera hors de l'ouest. On peut regretter cette absence. Il n'eut pas découvert la mer de l'ouest. Pas plus que les voyageurs qui vont le suivre, il n'était équipé pour pareille aventure. Peut-être néanmoins, lui et son frère La Tourette, «hommes de résolution», selon le mot de Talon, et habiles manieurs d'Indiens, eussent-ils frayé davantage la voie à leurs successeurs. On craignait de s'avancer parmi les Sioux. Or, si nous en croyons Denonville, les deux Greysolon jouissaient d'une autorité presque souveraine parmi les Sioux de l'Ouest et les peuples du nord[8]. Greysolon Du Luth partit se défendre auprès de Duchesneau de l'accusation de traite illégale. Il était devenu un sujet suspect. Les langues avaient si copieusement marché contre lui à Québec, et de là, à la cour, qu'en son voyage de 1682 en France, Du Lhut se verra fermer bien des portes. M. Tronson refusera d'accorder au voyageur canadien sa signature au bas d'une recommandation auprès du ministre ou du roi. «Il a de grandes vues, écrivait le Supérieur de Saint-Sulpice à son confrère de Montréal, mais il y a de grandes informations contre luy... Plusieurs croient icy que ces grandes vues et ces grandes découvertes qu'il propose, ne vont qu'à profiter de la traitte de ces nations éloignées et à ruiner le païs[9].» Car nous voici bien en présence de l'un de ces malentendus ou de ces conflits d'intérêts qui vont si fréquemment gêner et la pénétration française à l'intérieur du continent et le principal commerce de la colonie. La fourrure constituait une des assiettes, et non la moindre, de l'économie coloniale au Canada. Pourquoi donc autorités civiles et commerçants n'auraient-ils beaucoup pardonné à ceux qui ouvraient de nouvelles sources de castor, pacifiaient les Indiens et, tant du côté des Iroquois que du côté de la Baie d'Hudson, neutralisaient la concurrence anglaise? D'autre part, comme l'on sait, l'État français se refusait à subventionner les entreprises de découvertes. Les découvreurs n'avaient qu'à s'indemniser eux-mêmes de leurs dépenses au moyen de la fourrure. En ce cas, une clairvoyante politique n'aurait-elle pas dû pratiquer, à l'égard des éclaireurs des grandes routes de commerce, une large tolérance? Le tort de Greysolon Du Luth, l'un des hommes de Frontenac, à ce qu'il semble bien, aura été de se trouver mêlé au conflit d'intérêts qui opposaient alors le gouverneur, trafiquant de coulisse, à la caste des grands négociants de la colonie.

Interruption malheureuse où pourtant ni l'ouest ni la recherche de la mer ne sont abandonnés. En 1688 un jeune Canadien d'à peine 20 ans, Jacques Noyon, né aux Trois-Rivières en 1668, se jette sur les traces de Du Lhut. Noyon passe l'hiver de 1688-1689 au lac des Cristinaux (lac La Pluie). Des sauvages s'offrent à le conduire à la mer de l'ouest: voyage de cinq mois aller et retour. Que ne possédons-nous plus de renseignements sur l'exploit de ce tout jeune voyageur! Noyon revient dans l'est en 1689. Mais il a eu le temps d'entrer en relations avec les Assiniboines. De ces Indiens, il paraît bien qu'il ait appris l'existence de la Saskatchewan, rivière navigable pouvant conduire à trois jours de la mer. À coup sûr, le jeune Trifluvien aura appris à connaître la route qui, du lac Supérieur, conduit au lac Winnipeg. Découverte d'importance. Cette fois, c'était s'approcher des sources des rivières qui conduisaient, non plus à la baie James, mais à la grande baie du Nord. On s'émut à Londres, au siège de la compagnie de la Baie d'Hudson. Ordre fut donné au gouverneur de Fort Nelson de mettre tout en œuvre pour contrecarrer les entreprises des Canadiens[10]. Noyon allait donc rapporter aux gouvernants de la colonie des renseignements précieux. Plus tard Vaudreuil et Bégon se serviront de ces renseignements pour en munir les chercheurs de routes de ce temps-là, parmi lesquels La Vérendrye. En 1716 le Régent en sera même assez impressionné pour autoriser la découverte de la mer de l'ouest, et d'abord comme jalon préparatoire à l'entreprise, la construction de trois postes vers le lac Winnipeg[11].

Pendant plus de vingt-cinq ans toutefois, la route du lac Winnipeg parut abandonnée. Sauf une course du sieur de Tonty en 1695 et les allées et venues de coureurs isolés, rien ne vient troubler le commerce anglais de la Baie d'Hudson. Au plus fort de leur lutte contre la colonie canadienne, les Iroquois ont semé l'épouvante sur les routes des Pays d'en haut. Rappelons-nous encore l'alerte de Québec assiégé par Phipps en 1690, alerte qui allait mobiliser toutes les forces de la Nouvelle-France. Puis, ce serait la funeste année 1696, le repliement de l'empire, ordonné par le roi vers la vallée du Saint-Laurent; et ce serait encore la réduction du nombre des congés de traite. D'ailleurs, à ce moment, pour prêter main forte à la Compagnie du Nord, les autorités se prêtent à une autre tactique: aller frapper le commerce anglais par voie de mer. Iberville se rend maître de la baie d'Hudson. La voie maritime remplace les voies de terre. Les postes au delà du lac Supérieur perdent ainsi de leur utilité. Il faudra le désastreux traité d'Utrecht en 1713 et la rétrocession aux Anglais de la baie d'Hudson pour redonner utilité et vie aux routes de l'ouest. Le Régent même, on vient de le dire, se convertit à la découverte de la mer d'Occident. Tout aussitôt, en 1717, M. de Vaudreuil fait partir pour l'ouest, Zacharie Robutel de La Noue, accompagné de 32 hommes, en huit canots. Il a ordre de jeter là-bas trois bases d'occupation: relever Kaministikwia, s'établir à Takamamiouien, vers le lac des Cristinaux (lac La Pluie), soit à cents lieues de Kaministikwia; et prendre pied au lac des Assiniboëls (lac des Bois)[12]; postes qui, avec tous ceux-là qu'on établira bientôt au delà du lac Supérieur, prendront le nom significatif de «postes de la mer de l'ouest». Les canots de La Noue avaient permission de se dédommager de la dépense de l'expédition (dépense prévue de 50,000 livres), à même la traite qu'ils pourraient faire. Observons tout de suite quelles lourdes hypothèques viennent grever, dès le début, ce projet de découverte. La mission première de La Noue consiste à détourner les sauvages des voies commerciales de la baie d'Hudson. Mais voici qu'à sa seconde mission, la découverte de la mer, l'on associe cette fin illusoire: trouver, pour le commerce d'Orient, une route plus courte que celle jusqu'alors suivie par les navires d'Europe, fin chimérique, avons-nous dit, qui tenait elle-même à une parfaite ignorance de la profondeur du continent[13]. Entreprise trop au-dessus des moyens d'un particulier et qui ne pouvait être qu'une entreprise d'État, mais à laquelle le trésor métropolitain refuse de contribuer pour quoi que ce soit. Dès lors quoi de plus facile à prévoir que la longue suite d'échecs essuyés par toute la file des explorateurs? Et quoi de plus explicable aussi que les amères déceptions des autorités et leur inclination à s'en prendre aux chargés de mission? La Noue arrive trop tard en 1718 à Kaministikwia, trop tard pour détacher même un canot vers Takamamiouien. Au reste il faut envoyer chercher des vivres à Michilimakinac, centre alors de ravitaillement pour les forts situés au delà. Et la guerre entre Sioux et Cristinaux rend extrêmement périlleuse toute avance dans la contrée: guerres presque continuelles, inexpiables entre les tribus et qui vont faire avorter les projets de La Noue[14]. Il quittera son poste en 1721, relevé par le sieur Deschaillons. Les résultats de cette première entreprise s'avèrent plus que médiocres: sur la mer de l'ouest, rien que de vagues notions et le courant commercial vers la baie d'Hudson plutôt mal freiné; seul le poste de Kaministikwia, pourvu d'une garnison, a chance de subsister[15].

Sur ce, pour la passionnante recherche de la mer, quelqu'un vient d'offrir ses services à la cour: le Père de Charlevoix, jésuite[16]. Arrivé à Québec fin de septembre 1720, tout aussitôt le Père commence son enquête auprès des voyageurs. Il se met en route vers l'ouest fin d'avril 1721. On le voit à Détroit, à Michilimakinac. Là encore et ailleurs et particulièrement à la baie des Puants, il questionne les missionnaires, les voyageurs qui reviennent du pays des Sioux ou qui ont navigué sur le Missouri. À Michilimakinac il se lance aux trousses de Zacharie Robutel de La Noue qui rentre dans la colonie. Puis le Père se dirige vers le Mississipi pour, de là, rentrer en France, après escale à Saint-Domingue. Voyage épuisant qui n'aboutit qu'à des propositions plus que légèrement pratiques: chercher la mer de l'ouest par le Missouri dont les sources n'en seraient pas éloignées; établir une mission chez les Sioux et obtenir d'eux des lumières appropriées. Charlevoix partageait l'illusion de ses contemporains sur la proximité de la mer tant cherchée. Des esclaves Panis lui avaient dit ne l'avoir atteinte qu'après trois mois de marches. Il lui importait peu. Sur la foi des rapports des voyageurs et d'autres sauvages, les Sioux, croyait-il, avaient la mer à leur ouest; il la situait là et tout au plus, au sud-ouest du lac des Assiniboëls. Charlevoix n'ignorait pas non plus l'opinion ni le dessein du sieur d'Iberville qui s'était flatté de trouver la mer par la baie d'Hudson, voie «la plus sûre et la plus courte»[17].

Après l'échec de La Noue[18], neuf ans passeront encore avant qu'un autre explorateur se vienne briser à son tour contre l'obstacle. Période creuse où pourtant quelques faits sont à retenir. En quelques esprits la mer de l'ouest reste toujours objet de recherche. En 1724 un anonyme propose de stimuler le zèle des explorateurs par divers moyens: promesses de titres honorifiques, noblesse, croix de Saint-Louis, brevet de capitaine, appas de concessions terriennes fort alléchantes, telles qu'érections de marquisats sur la côte de la mer de Chine[19]. Là-bas, dans l'ouest, de petits groupes de coureurs de bois continuent d'évoluer dans les vallées du lac La Pluie et de la rivière Winnipeg; ils se familiarisent avec la région. Malheureusement ils fomentent parfois la petite guerre entre les tribus. Préparation médiocre aux entreprises de futurs découvreurs. Un solide établissement chez les Sioux aurait pu parer à ces désordres. Longtemps, sur ce point, on se consumera en projets sans passer à l'exécution. Dès 1723, sur les instances du roi qui voit là un moyen d'assurer la découverte de la mer d'Occident, les autorités coloniales décident l'envoi de missionnaires au pays des Sioux. Les Jésuites y requièrent la présence d'un commandant[20]. Mais il fallait compter avec les Renards, terreur du voisinage. Et impossible de se rendre en canot chez les Sioux sans passer par le pays des Renards[21]. Ce n'est qu'en 1727 qu'enfin, sur les bords du lac Pépin, un

fort s'élève qui s'appellera le fort Beauharnois. Deux
Pères jésuites, les Pères Guignas et Nicolas-Flavien
Gonnor s'y rendent. En 1728, un cadet des troupes,
La Jemmeraye — un nom à ne pas oublier — hiverne
au lac Pépin, avec quelques Français. Malheureusement le manque de provisions obligera La Jemmeraye et quelques-uns de ses compagnons à rentrer
dans la colonie[22].

* *
*

Les choses en sont là lorsque Pierre Gaultier de
Varennes, sieur de La Vérendrye s'embarque, en juin
1731, pour l'ouest. Il s'en va ressaisir l'œuvre de La
Noue à peine ébauchée[23]. Les Renards, ces Iroquois
de l'ouest, brouillons qui ont tant inquiété les tribus
des lacs, viennent d'être écrasés. Il semble que la
voie aux découvertes soit libre[24]. Qui est ce La Vérendrye? Et quelle préparation apporte à sa tâche ce
nouveau chargé de mission? Encore un fils des Trois-
Rivières, né en 1685, quatrième d'une famille de dix
enfants. Son père a été gouverneur de la petite ville.
Pierre a eu pour grand-père maternel, Pierre Boucher, et pour parrain, augure prometteur, M. d'Iberville. Le jeune La Vérendrye a fait ses premières
armes en des guérillas contre la Nouvelle-Angleterre, puis en France. Il est gravement blessé à la
bataille de Malplaquet. De retour au Canada en 1711,
il se marie l'année suivante. Il occupe un petit poste
de traite à la Gabelle, près de sa ville natale. Sa
famille s'accroissant, il a eu quatre fils de 1713 à
1717, il obtient, en 1727, le commandement du
«Poste du Nord»: Kaministikwia, Michipicoton (rive
nord du lac Supérieur) et lac Nipigon: ce dernier

372

excellent observatoire où s'instruire des mystères de l'ouest. En 1730, de passage à Québec, il apprend que la cour, le gouverneur Beauharnois approuvent son projet, en souhaitent la prompte exécution. Cette année-là même Beauharnois annonce le départ prochain de La Vérendrye pour l'ouest[25].

Résumons cette odyssée. Aventure d'un héros qu'aux temps antiques l'on eût dit poursuivi inlassablement par une implacable divinité. La Vérendrye se jetait, après d'autres, dans une entreprise sans issue possible. Le premier ennemi et le plus formidable qu'il lui faudrait affronter serait l'Inconnu-distance. Tous alors, en France, à Québec, au Canada, les voyageurs mêmes, il ne faut cesser de le répéter, se méprennent sur la réelle largeur du continent nord américain. Méprise de taille qui peut aller jusqu'à l'ignorance des deux-tiers de la route à parcourir au delà du lac Supérieur. On a parlé, et non tout à fait sans raison, de géographie nouvelle, déconcertante, pour les explorateurs; l'on a invoqué l'insuffisance de l'équipement à l'époque pour une randonnée de cette envergure. Là, à notre avis, ne résident point les pires obstacles. La géographie de l'ouest s'offre, il est vrai, en vigoureux contraste avec celle du centre et de l'est canadiens. Cependant, passés les lacs Winnipeg et Winnipegosis, la Saskatchewan présentait son embouchure. Les deux embranchements nord et sud de la rivière pouvaient conduire jusqu'aux contreforts des Rocheuses. Le malheur est qu'on prendra du temps à le savoir. Chevalier de La Vérendrye découvrira le premier la grande rivière (Poskouyak) et la remontera jusqu'à la fourche en 1749, à ce qu'il semble, «route la plus commode, dira-t-il, pour poursuivre les découvertes de la mer d'Ouest par la facilité d'y porter ses besoins par canot»[26]. Mais les Rocheuses n'étaient pas le bord ou la falaise de la mer. Une fois atteinte la chaîne montagneuse, restait à trouver le col ou la «passe» où la traverser, «passe» d'au moins 60 milles. Par delà l'autre versant, s'étendait encore, avant qu'on pût toucher au bord de la mer, le territoire de l'actuelle Colombie canadienne, soit un espace d'au moins 400 milles. Et ces 400 milles se partageaient, à partir de la base occidentale des Rocheuses, d'abord en une vallée considérable, puis en un autre système de montagnes, dit système de columbia, puis encore en un large plateau d'une altitude d'environ 3,000 pieds, puis enfin en une chaîne côtière d'une élévation moyenne de 6,000 pieds. Autant de données géographiques que personne ne soupçonnait. Et nous voilà véritablement au nœud de l'infranchissable difficulté. Encore une fois la découverte de la mer de l'ouest, pour la seule distance à franchir, à l'époque de La Vérendrye, ne pouvait être l'œuvre d'un homme, laissé à ses seules ressources, cet homme fût-il le plus intrépide, le plus extraordinaire marcheur. L'auteur du mémoire anonyme de 1724 s'en était rendu compte qui n'y voyait qu'une entreprise subventionnée par «quelque richard»[27]. L'intelligent neveu de La Vérendrye, La Jemmeraye, a d'un œil sûr, mesuré l'achoppement. Dès les premières tentatives auxquelles il s'est trouvé mêlé, c'est-à-dire dès 1733, il déclare la découverte possible, mais non «sans l'assistance du roi». Il en estime le coût qui, certes, n'a rien d'excessif, à 30,000 livres[28]. Vers 1748 ou 1749, lorsque les La Vérendrye connaîtront un peu la région de l'ouest, ils ne jugeront possible de se rendre aux sources de la Saskatchewan «que dans la seconde année du départ de Montréal, quelque diligence que l'on puisse faire»[29]. Rien de ces difficultés ne dispensera La Vérendrye, pas plus que les autres explorateurs, de défrayer, lui seul, le coût de sa découverte. Il devra s'indemniser à même la traite. En 1730, le Conseil de marine précise que La Vérendrye n'exige que les frais de quelques présents aux sauvages. Encore en 1734, puis en 1735, le roi refuse carrément d'entrer dans les dépenses de l'entreprise[30]. Qu'était-ce sinon jeter le découvreur en un surplus d'inextricables embarras? À mesure que les postes s'éloignent dans l'ouest, le commerce des fourrures devient forcément de moins en moins rentable. Ainsi le veulent et la longueur du chemin à parcourir pour acheminer le castor à Michilimakinac et à Montréal et la lenteur des arrivées des marchandises d'échanges aux postes de l'ouest. Autre difficulté qui n'avait pas échappé à La Jemmeraye. Les frais de portage, écrivait-il, les salaires des engagés dépassent les profits du castor, lequel au surplus n'est transportable, venant de si loin, que par petites quantités et seulement une fois l'an[31]. Encore ce castor, pour abondant qu'il soit, n'est-il de cueillette possible que si l'Indien vit en paix et s'adonne à la chasse. Mais que la guerre, en dépit de tout effort de pacification, se maintienne à l'état chronique, par quelle merveille veut-on que le découvreur se rembourse de ses frais? En termes nets on imposait à La Vérendrye la solution de cet insoluble dilemme: ou poursuivre sa découverte, aller de l'avant sans trop se préoccuper de fourrures, et alors s'exposer à mourir de faim dans un pays encore improductif, et d'abord lâché par ses gens peu ou point payés; ou s'occuper de fourrures, y asseoir solidement chacune de ses étapes ou avances, et, en ce cas, par suite de l'inévitable lenteur des envois et des retours, s'exposer aux mêmes catastrophes. Car il importait de prévoir les représailles des marchands équipeurs, la plupart trop pauvres pour se passer de remboursements annuels. Et comment calmer les trop faciles irritations des Messieurs de Versailles et de ceux mêmes de Québec, explorateurs en chambre, incapables de se résigner aux retards d'une découverte qu'ils supputent si facile?

Nous avons là décrit l'histoire de La Vérendrye, chercheur de la mer de l'ouest. Lors de son premier voyage de découverte, celui de 1731, arrivé au Grand Portage du lac Supérieur, portage de trois lieues, situé à quinze lieues au sud-ouest de Kaministikwia, le voici en butte à une mutinerie de ses gens. Un bon nombre, exténués de fatigue, refusent d'aller plus loin. Force est à La Vérendrye d'hiverner à Kaministikwia; il paiera donc tout ce temps ses engagés sans pouvoir tirer profit de ses marchandises[32]. Des ennuis plus graves l'attendent. Habile pacificateur, manieur d'Indiens loué par Beauharnois[33], jamais pourtant il ne pourra établir, entre les tribus de l'ouest, autre chose qu'une paix précaire. Cris et Assiniboëls d'un côté, Sioux des prairies de l'autre, tout pareils aux Indiens de l'est, ne connaissent point de plus brûlante passion que la chasse à l'homme[34]. Impossible d'apaiser ce nid de guêpes. Nicolas-Joseph de Noyelles, substitué à La Vérendrye en 1744, nous a laissé cet aveu qui est à retenir: «Ce sont les Sioux qui ont retardé la découverte de l'ouest.» La Vérendrye aura pour politique de maintenir la balance entre les tribus ennemies. Pour se les attacher, il n'en fournit pas moins cadeaux et armes aux Monsonis, Cris et Assiniboines. Les Sioux reçoivent, pour leur part, des armes des coureurs de bois canadiens: ce qui n'empêche pas ces éternels brouillons d'interpréter les cadeaux de La Vérendrye comme une trahison. De là, en 1736, sur une île du lac des bois, l'horrible massacre qu'ils commettront du Père Aulneau, du fils aîné de La Vérendrye et de vingt de leurs compagnons, alors en route pour Michilimakinac. Crime atroce qui incite plus que jamais Cris et Assiniboines à des représailles contre les auteurs du forfait. Une véritable épouvante se répand dans l'ouest. On se demande même si des Français seront maintenus dans leurs postes. Le Gardeur de Saint-Pierre qui se croit en danger de périr, abandonne son poste du lac Pépin. La Vérendrye se trouve pratiquement isolé et par surcroît sans vivres[35]. Pour comble, cette année 1736 est celle-là aussi où la mort vient ravir à l'explorateur l'homme qui était peut-être son meilleur collaborateur: l'habile et dévoué La Jemmeraye.

Années terribles où s'accumulent les tribulations. Les marchands équipeurs s'embarrassent assez peu des épreuves de l'explorateur. Ce qu'il leur faut, ce sont des retours de fourrures. Ces retours manquant à venir, pour les raisons que l'on sait, ils citent en justice l'infortuné débiteur. Mécontentements qui s'aigrissent d'autant plus vite, en ces milieux de marchands, qu'ils sont nombreux à se plaindre. La Vérendrye, en effet, pour financer sa coûteuse entreprise, a dû faire appel à un consortium. Donc, en 1737, c'est le marchand Soumande qui fait saisir à Michilimakinac des pelleteries livrées préférablement à M. D'aillebout. Et Hocquart donne raison à Soumande[36]. L'année suivante, c'est une réclamation du sieur de Lorme qui oblige l'explorateur à revenir de l'ouest. Au surplus, pour le dire en passant, ces ennuis suscités à La Vérendrye coïncident avec les efforts des négociants pour se substituer aux officiers commandants dans les postes de traite: victoire qu'ils remporteront en 1742.

Les épreuves les plus pénibles, disons-le, viendront de la cour. Dans les milieux de Versailles l'animosité se manifeste si vive, si persévérante contre l'explorateur qu'on se défend mal d'y soupçonner des intrigues ourdies et menées de mains de maître au Canada. Au reste, ces métropolitains, impatients de toucher des résultats, mais si ignorants de la géographie de l'ouest canadien, ne sont pas loin de se figurer la découverte du Pacifique comme une simple et tranquille promenade à travers la prairie. On ne cesse de harceler le pauvre La Vérendrye. Il n'avance pas assez vite. Ses intentions sont suspectes. S'arrête-t-il à l'un de ses forts pour s'y livrer à quelques défrichements, s'assurer sa subsistance, aussitôt on le dit plus colonisateur que découvreur. Pour rembourser ses équipeurs, s'attarde-t-il à ramasser des fourrures, on l'accuse de s'adonner à la traite plus qu'à la découverte. En résumé on le tient pour un exploiteur comme tant d'autres[37]. Pour prendre sa défense et l'encourager presque assidûment, l'explorateur n'a vraiment rencontré qu'un seul protecteur: le gouverneur Beauharnois. Tant et si bien qu'en 1744, l'on décide, non sans quelque scepticisme, de substituer Nicolas-Joseph de Noyelles à La Vérendrye[38]. Malade, accablé de dettes, fatigué des soupçons et calomnies dont on l'abreuve, l'infortuné a lui-même demandé d'être relevé.

Fallait-il parler de mission totalement ratée? Nous avons vu quelles accusations l'on a portées contre l'explorateur. Encore de nos jours des historiens suspectent volontiers sa bonne foi, sa pureté d'intention. Certes, ces explorateurs n'ont pas manqué en Nouvelle-France qui, sous le prétexte de la découverte, ont courtisé, plus que toute chose, la fourrure. De ce double jeu, Cavelier de La Salle fournit peut-être le plus illustre exemple. Fallait-il rêver, d'autre part, d'explorateurs dépouillés de tout intérêt personnel? Obligés à financer eux-mêmes leur entreprise, au nom de quoi leur eût-on commandé de s'y ruiner? Pouvaient-ils de même s'abstraire de toute ambition de gloriole en des recherches de routes ou de terres où s'attachaient — c'était le cas de l'ouest — des gains si considérables? Autant de motifs ou d'espoirs qui, depuis les débuts de l'empire, ont animé, composé la psychologie des chercheurs d'horizons nouveaux. L'impartiale histoire admettra difficilement un La Vérendrye dominé par des ambitions de lucre. À la distance où il la lui fallait cueillir, la fourrure, on a pu s'en persuader, ne pouvait guère l'enrichir. À peine y trouvera-t-il de quoi satisfaire aux exigences de ses équipeurs. La Vérendrye n'a pas été non plus, que nous sachions — du moins on ne l'en a pas accusé — l'affidé, le secret pourvoyeur de castor de quelque grand personnage, gouverneur, intendant ou grand marchand: ce qui l'eût exposé à biaiser avec sa mission. Mais cet explorateur, on l'a peut-être trop oublié, était père de famille; en son entreprise il avait engagé quatre de ses fils. Très tôt, à coup sûr, il a pu se rendre compte qu'à s'allonger indéfiniment ses lignes de ravitaillement et ses lignes de commerce, allaient devenir, sans doute possible, inopérantes. Qu'en face de cette impasse, assailli en particulier par ses responsabilités familiales, l'explorateur ait accordé au problème fourrure, une importance aussi désordonnée que vaine, qui peut bien s'en étonner et le lui reprocher? Nous croyons, au surplus, qu'on ne saurait écarter d'un revers de la main, tant de textes où un fort brave homme, resté pauvre, professe que «la gloire du Roi et le bien de la Colonie ont toujours été les seuls motifs qui l'ont engagé dans cette entreprise»[39]. Affirmation, protestation de probité que deux gouverneurs, Beauharnois et La Galissonnière, renseignés de première main, ont en quelque sorte signées.

En 1744, La Vérendrye pouvait donc se démettre sans fausse honte. Derrière lui, une œuvre restait nullement méprisable. Ses journaux de voyage, ses cartes expédiées à Beauharnois puis envoyées en France, notamment en 1730, en 1737, en 1739, en 1744, ébauchent la géographie de l'ouest, en dépit de données ou renseignements fantaisistes, fournis par des sauvages ou quelques voyageurs[40]. Chaque avance a été jalonnée de têtes de pont ou de véritables forts: fort Saint-Pierre au lac La Pluie (1731); 80 lieues plus loin, fort Saint-Charles au lac des Bois (1732); fort Maurepas, d'abord à l'embouchure de la Rivière-Rouge (1734), puis reporté à l'embouchure de la rivière Winnipeg, à 100 lieues du fort Saint-Charles (1743); fort la Reine (1738), sur l'Assiniboine, à l'emplacement de la ville actuelle de Portage-la-Prairie; fort Dauphin (1741), à l'embouchure de la rivière Mossy; fort Bourbon (1741) sur le cours inférieur de la Saskatchewan, aux approches du lac des Cèdres. Places fortifiées que tous ces établissements, munis de garnisons, entourés la plupart de défrichement pour aider à la subsistance des garnisaires. Postes stratégiques aussi, et pour des prises de contacts amicaux et productifs avec les tribus environnantes, et pour l'interception de la fourrure vers la baie d'Hudson. En fait York Fort et Prince of Wales Fort enregistrent alors un rabais de commerce alarmant. Entre les sauvages de l'ouest et les Canadiens qui vont à eux et les traitent fraternellement, une amitié durable finit par se nouer[41].

Seule la découverte de la mer de l'ouest pouvait paraître plus qu'un demi-échec. En 1738-1739 l'on pousse une pointe jusque vers les Mantanes[42] du Missouri: voyage à maints égards décevant, mais qui dissipe pourtant l'illusion d'une mer de l'ouest cherchée de ce côté-là. En 1742 deux des fils de La Vérendrye, le Chevalier et François, accompagnés seulement de deux Français, tentent la découverte par une autre route. Partis du fort La Reine le 29 avril, une première étape les ramène chez les Mantanes pour y chercher des guides; une deuxième étape les conduit le 14 octobre chez les «Gens des Chevaux»; une troisième les fait aboutir, le 21 novembre, à un gros village des «Gens de l'Arc», sur la Saskatchewan-sud; le 1er janvier 1743 une quatrième étape leur permet d'apercevoir les Rocheuses. Le 12 janvier ils sont au pied de la chaîne. Hélas, les jeunes explorateurs se voient obligés de suivre une troupe de guerriers sauvages en pleine retraite; ils perdent l'espoir, comme ils disent, de voir la mer «de dessus les Montagnes». Le 1er juillet 1743 un père inquiet les accueille avec joie au fort La Reine[43]. Le voyage où l'on s'est aidé de chevaux, a duré un an et demi. Où marquer le point ultime de la course? À la fourche de la Saskatchewan-sud: plus loin que n'avait encore pénétré aucun explorateur européen.

Le 30 octobre 1744 Beauharnois annonce au ministre qu'il a détaché Nicolas-Joseph de Noyelles en remplacement de La Vérendrye[44]. Toujours sceptique, le ministre ne fonde qu'un espoir médiocre sur le nouveau choix. On vient, au surplus, d'affermer pour 3,000 livres les postes de l'ouest. La guerre d'Europe ne peut que hausser dangereusement le prix des marchandises[45]. La prise de Louisbourg en 1745 gênerait le ravitaillement de la colonie. De Noyelles reçoit, pour mission particulière, d'opérer la paix entre les nations indiennes et même d'empêcher toute incursion contre les postes anglais de la Baie d'Hudson[46]. De Noyelles n'allait pas faire mieux que son prédécesseur, si même il n'allait faire pis. La découverte de la mer de l'ouest restait toujours une entreprise au-dessus des moyens d'un particulier. Le successeur de La Vérendrye n'est pourtant pas un homme sans expérience ni sans mérite. En 1734-1735, on l'a vu avec 80 Français et 130 sauvages domiciliés et quelques autres forces ramassées au passage à Détroit, s'en aller, après sept mois de marche par terre et par eau, sur les bords de la rivière Nouyana, à 60 lieues de son embouchure dans le Mississipi, disperser une troupe de Sakis et de Renards. Hocquart écrivait au ministre, à cette occasion: «Je suis surpris que des Français ayent pu y resister.» À de Noyelles manquait, néanmoins, semble-t-il, l'idéalisme obstiné du découvreur. Il connaissait peu le caractère indien. Il se sentit débordé par les intrigues querelleuses des tribus. L'incendie du fort Maurepas par des sauvages en révolte; les trafiquants de la baie d'Hudson passant à l'offensive contre les traiteurs canadiens, ceux-ci d'ailleurs partout en recul: événements significatifs du désordre survenu dans l'ouest depuis le départ de La Vérendrye[47].

Allait-on s'adresser de nouveau au prédécesseur de de Noyelles? À l'automne de 1746 Beauharnois a pris vigoureusement la défense de La Vérendrye. Le successeur de Beauharnois, La Galissonnière, n'y va pas avec moins de vigueur. Tout lui a paru faux des accusations colportées contre l'explorateur. «Tant que le Roy ne leur fournira pas d'autres moyens d'y subsister..., ajoutait La Galissonnière, ce n'est pas une bonne façon de les [les explorateurs] encourager que de leur reprocher quelques médiocres profits ou de leur retarder leur avancement sous ce prétexte[48].» En 1747 Beaucharnois a chargé le Chevalier de La Vérendrye d'aller porter ses ordres à Michilimakinac[49]. Le Chevalier profite de son passage dans l'ouest pour relever tous les postes de commerce. À ce moment, au surplus, La Vérendrye, le père, semble partiellement réhabilité. En 1749 on le fait chevalier de Saint-Louis et l'on accorde de l'avancement à deux de ses fils[50]. L'explorateur annonce son départ pour l'ouest au printemps de 1750 où il rejoindra ses fils qui l'ont devancé. Malheureusement il décède à Montréal, le 5 décembre 1749. Qu'ont accompli là-bas les fils La Vérendrye en attendant leur père? Nous ne possédons, sur leurs travaux, que peu de renseignements. Il paraît bien assuré toutefois que le commerce des fourrures s'est rétabli au point de jeter de nouveau l'alarme à York Factory[51]. Les fils La Vérendrye ne négligeaient point pour autant leur tâche principale. Partis du fort Bourbon, c'est-à-dire à 30 lieues de l'embouchure de la Saskatchewan, pour la fascinante aventure, les voici qui, en 1749, remontent la rivière jusqu'à la jonction de ses deux branches du nord et du sud. Point stratégique, comme l'on sait, rendez-vous au printemps de tous les Cristinos, ceux des montagnes, des rivières et des prairies, où l'on délibère des postes où porter ses fourrures, postes anglais ou français[52]. Que ne leur a-t-on laissé le temps de mener leur entreprise, sinon à bonne fin, du moins jusque là où des hommes audacieux, expérimentés, la pouvaient acheminer? La Jonquière préféra à ces valeureux, Jacques Repentigny Le Gardeur de Saint-Pierre. Les La Vérendrye avaient risqué là-bas de grandes dépenses pour la reconstruction des forts. Ils supplièrent qu'on les employât sous les ordres du nouveau commandant, on qu'en forme d'indemnité, on leur abandonnât au moins un poste, fût-ce le plus reculé. La Jonquière leur fit la sourde oreille. Jusqu'à la fin l'injustice, «l'envie de ce païs qui n'est pas une envie à demi», écrivait le Chevalier, devait s'acharner contre cette famille, l'une des plus méritantes et l'une des plus admirables de son temps[53].

Le Gardeur de Saint-Pierre nous a laissé un journal de son exploration[54]. Lui-même, établi au Fort la Reine, ne découvre rien. Il se contente d'envoyer de l'avant son lieutenant Boucher de Niverville qui, au prix de misères sans nom, réussit à faire bâtir le fort La Jonquière. Les discussions ne sont pas finies sur l'emplacement de ce fort. La difficulté est de savoir si le fort fut bâti sur la branche sud ou sur la branche nord de la Saskatchewan. Difficile problème. Acceptons-nous l'opinion de M. Burpee? Dans le cas de la branche sud, le fort se localiserait un peu au-dessus du confluent de la rivière Bow et de la rivière Belly; dans le second cas, il faut le situer un peu au-dessous de la ville actuelle d'Edmonton[55]. Là s'achève la pénétration française de l'ouest sous l'ancien régime. Le chevalier Saint-Luc de La Corne gouvernera dans l'ouest de 1753 à 1757. À cette époque les coureurs et les voyageurs canadiens sont allés se multipliant. Un commerce prospère bat en brèche le commerce rival de la Baie d'Hudson. Une nouvelle province s'annexe peu à peu à l'empire et tend, comme sur d'autres points, à refouler les Anglais. Faute néanmoins d'une découverte entreprise à bon escient, la mer de l'ouest reste toujours la grande inconnue. D'ailleurs une catastrophe s'en vient: celle de 1760.

TEXTE*

Lettre de Monsieur de la Veranderie, fils

À Montréal le 30 septembre 1750.

Monseigneur

Il ne me reste d'autre ressource que de me jetter aux pieds de Votre Grandeur et de l'importuner du récit de mes malheur.

Je m'appelle La Verendrie, feu mon Père est connu icy et en France par la découverte de la Mer de l'Ouest à laquelle il a sacrifié plus de quinze des dernières années de sa vie, il a marché et nous a fait marcher mes frères et moy d'une façon à pouvoir toucher au but quel quil soit, s'il y eût été plus aidé et s'il n'eût pas été tant traversé surtout par l'envie; l'envie est encore icy plus qu'ailleurs une passion à la mode dont il n'est pas possible de se garentir, tandis que mon père avec mes frères et moy s'excédoit de fatigues et de dépenses, ses pas n'étoient représentés que comme des pas vers la découverte du castor ses dépenses forcées n'étoient que dissipation et ses relations n'étoient que mansonges, l'envie de ce païs n'est pas une envie à demi, elle a pour principe de s'acharner à dire du mal dans l'espérance que pour peu que la moitié des mauvais discours prenne faveur cela suffira pour nuire, et effectivement mon père ainsy deservi a eu la douleur de retourner et de nous faire retourner plus d'un fois en arrière faute de secours et de protection, il a même quelques fois reçu des reproches de la Cour, plus occupé de marcher que de raconter, jusqu'à ce qu'il pût raconter plus juste, il s'endettoit, il n'avoit point de part aux promotions et il n'en étoit pas moins zélé pour son projet, persuadé que tôt ou tard ses travaux ne seroient pas sans succès et sans récompense.

Dans le tems qu'il se livroit le plus à ses bonnes dispositions l'envie eut le dessus, il vit passer entre les mains d'un autre des postes tout établis et son propre ouvrage, pendant qu'il étoit ainsy arrêté dans sa course le castor arrivoit assés abondamment pour un autre que pour luy, mais les Postes bien loin de se multiplier dépérissoient et la découverte ne faisoit aucun progres, c'est ce qui le désoloit le plus.

M[onsieur] le M[arqu]is de la Galisonnière arriva dans le païs sur ces entrefaites, et à travers tout ce qui se disoit en bien et en mal il jugea, qu'un homme qui avoit poussé de pareilles découvertes à ses frais et dépens sans qu'il en eût rien coûté au Roy et qui s'étoit endetté pour de bons établissements méritoit un autre sort. Beaucoup de castor de plus dans la colonie et au profit de la Comp[agn]ie des Indes, quatre et cinq Postes bien établis au loin par des forts aussi bons qu'ils puissent être dans des contrées aussi éloignées, nombre de sauvages devenus les sujets du Roy et dont quelques uns dans un party que je commandois donnèrent l'exemple à nos sauvages domiciliés de frapper sur les Anniers sauvages dévoués à l'Angleterre, parurent de véritables services, indépendamment du projet commencé de la découverte et dont le succez ne pouvoit etre ny plus prompt ni plus efficace qu'en restant entre les mêmes mains.

C'est ainsi que M[onsieur] le M[arqu]is de la Galisonnière a bien voulu s'en expliquer, et sans doute il s'en est expliqué de même à la Cour, puisque mon Père l'année d'ensuite qui étoit l'année dernière se trouva honoré de la Croix de S[ain]t Louis et invité à continuer l'ouvrage commencé avec ses enfans, il se disposoit à partir de tout son cœur, il n'épargnoit rien pour réussir, il avoit desjà achetté et préparé toutes les marchandises de traitte, il m'inspiroit et à mes frères son ardeur, lorsque la mort l'a enlevé le... du mois de Décembre dernier.

Quelque grande que fût alors ma douleur, je n'aurois jamais pû imaginer ny prévoir tout ce que je perdois en perdant mon Père, succédant à ses engagements et à ses charges j'osois espérer la succession des mêmes avantages, j'eus l'honneur d'en écrire sur le champs à M[onsieur] le M[arqu]is de la Jonquière en l'informant que j'étois rétabli d'une indisposition qui m'étoit survenüe et qui pouvoit servir de prétexte à quelqu'un pour chercher à me supplanter. il me fût répondu qu'il avoit fait choix de M[onsieur] de S[ain]t Pierre pour aller à la Mer de l'Ouest.

Je partis aussitôt de Montréal ou j'étois pour Québec, je représentai la situation où me laissoit mon père qu'il y avoit plus d'un poste à la Mer de l'Ouest, que mes frères et moy serions charmés d'être sous les ordres de M[onsieur] de S[ain]t Pierre, que nous nous contenterions s'il le falloit d'un seul poste et du poste le plus reculé, que même nous ne demandions qu'à aller en avant, qu'en poussant les découvertes, nous pourrions tirer partie des derniers achats de feu mon Père et de ce qui nous restoit encore dans les Postes, que du moins nous aurions ainsy la consolation de faire nos plus grands efforts pour répondre aux vües de la Cour.

M[onsieur] le M[arqu]is de la Jonquière pressé et même à ce qu'il m'a parut touché de mes représentations me dit enfin que M[onsieur] de S[ain]t Pierre ne vouloit ni de moy, ny de mes frères, je demandai ce que deviendroient nos crédits, M[onsieur] de S[ain]t Pierre avoit parlé il ne restoit rien à obtenir, je retournai à Montréal avec ce consolant éclaircissement, je mis en vente une petite terre, seul effect de la succession de feu mon Père dont les deniers ont servi à satisfaire les créanciers les plus pressés.

Cependant la saison s'avançoit, il s'agissoit d'aller à l'ordinaire au rendés vous marqué de mes engagés pour leur sauver la vie et recevoir les retours sujets sans cette précaution à être pillés et abandonnés, j'ai obtenu cette permission avec bien de la peine, malgré M[onsieur] de S[ain]t Pierre et seulement à des conditions et des restrictions faittes pour le dernier des voiageurs, encore à peine M[onsieur] de S[ain]t Pierre me vit-il parti qu'il se plaignit que mon départ avant le sien luy faisoit un tort de plus de dix mille francs et qu'il m'accusa sans autre cérémonie d'avoir chargé mon canot au delà de la permission qui m'étoit accordée.

L'accusation fût examinée, on envoia à la poursuite de mon canot, et si on m'eût rejoint dès lors M[onsieur] de S[ain]t Pierre se seroit rassuré plustôt, il m'a rejoint à Missilimakinak et si je dois l'en croire, il a eu tort d'en agir ainsi, il est bien fâché de ne pas m'avoir ni mes frères avec luy, il m'a témoigné beaucoup de regrets et m'a fait bien des compliments, quoiqu'il en soit tel est son procédé il m'est difficil d'y trouver de la bonne foy et de l'humanité.

M[onsieur] de S[ain]t Pierre pouvoit obtenir tout ce qu'il a obtenû, assûrer ses intérest par des avantages qui surprennent et amener un parent avec luy sans nous donner une entière exclusion. M[onsieur] de s[ain]t Pierre est un officier de mérite et je n'en suis que plus à plaindre de l'avoir ainsy trouvé contre moy, mais avec toutes les bonnes idées qu'il a pû donner de luy dans différentes occasions, il aura de la peine à prouver qu'en cela il a eû en veu le bien de la chose, qu'en cela il s'est conformé aux intentions de la Cour et a respecté les bontés dont M[onsieur] le M[arqu]is de la Galissonnière nous honore, il faut même pour qu'il nous soit fait un pareil tort qu'il nous ait bien nui auprès de M[onsieur] le Mis. de la Jonquière par luy même tousjours disposé à faire du bien.

Je n'en suis pas moins ruiné, mes retours de cette année receüillis à moitié et à la suitte de mille inconvénients achèvent ma ruine, compte arrestés tant du fait de mon Père que du mien je me trouve endetté de plus de vingt mille francs, je reste sans fonds ny patrimoine, je suis simple Enseigne en second, mon frère aisné n'a que le même grade que moy et mon frère cadet n'est que Cadet à l'Eguillette Voilà le fruit actuel de tout ce que mon père mes frères et moy avont fait, celuy de mes frères qui fût assassiné il y a quelques année par les sauvages toute victime qu'il est de la Mer de l'Ouest n'est pas le plus malheureux, son sang n'est pour nous d'aucun mérite, les sueurs de mon père et les nôtres nous deviennent inutiles, il nous faut abandonner ce qui nous a tant coûté à moins que M[onsieur] de S[ain]t Pierre ne reprenne de meilleurs sentiments et ne les communique à M[onsieur] le M[arqu]is de la Jonquière, certainement nous n'aurions point été ni ne serions point inutiles à M[onsieur] de S[ain]t Pierre je ne luy ai rien caché de ce que j'ai crû pouvoir luy servir, mais quelque habile qu'il soit, et en luy supposant la meilleure volonté, j'ose dire qu'il s'est exposé à faire bien des faux pas et à s'égarer plus d'un jour en nous excluant d'avec luy, c'est une avance que de s'êstre desjà égaré et il nous semble que nous serions seurs actuellement de la droite route pour parvenir au terme quel qu'il puisse être, notre plus grand supplice est de nous trouver ainsy arrachés d'une sphère que nous nous proposions de terminer de tous nos efforts.

Daignés d'onc, Monseigneur, juger la cause de trois orphelins, le mal tout grand qu'il est seroit-il sans remède, il est entre les mains de Votre Grandeur des ressources de dédommagement et de consolation, et j'ose les espérer, nous trouver ainsi exclus de l'Ouest, ce seroit nous trouver dépouillés avec la dernière cruauté d'une espèce d'héritage dont nous aurions eü toutte l'amertume et dont d'autres auroient toutes les douceurs.

J'ay l'honneur d'être avec un profond respect, de Votre Grandeur
Le très humble et très obéissant serviteur

Ch^r. De Laverendrye.

Notes

1. Jean Delanglez, «A Mirage: The Sea of the West», *Revue d'Histoire de l'Amérique française*, I: 346-381; 541-568.

2. Gabriel Marcel, *Cartographie de la Nouvelle-France* (Paris, 1885), 12-13. — Frontenac à Colber, 6 novembre 1679, RAPQ, (1926-1927): 205.

3. Margry, *Découvertes et établissements des Français dans l'ouest et dans le sud de l'Amérique septentrionale — Mémoires et documents pour servir à l'histoire des origines Françaises des pays d'outre mer* (6 vol., Paris, 1879-1888), I: 483.

4. Champigny au ministre, 6 novembre 1695, AC, C IIA-13: 418 et C IIA-15: 141-142.

5. Voir sur Du Lhut, «Un gentilhomme coureur de bois: Daniel Greysolon, sieur Du Lhut», par Gérard Malchelosse, *Les Cahiers des Dix* (1951), XVI: 195-232. Biographie accompagnée d'une abondante bibliographie. Voir aussi, abbé Antoine d'Eschambault, «La vie aventureuse de Daniel Greysolon, sieur Dulhut», *Revue d'Histoire de l'Amérique française* (1951), IV: 320-339. — Marcel Giraud, *Le Métis canadien, son rôle dans l'histoire des provinces de l'ouest* (Paris, 1945), 144, 146.

6. *Revue Canadienne* (1893): 486.

7. Voir Harrisse, *Notes pour servir à l'Histoire, à la Bibliographie et à la Cartographie de la Nouvelle-France...* (Paris, 1872), 148, 175-181.

8. Mémoire de Denonville, 12 novembre 1685, AC, C IIA-7: 203-223.

9. Tronson à Dollier de Casson, 15 mai 1682 et 25 mai 1683, Arch. du Séminaire de Paris, *Correspondance Tronson*, XIII: 290, 346. En ce texte de M. Tronson, deux choses sont à noter: les projets de découvertes toujours nourris par l'explorateur et les griefs colportés contre lui: profiter de la traîte des nations éloignées et ruiner le païs.

10. Marcel Giraud, *Le Métis canadien* (Paris, 1945), 147-148.

11. AC, CE-16: 30-36, 36-45, 46-50.

12. BRH, XXII: 350. — Conseil de la marine à Vaudreuil et Bégon, 20 mai 1719, AC, B, 41-42: 1081, 1086.

13. AC, CE-16: 30-36, 36-45, 46-50.

14. La Noue à Vaudreuil, AC, C IIA-39: 92-101; novembre 1720, AC, CE-16: 202-209.

15. Pour La Noue et Noyon, voir MSRC (1937): XCIX, bibliographie et description de leurs découvertes.

16. AC, B, 44-1: 141-142; *Ibid.*, B-55: 49-50.

17. Voir le mémoire de Charlevoix, AC, C IIE-16: 218-292. Voir aussi *Journal d'un voyage fait par ordre du roi dans l'Amérique septentrionale* (Paris, M DCC XLIV), tomes V et VI, éd. mineure de *l'Histoire de la Nouvelle-France*. — C. de La Rochemonteix, *Les Jésuites et la Nouvelle-France au XVIIIe siècle* (2 vol., Paris, 1906), I: 175-200. — Baron Marc de Villiers, *La découverte du Missouri et l'histoire du fort d'Orléans*, 1673-1728 (Paris, 1925), 75-76.

18. Pour Noyon et La Noue, voir MSRC (1937): XCIX, bibliographie et description de leurs découvertes.

19. Mémoire non signé, AC, C IIA-47: 313-315.

20. AC, C IIA-45: 278-279. Voir La Rochemonteix, *Les Jésuites et la Nouvelle-France au XVIIIe siècle*, I: 180-200.

21. AC, C IIA-51: 24-31.

22. AC, C IIA-51: 138.

23. Pour une bibliographie, voir RHAF, III: 623-627. — Biographie et écrits: *Journals and Letters of Pierre Gauthier de Varennes de La Vérendrye and his Sons*. The Champlain Society, Toronto, 1927, edited with introduction and notes by Lawrence J. Burpee. 548 pages. Voir encore «Dossier La Vérendrye», par Albertine Ferland-Angers, RHAF, III: 621-627. «Le Voyage de La Vérendrye au Pays de Mandannes», par Antoine d'Eschambault, RHAF, II: 424-431.

24. Beauharnois au ministre, 1er octobre 1731, AC, C IIA-54: 216-219.

25. Beauharnois au Conseil de marine, 24 octobre 1730, AC, C IIA-52: 175.

26. The Champlain Society, *op. cit.*, 486-487.

27. AC, C IIA-47: 313-315.

28. AC, CE-16: 295-297.

29. The Champlain Society, *op. cit.*, 488.

30. Ordres du roi, AC, B, 55-2: 462-464; B, 61-1: 93-94; B, 61-1: 78-80.

31. 1733, AC, CE-16: 295-297.

32. *Journal and Letters...* (The Champlain Society Edition), 437-438.

33. AC, C IIA-74: 36-39.

34. Lettre du Père Coquart, 1741, AC, C IIA-77: 105-106.

35. Beauharnois au ministre, 14 octobre 1737, AC, C IIA-67: 119-124.

36. AC, CE-16: 409-414.

37. AC, B, 59-1: 95-97; AC, B-66: 117-120; dépêches et ordres du roi, AC, B, 74-2: 282; B-78: 174-175.

38. AC, B-81: 173-175; C IIA, 81-1: 211-216.

39. *Journal and Letters...* (The Champlain Society Edition), 435.

40. *Ibid.*

41. Marcel Giraud, *Le Métis Canadien*, 169-173.

42. À noter que les La Vérendrye écrivent toujours: *Mantanes* et non Mandanes.

43. Journal du Voyage fait par le Chevalier de La Vérandrye avec un de ses frères, pour parvenir à la mer de l'ouest, adressé à M. le Marquis de Beauharnois, 1742-1743, (The Champlain Society Edition), *op. cit.*, 406-431.

44. Beauharnois au ministre, AC, C IIA, 81-2: 288. Pour de Noyelles, voir L.-A. Prud'homme, MRSC (1906): 288.

45. AC, B-81: 173-175.

46. AC, C IIA, 81-1: 211-220.

47. Marcel Giraud, *Le Métis Canadien*, 175-176.

48. La Galissonnière à Maurepas, 23 octobre 1747, *Journal and Letters...* (The Champlain Society Edition), 468-469.

49. AC, C IIA-87: 245.

50. *Journal and Letters... op. cit.*, 477.

51. Marcel Giraud, *Le Métis Canadien*, 176-177.

52. *Journal and Letters...* (The Champlain Society Edition), 487.

53. *Ibid.*, 502-513.

54. *Rapport* des archives canadiennes (1886), note C: CLVII-CLXIII.

55. Lawrence J. Burpee, *The Search for the Westers Sea* (2 vol., Toronto, 1935), I: 276-280.

 * Nous reproduisons ici une lettre du Chevalier de La Vérendrye au ministre Rouillé. Elle résume mieux que tout autre document, les travaux et les misères de sa famille.

 * (Extrait de: *Journals and Letters of Pierre Gaultier de Varennes de La Vérendrye and His Sons,* with correspondance between the governors of Canada and the French Court, touching the Search for the Western Sea, edited with introduction and notes by Lawrence J. Burpee. (Toronto, The Champain Society Edition, 1927), 502-513).

CHAPITRE SIXIÈME

Prise de possession de l'Ohio —
La Louisiane

Un autre prolongement de l'empire, le dernier en date, occupe vers 1747, l'esprit des administrateurs. Observons qu'il s'agit moins pour ce coup d'une découverte que d'une prise de possession. L'Ohio ou Belle-Rivière est connue depuis longtemps, au moins depuis les premières expéditions de Cavelier de La Salle parti à sa découverte[1]. On connaissait le fleuve par les Iroquois qui en faisaient une de leur route de guerre vers le sud-ouest et qui en brossaient une vague description. De bonne heure les coureurs de bois français ou canadiens, en rupture avec la loi, l'empruntent pour pousser leur contrebande jusqu'aux Carolines. Les Anglo-Américains connaissent surtout et d'abord l'un des affluents de l'Ohio, l'Ouabache. De bonne heure ils y projettent un établissement. Route de pénétration à travers le pays des Ouyatanons et des Miamis, l'Ouabache offre, en son bassin, un véritable nœud de communications entre le pays des Illinois et la Louisiane; les sauvages du nord, charriers de fourrures aux Iroquois ou aux Anglais, empruntent fréquemment cette voie. Iberville, rendu en Louisiane, jugera le poste de l'Ouabache d'une telle importance qu'il le fera occuper dès 1702. Quoi que l'on ait pensé à Versailles et jusqu'au milieu du 18e siècle, sur l'esprit pacifiste des colonies anglo-américaines et leur peu d'inclination à l'expansionnisme, les visées des Anglais sur le commerce des lacs et sur tout l'ouest datent de longtemps. Le chevalier de Callières les dénonce à Seignelay en 1689[2]. Deux ans auparavant n'avait-on pas capturé 70 Anglais partis prendre possession de Michilimakinac, déjà, à ce moment, sorte de petit chef-lieu des lacs? Ils y auraient même raflé pour 800,000 livres de pelleteries[3]. N'auraient-ils pas tenté le même coup en 1689? Dix ans plus tard l'alarmiste Callières croit éventer un autre projet des Anglais dirigé cette fois contre le Mississipi. Des familles anglaises et hollandaises se proposeraient d'y aller s'établir. En Nouvelle-Angleterre et en Nouvelle-Hollande, on préparerait même des vaisseaux pour le transport de ces colons. Et Callières incitait le ministre à précipiter la fondation de la Louisiane[4]. En 1716 le Conseil de marine dépêche, vers ces lieux, Bienville «aimé des sauvages et des Canadiens». Bienville reçoit l'ordre d'établir deux postes «sur la branche de la rivière qui vient du costé de la Caroline»; il y barrera la route aux Anglais, y groupera les Canadiens des alentours et tâchera de les y établir pour ravitailler les garnisons[5]. En 1726, le gouverneur de Québec dénonce les agissements d'Anglais des Carolines sur un affluent de l'Ouabache où ils traitent avec les Miamis[6]. En 1732 des Chactas défont un village de Chicachas «et quarante Anglais de la mer». Beauharnois donne l'ordre aux officiers qui commandent aux environs de l'Ouabache de «veiller» aux tentatives de la pénétration anglaise. En 1734 un fort de l'Ouabache existe qui a pour commandant le sieur de Vincennes[7].

Déjà et plus de trente ans auparavant la fondation de la Louisiane avait révélé l'alarmant état de choses. C'est au début du dix-huitième siècle, en effet, qu'on avait ressaisi, en ce lieu, la mission confiée à La Salle. L'empire s'était donné définitivement cette autre et immense rallonge. La tâche en avait été confiée à un Canadien, à l'homme qui plus que tout autre peut-être, aurait pu faire un succès de l'entreprise. En 1697 Iberville avait quitté la baie d'Hudson pour n'y plus retourner. Deux ans plus tard on le trouve à l'autre bout de l'Amérique du Nord: dans le golfe du Mexique. Le ministre Pontchartrain l'a envoyé en tournée d'exploration aux bouches du Mississipi. Le bruit s'est répandu des préparatifs d'une expédition anglaise, en route pour le fleuve du sud. À Vervailles l'on voudrait se hâter de prendre les devants. En un second voyage, celui de la fin de l'année 1699, Iberville reçoit pour mission, cette fois, d'enquêter soigneusement sur les chances d'un établissement de la Louisiane. L'explorateur se prononce pour l'affirmative. Un fait surtout l'y détermine: l'infiltration anglaise répandue déjà partout dans le Bas-Mississipi. Son frère Bienville, en tournée d'exploration dans la région, s'est heurté, à cent milles de l'embouchure du fleuve, à une corvette anglaise de dix canons. D'autres renseignements apprennent à Iberville la présence d'Anglo-Américains, parmi les tribus indiennes, un peu partout depuis l'Ouabache jusqu'à l'Arkansas. Des Anglais, établis chez les Chicachas, les poussent à des raids contre les tribus voisines pour en obtenir des esclaves qu'ils vont vendre aux Carolines et ailleurs. L'infiltration se poursuit également, à l'intérieur du continent, de l'ouest des Alleghanys au centre américain.

Iberville a vu le danger; danger imminent pour la conservation du Mississipi à la France, danger aussi pour tout l'empire français. Maître un jour de cette partie du continent, l'expansionnisme anglo--américain sera en mesure d'expulser la France de l'Amérique du Nord. Thèse qu'Iberville s'emploiera à faire prévaloir auprès des gouvernants de Versailles. Déjà, dans l'esprit de l'homme d'action, toute une politique louisianaise s'est ébauchée, organisée: établir la paix entre les nations indiennes du Bas-Mississipi, les gagner à l'obédience française, nouer avec elles une alliance puissante qui refoulera les Anglais vers les Alleghanys; mais avant tout, établir en Louisiane une colonie assez forte pour opposer à l'infiltration du voisin un barrage infranchissable. Le roi, le ministre hésitent. Une partie de l'opinion française s'y oppose. À la cour, on ne voudrait point d'une provocation trop directe à l'adresse des colonies anglo--américaines; on craint aussi la jalousie espagnole, vite éveillée par ce qu'elle pourrait croire un empiètement de territoire. Enfin Versailles se laisse gagner par les instances d'Iberville. Dès son premier voyage de 1699, l'explorateur avait jeté les bases d'un premier fort à la Baie de Biloxi. Ce fort, il le reporte, en son second voyage, en un endroit plus à l'abri des inondations. En l'hiver de 1702, il fonde définitivement la Louisiane par un établissement sur la rivière Mobile.

Hélas, ce début qui devait être celui d'une grande et puissante colonie, sera des plus minables. Le trésor royal s'est montré d'une parcimonie exemplaire: 8,000 livres pour fonder la «forte colonie». Iberville va mourir avant d'avoir pu donner à son œuvre la poussée décisive. La Louisiane connaîtra une naissance et une adolescence aussi laborieuses que les autres colonies françaises, ses voisines du Nord. Pas plus qu'elles, non plus, elle ne saura se priver d'agrandissements indéfinis. Faible, presque anémique par le petit nombre de ses établissements ou prises de possession, elle va s'étendre aux vastes proportions de ce qu'on pouvait appeler, d'un mot assez juste pour ce coup, un «continent». Lorsqu'en 1717 le roi lui aura annexé le pays des Illinois, la Louisiane, en ses frontières moins que précises, il est vrai, s'étendra du golfe du Mexique aux limites du Canada, au nord, à l'est «en théorie» jusqu'à la Floride espagnole et jusqu'aux possessions britanniques; à l'ouest jusqu'à la Nouvelle-Espagne et jusque dans l'immensité du Nord-Ouest. Immense étendue qui, surtout après l'annexion du pays illinois, rendait extrêmement vulnérables les frontières mêmes du Canada. Dès lors, l'Ohio se révéla frontière vitale pour la Louisiane, pour la colonie canadienne, pour tout l'empire[8a].

Très tôt, en effet, l'on soupçonnera les Anglais de vouloir couper les communications entre les deux colonies[8b]. Et les soupçons ne vont que trop se vérifier. Au surplus il suffit de suivre, sur une carte, le cours de l'Ohio, pour apercevoir la séduisante route d'invasion que le fleuve pouvait offrir au versant occidental des Alleghanys. L'arc immense de ses sources et de ses confluents s'épand comme une tentation depuis la Pennsylvanie jusqu'aux Carolines. Aussi, lorsque les riches planteurs de Virginie, associés à des marchands de Londres, auront commencé de se tailler des domaines en la région, puis tenté de premiers établissements, en même temps qu'ils ourdissent des intrigues parmi les Indiens des lacs et de la Louisiane, les poussant à la guerre contre la colonie naissante, aussitôt les autorités de Québec s'ouvriront-elles les yeux à l'importance stratégique de l'Ohio[9]. Il «ne s'agit rien moins que de la conservation de la colonie», dira le gouverneur Duquesne. Avant lui le clairvoyant La Galissonnière insistait pour qu'on en éloignât les Anglais, plus dangereux là, disait-il, qu'à Chouaguen. L'Ohio, c'était, pour La Galissonnière, la clé du Mexique, de la Louisiane, du pays des Miamis et des Illinois. Valeur de couverture, valeur militaire, en somme, que celle de l'Ohio. Pouchot écrira plus tard, dans ses *Mémoires, que le commerce de la Belle-Rivière valait moins que rien. Seuls les Loups et quelques Iroquois en rupture avec leur nation, habitaient la contrée. Mais l'Ohio, disait Pouchot, préservait les communications entre le Canada et la Louisiane*[10]. Une politique traditionnelle voulait pourtant que l'on s'appuyât partout, autant que possible, sur l'alliance indienne. Aussi ne faut-il pas s'étonner de voir Beauharnois s'efforcer, dès les environs de 1730, de confier cette nouvelle marche de l'empire à la tribu des Chouanons. En 1732, aux premiers qui s'établissent de ce côté-ci de l'Ohio, sur la rivière d'Atigué, il envoie M. de Joncaire («grand chef et que j'estime») qui leur donnera de l'esprit et les aidera à suivre les intentions de leur père. Les Chouanons bien établis sur l'Ohio, espère Beauharnois, détourneraient les Anglais de rien entreprendre de ce côté, et en cas de rupture avec les Iroquois, les alliés indiens prendraient opportunément à revers le vieil ennemi[11].

L'émigration des Chouanons vers l'Ohio, Indiens assez peu maniables et fort sensibles au commerce anglais[12], ne donnera guère ce que l'on en avait espéré. Tous les Indiens, du reste, de la contrée, se sont laissé gagner peu à peu par l'indéniable supériorité des marchandises anglaises. Il fallait procéder avec plus d'urgente efficacité. Une piste de possession fut décidée. La Galissonnière en chargea l'un des plus brillants officiers de son temps, Joseph de Céloron, sieur de Blainville, capitaine d'infanterie. Le 29 juillet 1749, Céloron, à la tête d'un détachement de 200 hommes partis en 23 canots d'écorce, prend possession «de ladite Rivière Ohyo et de toutes celles qui y tombent et de toutes les terres des deux côtés jusqu'à la source desdites Rivières». Et pour que rien ne manque à la validité de l'acte officiel, Céloron évoque les droits des «précédents Rois de France», droits acquis par les armes et par les traités «et spécialement par ceux de Riswick, d'Utrecht et d'Aix la Chapelle». Et ce jour-là même, «au pied d'un chêne rouge, sur la rive méridionale de la Rivière Ohyo et vis-à-vis la pointe d'une islette où se joignent les deux rivières Ohyo et Hanoonagon», l'envoyé de La Galissonnière enfouit une première plaque de plomb et affiche à un arbre voisin les armes du roi. Il enfouira quelques autres lames de plomb en descendant l'Ohio. Prise de possession aussi contestable que solennelle, mais qui valait bien les prétentions du rival anglo--américain[13].

Mais pourrait-on en rester là? Un peu partout, au cours de son voyage, non seulement sur l'Ohio, mais dans tout le «continent» entre l'Ohio et le lac Érié, Céloron a trouvé des Anglais établis dans les villages indiens. Les Indiens, pour leur part, se sont montrés ou hostiles ou sur la réserve. Une prise de possession effective s'imposait. Problème peu facile. Par où rattacher cette nouvelle marche à l'empire? Les allures douteuses des cantons iroquois, la présence des Anglais à Chouaguen ne facilitaient pas l'opération. Force fut d'aller chercher une ligne de contact aussi loin que sur la rive sud du lac Érié: route malgré tout la plus brève pour atteindre à la fois et l'Ohio et la Louisiane. À un point de cette rive méridionale du lac, où se trouve actuellement Érié et Pennsylvanie, à 30 lieues de Niagara, un plateau formait une presqu'île. L'endroit offrait un port pour les barques; il abondait en gibier, en poisson; la terre y était fertile; d'immenses prairies permettraient l'élevage. Le gouverneur Duquesne choisit ce lieu pour y établir le premier fort. Un détachement de 2,300 hommes, soldats et ouvriers, sous le commandement de Paul de La Margue, sieur de Marin, s'en alla rejoindre les sieurs Boishébert et Contrecœur. Ils avaient ordre d'occuper effectivement l'Ohio et d'y bâtir les forts qui y conduiraient. Bâtiment assez large de pièce sur pièce, avec entrepôt pour marchandises en transit et voitures de transport, le fort de la Presqu'île serait la tête de ligne qui conduirait à l'Ohio et par conséquent le point névralgique des fortifications en cette partie de l'empire. De là, en effet, un portage de quelque six lieues conduisait à la Rivière-aux-Bœufs, à 13 milles du lac Érié. En ce lieu, l'on bâtit un deuxième fort, désigné par le nom de la rivière (aujourd'hui emplacement du village de Waterford, comté d'Érié, Pennsyl.); enfin, toujours vers le sud, au confluent de l'Ohio, s'éleva le fort Duquesne, dernier anneau de cette chaîne de fortifications, à 230 lieues de Québec, dira Lévis. Le fort avait été élevé à l'embouchure de la Monongahéla, parce que, disait-on, les Anglais de Philadelphie venaient d'ordinaire à l'Ohio par cette petite rivière[14]. Tout fut terminé en 1753, au prix, il est vrai, d'efforts surhumains. Selon le dire de Vaudreuil, l'expédition avait été conduite «sans aucun des ménagements que l'humanité exige»; il y serait mort «un plus grand nombre d'habitants que nous ne pourrions en perdre pendant plusieurs années de guerre». Nourris de lard et de farine avariés, soldats et ouvriers avaient été atteints de scorbut. Le commandant Marin avait lui-même succombé en 1753[15]. En 1755 l'on ajouterait un complément à ces fortifications. Au confluent de la Rivière-aux-Bœufs et de la rivière Alleghany, on érigera le fort Machault. Il devait être bâti sur le plan du fort de la Presqu'île; il ne sera qu'un entrepôt de vivres[16].

Le gouverneur Duquesne venait de poser un acte audacieux. Il établissait, avec le rival anglo-américain, le contact le plus rapproché et le plus périlleux, à l'endroit même où s'affichaient ses prétentions les plus osées et, à ses yeux, les plus justifiables. La pénétration de l'intérieur du continent, par la porte de l'Ohio, ne représentait pas seulement pour le voisin d'immenses intérêts matériels; c'était tout le problème de son expansion, de l'accroissement de son aire vital qui se posait. La ligne des nouvelles fortification lui fermait la route vers la Louisiane, l'Ouabache, le pays des Miamis. Pendant la construction du fort de la Presqu'île, une sommation d'avoir à se retirer avait été servie à M. de Saint-Pierre et par un nul autre envoyé que George Washington[17]. Il suffit de citer les noms de Braddock, Dieskau, Beaujeu, Fort Nécessité, bataille de la Monongahéla. À ce point névralgique s'allumerait la guerre de la conquête du Canada.

Avec cette prise de possession de l'Ohio, l'empire français s'est annexé sa dernière marche. Il a clos la boucle de son expansion.

TEXTE*

Je n'oublierai jamais cette distribution de prix de fin d'année scolaire, dans une petite salle de campagne. Le curé m'invita à dire un mot, puisque c'était un soir de Saint-Jean-Baptiste. Une carte de l'Amérique du Nord était là, appendue au tableau noir. Avec des mots que pussent comprendre ces campagnards, j'entrepris de leur raconter les hauts faits et gestes de ces avironneurs, de ces voyageurs, de ces durs à cuire, de ces entêtés idéalistes, qui menèrent, avec un entrain endiablé, ce que nous appelons, en histoire, la construction de l'empire français dans le Nouveau-Monde. Je leur rappelai qu'il y eut une époque où les Français, leurs pères, prétendaient bien que c'était à eux l'Amérique, toute l'Amérique, et à personne d'autre. Je campai devant leurs yeux quelques-uns de ces gars éblouissants, marcheurs aux bottes de sept lieues, gonfleurs de biceps et effroyables consommateurs d'avirons, qui partaient pour la conquête d'un empire avec un canot, un fusil, un sac, un tout petit sac de nourriture, mais avec du cœur et de l'ambition à faire chavirer le canot. Puis, sur la carte, je leur montrai comment, avironnant, ferraillant, enjambant, chantant, s'arc-boutant d'un point à l'autre, une poignée de Français avait réussi à mettre, sous le signe du fleurdelisé, une tranche énorme du continent, une tranche où noyer dix fois la France. Et je vois encore ces têtes dressées vers le tableau, ces yeux où luisait je ne sais quel réveil d'orgueil. À la sortie, un vieil habitant me jeta ces mots émus: «C'était du ben grand monde, ces Français-là. À côté d'eux autres on est ben petit. Mais ça fait rien, ça nous brasse quand même!»

Notes

1. Pierre Margry, *Mémoires et documents pour servir à l'histoire des régions Françaises des pays d'outre-mer*. Découvertes et établissements des Français dans l'Ouest et dans le sud de l'Amérique septentrionale. (6 vol., Paris, 1879-1888), I: 330-377.
2. AC, C IIA-10: 415-517.
3. Voir les mémoires de Callières à l'époque, AC, C IIA-10: 438-468.
4. M. De Callières au ministre, 2 mai 1699, AC, C IIA-17: 41-45.
5. AC, B, 38-3: 653-655.
6. AC, C IIA-49: 359-360; B, 52-2: 367-393; C IIA-49: 108-109; B, 52-1: 94-127.
7. AC, C IIA-59: 17-18, 25-26; C IIA-61: 198.
8. a) Pour l'histoire de la Louisiane, à défaut d'archives, on pourrait consulter les ouvrages suivants:
   Jean Delanglez, *The French Jesuits In Lower Louisiana, 1700-1763* (La Nouvelle Orléans, 1935); Guy Frégault, *Iberville, le Conquérant* (Montréal, 1944), les derniers chapitres; Guy Frégault, *Le Grand Marquis* (Montréal, 1952); Charles Gayarré, *Histoire de la Louisiane* (2 vol., La Nouvelle-Orléans, 1846-1847); Lawrence Henry Gipson, *Zones of International Friction. North America, South of the Great Lakes Region, 1748-1754* (New York, 1939); Gerald S. Graham, *Empire of the North Atlantic. The Maritime Struggle for North America* (Toronto, 1950); Pierre Heinrich, *La Louisiane sous la Compagnie des Indes* (Paris, s.d.); Régine Hubert-Robert, *L'Histoire merveilleuse de la Louisiane française. Chronique des XVIIe et XVIIIe siècles et de la cession aux États-Unis* (New York, 1941); Charles de La Roncière, *Une Épopée canadienne* (Paris, 1930); Emile Lauvrière, *Histoire de l'Acadie et histoire de la Louisiane* (Paris, s.d.); Marcel Giraud, *Histoire de la Louisiane française I: le règne de Louis XIV* (Paris, 1953).
   b) AC, B, 43-3: 840-843.
9. AC, C IIA-72: 137-229. — Guy Frégault, *Le Grand Marquis*, (Montréal, 1952), 336-354.

10. M. Pouchot, *Memoir upon the Late War in North America* between the French and English 1755-1760 (2 vol., Roxbury, Mass., 1866) I: 162.

11. AC, C IIA-57: 191; AC, C IIA-58: 119. Pour instruction au sieur de Joncaire, AC, CE-13: 332-341. Joncaire partait assité d'un petit détachement avec mission d'éloigner de l'Ohio Anglais et Iroquois et, pour ce faire, de prodiguer aux Indiens de la région promesses et menaces.

12. Beauharnois au ministre, 19 sept. 1742, AC, C IIA-77: 93.

13. AC, C IIA, 94-1: 3-5. À noter aussi la relation du Père Bonnecamp, AC, CE-13: 291-313. — Guy Frégault, *Le Grand Marquis* (Montréal, 1952), 354-360.

14. Voir sur ces événements, *Papiers Contrecœur*, édités par Fernand Grenier (Les Presses Universitaires Laval, Québec, 1952).

15. *Papiers Contrecouer*, 85, 94.

16. Voir *Papiers Contrecœur*, 411-412, 426, 427, 431. Voir aussi fin du *Journal des campagnes au Canada*... du Comte Maurès de Malartic (Dijon, 1890), carte indiquant l'emplacement des forts de l'Ohio. Voir encore *Voyage au Canada dans le Nord de l'Amérique septentrionale*... par J.C.B. (Québec, 1887), 63, 66, 99.

17. *Papiers Contrecœur*, 77-78, 83-84.

* (Extrait de: Abbé Lionel Groulx, *Notre mission française*. Conférence prononcée à la salle académique du Gesù, à Montréal, le dimanche, 9 novembre 1941), bro., 16-17).

Conclusion

À la fin de cette «Aventure», prendrons-nous une image exacte de l'empire français en Amérique du Nord? Souvent l'on a parlé d'un empire à deux poumons, lesquels auraient été le Saint-Laurent et le Mississipi. Image incomplète. L'Ouest, je veux dire les Grands Lacs et leurs entours, ont exercé, à l'époque, une telle fascination sur les esprits, qu'aujourd'hui encore l'on est tenté de s'y laisser prendre. Volontiers se figure-t-on un Canada ou un empire en deux sections: la colonie du Saint-Laurent, les immenses rallonges de l'Ouest. Vue encore incomplete qui, du reste, ne tient pas compte de la géographie. Celle-ci jetait à l'homme bien d'autres appels que ceux de l'Ouest. Entre Québec et Montréal se déploie toujours, sans doute, la colonie organique et vivante, la matrice, si l'on veut, où tout est né, d'où la projection humaine s'est élancée. Mais une carte des possessions françaises en Amérique du Nord, aux approches de 1760, indique, autour de l'axe souverain du Saint-Laurent, et dans toutes les directions, des marches d'empire presques contiguë, une immense périphérie où les Français ont pris pied.

Revoyons la plaine du Saint-Laurent. À chacun de ses bouts, la porte s'ouvre large, très large vers l'est et vers l'ouest. L'est attire moins, surtout vers le nord. Le pays y montre un visage austère; le climat y est rude. Les hommes qui y vivent et qui hivernent pour la cueillette de la fourrure ou du poisson, y mènent une vie de misère, presque d'héroïsme. Pourtant, sur les deux rives du Saint-Laurent, même dans les régions d'apparence peu hospitalière, que de prises de possession à la fois étendues et solides! Le désastreux traité d'Utrecht (1713) et la cession de l'Acadie et de Terre-Neuve n'ont pas entraîné l'abandon des côtes de l'est. L'on a voulu garder ouvertes les portes de l'océan: respiration vitale. Autant qu'il fut possible l'on s'y est accroché. Au bord de l'Atlantique, l'Île du Cap-Breton, devenue par désignation du roi, l'Île Royale, a été occupée. Les fortifications de Louisbourg s'y ébauchent dès 1718. La cour ne se ménage pas les illusions sur l'avenir du poste et sa valeur stratégique. Elle y va largement dans les dépenses. Elle en voudrait faire une sorte de Gibraltar sur l'Atlantique, à l'entrée du Canada. Louisbourg servirait, en même temps, de fort d'entreposage ou de rechargement pour navires venant de France, du haut Saint-Laurent ou des Îles. L'établissement de l'Île Royale exigera quelques autres appuis. La forteresse tirera sa subsistance, au moins pour une part, de la colonie laurentienne. Des essais de colonisation s'ébauchent quand même aux alentours. Le vrai grenier de l'Île Royale, la cour a cru le découvrir dans l'Île Saint-Jean (future île du Prince-Édouard). On tâchera donc d'y attirer les Acadiens de l'Acadie anglaise. À la même période tout le golfe et ses entours ont l'air de prendre vie. Île Anticosti, Île Madame, Île de Miscou, Îles-de-la-Madeleine, Île Mingan, Île Brion, Îles Ramées connaissent quelques essais d'exploitation. La rive sud, de Shédiac à Gaspé, reste cependant peu touchée. En ce «continent» depuis longtemps concédé, mais abandonné à la traite des fourrures, on relève à peine, ici et là, un rare colon, quelques villages indiens.

Regardons plutôt vers «la Côte du Nord»? En 1758 Bougainville n'y recense pas moins de dix postes ou concessions. Singulière destinée du Labrador, bien qu'ignoré en ses richesses foncières! Vanté de bonne heure comme un Pérou, il connaît, après 1740, une période de vogue. Des concessionnaires y prennent pied jusque dans le détroit de Belle-Isle. Quelques-uns mêmes songent à dépasser le détroit dans la direction de la Baie d'Hudson. Sur la rive du golfe, des industries de pêche de morue, d'huile et de peaux de loups-marins, quelques postes de fourrures s'établissent avec des fortunes diverses. Mais, au delà de ces seigneuries de cinq à six lieues de profondeur tout au plus dans les terres, se retrace encore l'occupation française. De l'Île-aux-Coudres jusqu'à deux lieues au-dessous des Sept-Îles, et remontant les lacs et rivières qui se déchargent dans le fleuve par le Saguenay, la Manicouagan, la Moisy, et y compris les lieux qui en dépendent, et «la terre et seigneurie de la Malbaye», s'étend ce que l'on appelle le Domaine du roi, également connu sous le nom de «Ferme de Tadoussac». Des missionnaires parcourent l'immense étendue; des postes de traite cueillent les fourrures des sauvages, fourrures arrachées, pour une part, aux trafiquants de la Baie d'Hudson. Ainsi golfe, îles, terres septentrionales portent, en quelque façon, l'empreinte française.

Encore dans l'est du Canada, mais cette fois au sud du Saint-Laurent, relevons, en gagnant le couchant, le pays des Abénaquis, entre la Nouvelle-Angleterre et la rivière Saint-Jean, pays de mission catholique et considéré possession française; puis, vis-à-vis la colonie laurentienne, deux autres prolongements vers les colonies anglaises: l'une sur les rives de la Chaudière, l'autre, aux sources du Richelieu, à l'entrée et sur les rives du lac Champlain. Et maintenant comme des parallèles du côté nord, voici des prises de possession sur le Saguenay et le lac Saint-Jean, sur le Saint-Maurice, sur l'Outaouais, le lac Témiscamingue. En ces derniers endroits, les Français n'occupent que des postes isolés, sans autres voisins que les postes anglais de la baie James. Mais quelle étendue de territoire, ils prétendent courir. Le poste de Témiscamingue, très recherché pour ses profits sur la fin du régime, s'étend en profondeur, de la Lièvre à la baie d'Hudson, sur un front qui va, de la même rivière, au lac Nipissing.

L'empire, je ne l'oublie pas, possède son maître-pivot au cœur des Grands Lacs. Là s'est fait sentir la plus alléchante séduction: climat attrayant, présence des alliés indiens, source principale du castor, tributaires et déversoirs des mers intérieures, ouvertures vers le pays des Illinois, vers la Louisiane, vers la baie du Nord, par le lac Nipigon et les rivières adjacentes; ouvertures, au fond du lac Supérieur, vers l'extrême-ouest. Nul coin de l'Amérique n'offrait pareille profusion de routes, ni plus riche territoire de fourrure. Aussi quelle pullulation de postes y retracer. Les uns en dépendance de Détroit: forts des Miamis, de la Rivière-Blanche, des Ouyatanons, des Nations, de l'Ouabache, de Saint-Joseph; d'autres reliant le lac Érié à l'Ohio: Presqu'île, Rivière-aux-Bœufs, Machault, Duquesne, et parfois même, à l'est, Niagara, Toronto, Frontenac, la Présentation; d'autres encore en dépendance surtout de Michilimakinac: Baie des Puants, Nipigon, Sault Sainte-Marie, Michipicoton, Chagouamigon, Kaministikwia, Saint-Pierre, Saint-Charles, Fort Rouge, Maurepas, Bourbon, Jonquière. Réseau, vaste filet d'établissement, poussées ambitieuses dans l'hinterland américain, pour contenir l'Anglais de tous côtés et par quoi l'on avait en partie annulé ou réparé, ce qu'on avait pu croire l'irréparable désastre du traité d'Utrecht.

* *
*

Nous nous garderons pour autant de dissimuler la dangereuse faiblesse de cet empire par trop squelettique. Dans l'immense Amérique un petit peuple avait pris les bouchées trop grosses. Ici et là, on aura observé trop de vides et trop béants: par exemple entre l'Île Royale et le Canada proprement dit, entre Montréal et la région des Grands Lacs et même entre les Lacs et la Louisiane. Image d'un grand corps aux muscles tendus à se briser. Un peu partout des problèmes aigus se posent: distances énormes à surmonter, ravitaillement difficile et coûteux; coûteux également le transport des marchandises d'aller et retour; pour cela même concurrence du rival anglais peu facile à vaincre. Et que dire de la défense militaire de l'empire? Trop de postes pour trop peu de troupes. Lenteur fatale des secours aux points névralgiques en danger. Au surplus, système de fortifications d'une valeur discutable: non pas, d'un bout à l'autre du territoire, des «bicoques qu'on appelle forts», au dire de Bougainville; mais trop peu de postes, Niagara, Carillon exceptés, vraiment défendables; un trop grand nombre ou mal situés ou mal bâtis; Montréal, Québec même n'ayant rien de places fortes; Louisbourg, rien d'autre qu'un faux Gibraltar.

Qu'a-t-il manqué pour corriger, au moins dans la mesure du possible, ces faiblesses ou lacunes? En tout premier lieu, à Versailles, une vue plus nette de la situation géographique et des structures de l'empire, une vue plus nette aussi de la dépendance des divers tronçons. Dépendance nécessaire, vitale, entre l'est et l'ouest. Structure discutable, hasardeuse, certes, que celle de l'immense squelette. Et c'est un dangereux paradoxe pour une colonie que de paraître condamnée à ne s'agrandir que pour s'affaiblir. Mais avec une assiette économique établie pour une si large part sur la fourrure, et compte tenu des habitats de l'Indigène, et de son rôle dans le système défensif de la Nouvelle-France, la colonie pouvait-elle prétendre à d'autres structures? Dès la fin du dix-septième siècle, ces lourdes évidences n'échappaient point aux coloniaux. Un officier qui, en 1694, s'en allait, sur l'ordre de Frontenac, prendre le commandement de Michilimakinac, exposait clairement le problème. L'est et l'ouest, écrivait-il, devaient s'appuyer l'un sur l'autre; autrement la colonie serait un corps sans âme. Impossible de ne demander qu'à l'est les moyens de subsistance; ni la pêche réduite à une saison trop courte, troublée, du reste, par les ennemis; ni même la terre n'y suffiraient. Quand même la production en blé du Canada égalerait celle des deux meilleures provinces de France, cette céréale serait-elle jamais assez rare pour que des négociants d'outre-mer la viennent chercher dans la colonie? Bien autrement utile la fourrure, soutenait le même officier. Il y voyait un moyen de subsistance pour les gens de qualité, un attrait puissant pour les gens de commerce attirés en Nouvelle-France, et y développant une importation «prodigieuse» de marchandises et des retours considérables pour la métropole. À cet esprit clairvoyant le rôle n'échappait point des sauvages alliés. Abandonner les Indiens à eux-mêmes, insistait-il, c'est les jeter dans les bras des Anglais, plus proches d'eux que nous; et alors, c'en est fini de la «basse colonie». Seuls gardent l'Indien dans l'obédience française, les présents du roi, les garnisons dispersées dans les postes, les «Canadiens» qui vont chasser chez eux et notamment les coureurs de bois, pas uniquement inspirés, quoi qu'on dise, par la passion du libertinage. Et l'officier de conclure: la «basse colonie» et la «colonie d'en haut ainsi reliées et appuyées l'une sur l'autre», constitueraient un «corps parfaitement bien animé»[1].

Une politique de l'ouest, politique d'établissement cohérente, persévérante, élaborée de bonne heure, voilà donc ce qui aurait manqué à l'empire pour en corriger les lacunes congénitales. À tout le moins eût-il fallu en fortifier les charnières ou centres nerveux, et, par exemple, opérer une sorte de décentralisation économique, permettre à l'ouest de se ravitailler sur place, au moins en quelque mesure. Deux postes, en particulier, pour leur situation stratégique, Michilimakinac, aux aboutissements de la route de l'Outaouais, et capitale, si j'ose dire, des postes du nord, et le Détroit au bout de la route du Saint-Laurent, centre des forts de la région du sud-est et du sud-ouest, requéraient un solide développement. Malheureusement la cour plutôt réfractaire à la construction d'un empire, n'aura jamais, pour l'ouest, qu'une politique vacillante. En 1733, puis en 1734, par exemple, le Conseil de marine se prononce à la fois pour et contre le développement du Détroit. Le moyen de le développer consisterait selon lui à y concéder des terres aux soldats et à y maintenir une bonne garnison. Seulement — il y a un seulement — la garnison exigerait une augmentation de troupes. Or, objecte le ministre, le mauvais état des finances du roi ne permet pas cette augmentation. Un seul moyen lui paraît pratique: envoyer à Détroit un commandant capable d'engager des habitants à la culture des terres[2]. Ah! si les postes, les colonies pouvaient naître et se développer comme des champignons! Pourtant un tableau général des recettes et dépenses pour les postes des Pays d'en haut, tableau qui est de 1755, donne au chapitre des dépenses 43,870 livres, contre 65,805 livres au chapitre des recettes, celles-ci perçues par congés ou fermes[3]. Une politique de l'ouest, il n'en fut jamais esquissé, et encore à l'état de désir et d'ébauche, au Canada. De 1730 à 1737 Beauharnois et Hocquart plaident tout de bon en faveur du Détroit: centre, «tête» des Pays d'en haut, porte vers la Louisiane, poste où contenir les sauvages et écarter les Anglais[4]. Noyan, qui paraît à Hocquart «fort au courant de tout ce qui regarde les pays d'en haut», présente au ministre, en 1730, un remarquable mémoire sur l'importance du Détroit et sur les moyens d'en faire le bastion de l'ouest. Celui-là aussi, persuadé que le Canada pourrait devenir «un des plus riches païs du monde», expose une compréhensive politique de l'ouest[5]. Le P. de Bonnecamps qui, revenant de l'Ohio, passe à Détroit en 1749, ne peut s'empêcher de vanter la valeur stratégique du poste, et le charme de la région: «la Touraine et la Beauce du Canada»[6]. La Jonquière y voyait «le poste le plus considérable et le plus distingué que nous aions dans cette Colonie»[7]. Vers le même temps, l'un des plus intelligents fonctionnaires venus au pays, l'ingénieur Franquet, n'a pas hésité à prôner fortement l'établissement de l'ouest. Il aurait voulu qu'on attirât l'habitant dans les pays d'en haut, et qu'on l'y traitât comme un personnage privilégié. L'avantage, selon Franquet, eût été d'épargner au roi les frais énormes des ravitaillements des postes par Québec et Montréal; puis, «ce serait autant de petites colonies capables de contenir les Anglais, de les empêcher d'empiéter sur nous et de nous disputer pour ainsi dire le terrain»[8]. Enfin le rédacteur du Journal de Montcalm proposera tout un plan pour le développement du poste[9]. Lévis regrettera qu'on ne l'ait pas plus fortement établi[10].

En ces projets d'établissement, il est rare qu'on sépare Michilimakinac du Détroit. Beauharnois et Hocquart, Noyan y ont vu, avec raison, une autre «tête» des Pays d'en haut. Michilimakinac, c'était le rendez-vous de toutes les nations qui descendaient du lac Supérieur, de la Baie des Puants, le poste de contrôle de tous les canots montant dans l'ouest pour y porter des marchandises aux Sauvages, le seul poste pendant longtemps, où empêcher le castor du nord et du nord-ouest d'aller à la Baie d'Hudson. La terre y pouvait être médiocre, quoique propre à la culture du blé d'inde; mais on en trouvait de la bonne à peu de distance et la pêche y était abondante. Détail à ne pas négliger: les canots qui montaient aux Pays d'en haut, ne pouvaient se charger de vivres pour au delà de Michilimakinac[11]. Que n'a-t-on écouté à Versailles ces recommandations et voire vingt-cinq ans plus tôt. Fonder dans l'ouest de véritables petites colonies, épargner par là des sommes considérables au trésor royal n'étaient ni chimère ni politique hasardeuse. Quelques expériences avaient démontré le contraire. Dans l'est le fort de la Pointe-à-Chevelure, grâce à une culture des terres environnantes, pouvait se ravitailler sur place. Ce n'était pas chimère, non plus, que d'établir autour des forts quelques voyageurs et voire des coureurs de bois. L'essai avait été tenté, non sans quelque succès, à Détroit, à Michilimakinac, où une garnison de 30 hommes trouvait sa vie, et de même aux Ouyatanons[12], et encore aux

Illinois qui deviendra, pour les forts des environs et pour les voyageurs, un centre de ravitaillement[13]. Sur la fin du régime, l'Illinois est regardé comme le «grenier de l'Amérique». Il produit trois fois plus de vivres qu'il n'en peut consommer. Il en fournit aux postes du Bas-Mississipi. Il en exporte même en Martinique et à Saint-Domingue. Plus au fait des conditions du pays, les administrateurs coloniaux, ainsi qu'il a été dit, ne cesseront de recommander ces sortes d'établissements. Le gouverneur Duquesne en imposera de semblables autour des forts de l'Ohio. Et si on l'en croit, le même régime prévalait dans tous les postes de l'ouest. Le 27 janvier 1754, Duquesne rappelle, en effet, à Contrecœur, alors au fort de la Presqu'île, «combien il importe que cette garnison puisse vivre par Elle même, par les Semences de toute Espèce... je vous exhorte... à reflechir que S'il falloit nourrir ces Garnisons en vivres françois, Le Roy serait obligé d'abandonner dans peu un Etablissement qui Luy reviendra fort Cher...» Les garnisons de l'Ohio, ajoutera Duquesne, devront vivre «*comme on le fait dans les Postes des Pays d'en haut, au moyen du Bled dinde, de la graisse, du poisson et des Bêtes fauves...*»[14] On se rappellera qu'un esprit pratique comme La Vérendrye ne procédait pas autrement. Autour des forts, jalons de chacune de ses étapes vers la mer de l'ouest, il avait soin d'ébaucher quelques cultures du sol.

En nulle partie, autant qu'en Louisiane, l'anémie de ce grand corps qu'est l'empire, n'apparaîtra flagrante. Iberville eût voulu faire, de la colonie louisianaise, le «bastion de frontière de l'empire français d'Amérique». Par ce bastion l'on eût contenu les Anglo-Américains dans leurs colonies d'au delà des Alleghanys. L'on eût même rétabli l'équilibre américain en faveur de la France. Que l'on était loin de ce rêve! Ainsi qu'en toutes les autres marches de l'empire, Iberville espérait compter sur l'alliance des Indigènes. Cette alliance, souvent instable, précaire, donnera peu. Les intrigues des Anglais, l'humeur des tribus saccageront les meilleurs efforts des gouverneurs de la Nouvelle-Orléans. Ces gouverneurs pouvaient-ils au moins se rabattre sur la population blanche du Mississipi? La Louisiane n'avait pas connu d'autre méthode de peuplement que celle de l'Acadie et du Canada: peuplement par immigration parcimonieuse, presque toujours inorganisée. En 1746, soit à plus de quarante ans de sa fondation, la Louisiane n'est qu'un immense territoire à peu près vide de population: 8,830 habitants dont 4,000 Blancs; le reste, soit plus de la moitié, des esclaves noirs. Encore cette population est-elle déplorablement dispersée: trois noyaux véritables au plus, autour de Mobile, de la Nouvelle-Orléans, au pays des Illinois. Vaudreuil-Cavagnial, gouverneur de la Louisiane de 1742 à 1753, procurera à la colonie mississipienne, une certaine prospérité. Mais, en 1753, la Nouvelle-Orléans n'est encore qu'une petite ville de 1,500 âmes. Et, dans l'immense étendue, s'éparpille toujours une maigre population blanche, (9 à 10,000 âmes et 4 à 5,000 gens de couleur), qui ne se développe que de son propre fond. Autre échec, autre erreur, faut-il dire, de la politique coloniale de la France. La Louisiane eût dû se charger elle seule de ses couvertures ou de la défense de ses frontières. Pour se préserver lui-même, sans doute, mais aussi pour la protection de la Louisiane, le Canada devra s'imposer les coûteuses fortifications de l'Ohio avec tous les risques qui pouvaient s'ensuivre.

*　*
*

La faiblesse trop réelle de l'empire ne va pourtant point sans quelques correctifs. On ne saurait lui nier une certaine unité organique: axe du Saint-Laurent se combinant avec l'axe de l'Outaouais et chacune de ces deux voies de communications pourvue d'amples couvertures; puis, avec le temps, mais toujours reliée à l'Outaouais et au Saint-Laurent, la plaque tournante des Grands Lacs, eux-mêmes reliés au nord, à l'ouest, puis au sud et au sud-est par la vaste rallonge du Mississipi et de ses affluents. Pour tendus et même ténus qu'en soient ici et là les muscles, l'on peut donc affirmer que tout se tient et tout se soutient en ce vaste corps, de Louisbourg aux Grands Lacs et des Grands Lacs à la Nouvelle-Orléans. La même autorité politique et militaire en tient tous les fils ou toutes les jointures. Des gouvernements particuliers peuvent exister ici et là, voire un gouvernement presque indépendant en Louisiane. Un ordre parti de Québec, un appel à la guerre, à la défense du pays peut mettre en branle l'énorme machine. Unité en contraste presque absolu avec l'émiettement polilique des colonies anglo-américaines. L'empire peut se prévaloir également d'une réelle unité économique. L'on ne trouverait pas, en Nouvelle-France, de ces projets ou de ces entreprises diverses, parfois concurrentes, menées, poussées par des autorités indépendantes, comme il arrive parfois dans les colonies voisines. Entre l'est et l'ouest se sont nouées des relations assidues, une collaboration étroite. Marchands, agriculteurs de l'est équipent, nourrissent l'Île Royale, les pêcheurs du golfe, les chasseurs de fourrure, indiens et voyageurs, ravitail-

418

lent les postes. Du golfe, de l'ouest, reviennent en retour, le poisson, les huiles, le castor et autres peaux qui alimentent la vie économique de l'intérieur et permettent à la colonie d'équilibrer, avec la métropole, sa balance commerciale. Si l'on veut se faire quelque idée de ces courants commerciaux, on se rappellera, par exemple, qu'en 1670, Talon estime à 1,200,000 livres le seul castor passé aux Anglais et aux Hollandais par les Iroquois et les Indiens de leurs environs. En 1754, l'année qui précède la guerre de la conquête, le Canada expédie en France 3,932,127 livres de fourrures. On pourra se rappeler aussi les fortunes qui s'édifient, par le commerce, dans la colonie. «Rien de si commun de voir les commerçans faire fortune au Canada», écrivait Noyan en 1730[15]. Selon Franquet les postes des Pays d'en haut rapportaient en trois ans, aux officiers commandants, entre 30, 40 et 50,000 livres[16]. Marin, commandant au poste de la Baie des Puants, en aurait rapporté en 1750 et en 1751, 250,000 livres de fourrure chaque année[17]. Nous avons dit, dans notre *Histoire du Canada français*, le nombre de marchands «aisés» que comptaient, sur la fin du régime, Québec, Trois-Rivières et Montréal[18]. Autant de faits qui révèlent, à l'intérieur de la colonie, une active circulation. Voiliers du Saint-Laurent, barques des lacs, trains de bois en route vers les chantiers de construction navale, caravanes des canots, canots des voyageurs pour fourrures, canots des courriers porteurs de dépêches, tout ce va-et-vient maintient, d'un bout à l'autre de l'empire, d'incessants échanges. Dans les derniers temps, en vue d'activer cette circulation, l'on ébauche des projets pour l'amélioration des grandes routes, routes de terre, routes fluviales, route du Saint-Laurent, route de l'Outaouais. Abréger les

distances, même très peu, c'était revigorer le squelette.

D'autres aspects d'un caractère plus élevé s'offrent à nous. Les forts de l'ouest sont autre chose que
des postes commerciaux ou militaires. Sans aucune-
ment exagérer, voyons-y de petits centres ou foyers
de civilisation. Après tout, n'est-ce pas une certaine
forme de civilisation qu'incarnent et que répandent
inconsciemment, par leur seule présence, ces
hommes qui ont bâti l'empire? Il n'est que de penser
à la somme d'énergie, d'habileté, de finesse, d'esprit
organisateur qu'il leur a fallu, toute petite poignée
qu'ils étaient, pour mettre en train, sur d'aussi vastes
distances, un commerce lucratif, triompher de rivaux
puissants, contenir les Indiens, les subjuguer de leur
prestige. Sans doute, officiers, soldats, voyageurs et
coureurs de bois, n'ont-ils pas toujours édifié les
sauvages. À certaines époques, ils ont distribué plus
que de raison de l'eau-de-vie, volé odieusement à
l'Indien ses fourrures; ils n'ont pas toujours respecté
la femme indienne. Ces écarts admis, il reste que les
commandants des postes ont été en général d'indis-
pensables pacificateurs. Ils ont rendu ce service aux
Indiens querelleurs. Service intéressé, nous ne l'a-
vons pas caché, et qui leur était, du reste, expressément recommandé par les autorités. Les officiers
français n'en rendaient pas moins un immense service à l'Indigène. À l'émiettement des tribus, à l'autorité rudimentaire des chefs, ils substituaient la
notion d'une suprême autorité gouvernementale,
autorité dont l'Indigène sentait d'ailleurs le besoin et
le prix[19]. On pourrait en fournir ce témoignage qu'en
général les sauvages du Canada n'ont pas connu la
haine des Blancs. L'officier des postes revêtait d'ailleurs ou peu s'en faut, les fonctions d'un petit sou-

verain. À coup sûr, il y fallait un homme de grandes ressources. Politique, diplomate, obligé, comme dira l'un d'eux, de ménager toutes sortes de nations «dont l'honneur, les inclinations, les intérêts sont opposés»; il lui faudra aussi gouverner, maintenir dans l'ordre, la race revêche des voyageurs et des coureurs de bois. Au besoin il lui incombera de faire prendre les armes aux sauvages alliés aussi bien qu'aux Français de son ressort. Beauharnois n'avait pas tort de considérer le commandement des postes comme une excellente école d'officiers[20]. Certains de ces hommes abuseront de leur autorité. À Détroit, La Mothe Cadillac, dans les débuts, joue au très grand seigneur, lève des cens et rentes excessifs sur les colons, les oblige à payer lods et ventes, s'arroge des droits absolus sur le commerce, sur l'exercice de tous les métiers, exige, sous peine d'amende, la plantation du mai devant la porte de son manoir. Le sieur Tonty se comportera, lui aussi, en petit potentat, si bien que les colons s'enfuiront aux Miamis ou à Montréal[21]. Le plus grand nombre des commandants feront œuvre de civilisés, même s'ils s'accordent des droits jusque sur la vie de leurs ressortissants: ce qui tend à prouver l'idée qu'ils se font forcément de leur autorité. Au Sault Sainte-Marie, Greysolon du Lhut fait casser la tête à deux Indiens, meurtriers de deux Français[22]. Du reste, un droit particulier n'est-il pas en voie de s'ébaucher dans les Pays d'en haut? En 1741, lors du litige judiciaire entre La Vérendrye et le sieur Delorme, le commandant de Michilimakinac refuse d'exécuter l'ordre de Hocquart. Le ministre, loin de s'étonner de la chose, s'informe de la procédure suivie en cette partie de la colonie, et s'il n'y aurait pas inconvénient à y laisser trop étendre la procédure ordinaire[23]. Peu à peu l'Indien s'est civilisé, ne serait-ce que par la discipline et les modes de vie européenne introduits chez lui. Resté trop improductif, il n'a pu s'initier à une véritable économie commerciale. Il ne savait encore offrir que de la fourrure, et il ne connaissait que le troc. Mais on ne peut nier que tous ces objets de fabrique française, objets d'échange acceptés par lui, n'aient élevé son niveau de vie.

Le civilisateur par excellence, personne n'en disconviendra, aura été le missionnaire catholique. Nous voulons bien que, dans la première moitié du dix-huitième siècle, le zèle pour les missions indiennes au Canada se soit malheureusement attiédi. L'on en sait les causes: paganisme opiniâtre de l'Indien, ravages de l'eau-de-vie, attrait plus prononcé des Jésuites pour les Îles d'Amérique et les pays d'Orient, ferveur moindre de la part des autorités coloniales et métropolitaines, le missionnaire par trop transformé en agent politique. Mais, en dépit de l'apparent échec des missions, l'on sait l'influence large et profonde, exercée sur l'âme indienne, par les missionnaires de la grande époque. Tout ne s'est pas perdu de ce travail civilisateur. Le sauvage est resté sauvage; les robes noires ne l'ont pas moins partiellement sorti de sa sauvagerie. Lorsque prend fin le régime, les missionnaires jésuites, sulpiciens ou prêtres des missions étrangères, prêtres séculiers, soit au cœur de la colonie, soit dans les réductions qui se sont multipliées, soit dans les missions ambulantes, de l'Île Royale aux Illinois, atteignent, outre la population française, une population indienne d'environ 100,000 âmes. D'un bout à l'autre de l'empire, la vérité, la morale divine faisaient sentir leur influence. Civilisé parfait, l'Indien ne l'est point. À

tout le moins peut-on le classer parmi les demi-civi-
lisés.

* *

*

Cet empire, les gens du pays pouvaient donc le
considérer, avec une légitime fierté. Il était leur
œuvre à eux plus qu'à tout autre. Trop peu au fait de
la géographie de l'Amérique du Nord et de ses exigences, le roi, les ministres ont presque toujours
répugné aux prolongements de la colonie, en divers
sens, surtout vers les Pays d'en haut. Politique hési-
tante, oscillante que la leur, quand elle ne se fait pas
hostile. Colbert, le premier, bride les ambitions de
Talon; le ministre se reprendra quelques années plus
tard, mais pour se borner à la «découverte du passage
de la mer du sud»[24]. Vers la fin du dix-septième
siècle, une controverse s'élève à propos des agrandissements indéfinis de la colonie. Des négociants
qui ne goûtent guère la compétition des commandants des postes et des coureurs de bois, s'appliquent
à minimiser le péril anglais et le péril iroquois[25]. En
1696 le roi ordonne le repliement de l'empire vers la
colonie laurentienne. Les congés de traite au fond
des bois sont interdits[26]. Un gouverneur tel que Denonville, qui a pourtant vu juste sur tant de problèmes, s'est déjà prononcé pour cette politique de
repliement, même s'il reste d'avis qu'il faille conserver Niagara et Détroit[27]. Nous n'avons pas à rappeler
quelle prompte et dure désillusion les lois politiques
et économiques se chargèrent d'apporter au gouvernement métropolitain. Les Français à peine repliés
sur le Saint-Laurent, l'on assista tout de suite à ces
conséquences pourtant prévisibles: guerres intes-

423

tines des tribus de l'ouest, emprise politique et commerciale des Iroquois sur ces Indiens abandonnés, pénétration des Anglais sur toute terre française délaissée, y compris le Mississipi, fuite du castor du nord du lac Supérieur vers la Baie d'Hudson. Il fallut revenir vers les pays d'en haut et rattraper le temps perdu. Plus tard lorsque le conflit anglo--français en Amérique sera devenu imminent, le Conseil de marine, Louis XV et Maurepas, s'opposeront, à leur tour, à l'expansion française. Il fallait imiter les Anglo-Américains, disait-on, qui s'établissent de proche en proche, éviter ces agrandissements qui «divisent les forces de la colonie», établir avant tout «le dedans de la colonie»[28]. Directives d'une sagesse non discutable, à condition de ne pas ignorer aussi déplorablement les voisins d'Amérique et leurs agissements, et la rigoureuse interdépendance du «dedans» et du «dehors» de la Nouvelle-France. Car on aperçoit la suite. L'expansion paraissant folie, il ne pouvait être question d'en fortifier les avances ou les articulations. En 1725, à peine eût-on recensé 136 soldats répartis dans les garnisons de tous les postes des pays d'en haut. Encore s'en trouverait-il trop, estime le Conseil de marine[29]. Et pour quels motifs refuse-t-on d'augmenter ces garnisons? Pour des motifs d'économie. Les dépenses pour le Canada, pense Versailles, «ne sont déjà que trop considérables»[30]. Le roi de France, notre monarque, avait déjà dit Denonville, n'est pas «assez grand seigneur pour mettre en valeur un si grand pays»[31]. Il faudra même, insiste plus tard Maurepas, enlever aux Anglais l'idée qu'on veuille faire de nouveaux établissements. Étrange myopie et non moins étrange politique d'économie quand l'on songe que quelques colons et quelques troupes expédiés à temps et de plus solides fortifications des postes de l'empire n'eussent représenté qu'une fraction des sommes énormes dépensées pour la guerre de la conquête, guerre perdue d'avance par l'impossibilité d'une diversion sérieuse en Amérique. Talon avait prévu un empire colonial par quoi la diplomatie et la politique du roi auraient pu exercer d'opportunes pressions sur les puissances rivales. L'inverse s'est produit. Un empire aussi fragile qu'un château de cartes permit à la rivale anglaise de faire pencher de son côté, en Europe, la balance de la victoire.

Les vrais bâtisseurs de l'empire, nous les trouvons donc au Canada, parmi ceux qui avaient mieux saisi les données de la géographie américaine et en avaient aperçu les influences inévitables sur la prochaine histoire. En premier lieu nous avons nommé l'intendant Jean Talon, vrai sculpteur de l'Amérique française. Après lui viennent les gouverneurs: Frontenac qui, pour des motifs pas toujours désintéressés, si l'on veut, s'opposa avec énergie au repliement de 1696; puis Vaudreuil, Beauharnois, La Galisonnière, Duquesne, qui tous auraient tant voulu revigorer le squelette, le munir de plus de chair et de muscles; après eux, plaçons toute une pléiade de petites gens, mais non moins méritants: les trafiquants assoiffés de gain, mais à la recherche constante de nouvelles sources de castor, la légion des coureurs de bois, les grands et les petits, à la pointe presque de toutes les explorations[32]; les commandants de postes s'efforçant de suppléer à l'inertie métropolitaine, un Longueuil, par exemple, qui, en 1726, prend sur soi de reconstruire la «maison» de Niagara[33], les missionnaires, conquérants d'âmes d'abord, mais si intéressés à la géographie en train de s'édifier; un défenseur des parties vitales de l'empire, le grand Iberville, l'Iberville de l'Acadie, de Terreneuve, de la Baie d'Hudson, de la Louisiane; enfin les explorateurs commandés ou volontaires: un Brûlé, un Nicolet, un Galinée, un Casson, un Jolliet, un Marquette, un Nicolas Perrot, un Greysolon Du Lhut, les La Vérendrye. Ces Français et Canadiens ont bâti grand, trop grand peut-être. Ils ont eu le tort de se croire toujours, un peu comme Talon, de la première période du grand siècle français. Leur œuvre n'en reste pas moins imposante. Elle est de celles qu'on n'efface pas de l'histoire.

TEXTE*

Pensons-nous quelquefois que, pendant cent cinquante ans, sur ce continent, le fait français tint la première place, y fut le fait principal? Songeons-nous que l'entreprise coloniale la plus audacieuse, la plus grandiose, ne s'est pas développée entre les Alleghanys et l'Atlantique, mais sur les bords du Saint-Laurent et au cœur de l'immensité américaine? Songeons-nous que, dans toute l'Histoire coloniale, l'on ne trouverait nulle part, pas même dans l'Afrique contemporaine, une œuvre comparable, pour la puissance et l'ampleur du dessein, à l'empire français d'Amérique? Pour trouver un parallèle à cette création jaillie du cerveau d'un intendant de la Nouvelle-France, il faudrait remonter jusqu'à l'effort du petit Portugal du quinzième et du seizième siècle. Encore l'empire portugais, fait de pièces de rapports, de colonies disséminées, garde-t-il l'on ne sait quel aspect chaotique, tandis que l'empire de Talon, rattaché à l'artère laurentienne, puis à la charnière des grands lacs, figure une entité continue, harmonieuse, l'œuvre à la fois la plus organique et la plus majestueuse qu'un colonial a peut-être jamais tentée.

Notes

1. AC, C IIA-13: 180-186.
2. AC, B, 59-1: 104-108; AC, B, 61-1: 100-102.
3. *Extraits des Archives des ministères de la Marine et de la guerre à Paris* (Coll. Casgrain, Québec, 1880), 18-22.
4. AC, C IIA-52: 29; C IIA-65: 45-49; C IIA-67: 208-213.
5. AC, C IIA-52: 194-233; voir aussi AC, C IIA-51: 368-373.
6. AC, CE-13: 328-330.
7. AC, C IIA-95: 294-296.
8. *Voyages et Mémoires sur le Canada*, publiés par l'Institut Canadien (Québec, 1889), 190-191.
9. *Journal du Marquis de Montcalm...* (Coll. Casgrain, Québec, 1895), 168.
10. *Journal des Compagnies du Chevalier de Lévis* (Coll. Casgrain, Montréal, 1889), 147.
11. RAPQ, (1922-1923): 39; mémoire d'Auteuil, 40. — AC, C IIA-29: 25-102.
12. Pour chez les Ouyatanons, AC, C IIA, 87-2: 55.
13. AC, C IIA-97: 69-83; AC, B-107: 104-105. — Coll. Casgrain, *Journal du Marquis de Montcalm*, 192.
14. *Papiers Contrecœur*, 14-15.
15. AC, C IIA-52: 194-233.
16. *Voyages et mémoires sur le Canada*, 29.
17. *Ibid.*, 29-30.
18. *Histoire du Canada français depuis la découverte* (4 vol., Montréal, 1950-1952), II: 128-129.
19. AC, C IIA-33: 144-145, 146, 149, 153-154, 165.
20. AC, C IIA-12: 184-185; *ibid.*, C IIA-67: 135-136; C IIA-69: 174-76.
21. AC, C IIA-43: 173-175.
22. AC, C IIA-6: 231.
23. AC, B-72: 178-179.
24. RAPQ, (1930-1931): 54, 114, 168.
25. RAPQ, (1928-1929): 299, 302-305, 328-332, 337-338, 341, 347.
25. RAPQ, (1928-1929): 299, 302-305, 328-332, 337-338, 341, 347.
26. AC, C IIA-7: 440-41; *ibid.*, 121-124.

27. Mémoire sur les affaires du Canada en 1696, AC, C IIA-14: 413-418.

28. Maurepas à Dupuy, 12 mai 1728, AC, C IIA-50: 410-412. — Le Conseil de marine à Beauharnois, 14 mai 1728, AC, B, 5-12: 88-89.

29. AC, B, 48-1: 206-209.

30. AC, B, 52-1: 23-26, 162, 345-346.

31. AC, Coll. Moreau de St-Méry, F3, 2-1: 34-35.

32. AC, Coll. Moreau de St-Méry, F3, 2-1: 27. Mémoire d'Aubert de La Chesnaye sur le Canada (1697), où il est dit que les Français ne se servent plus du sauvage, comme intermédiaire, mais vont porter eux-mêmes leurs marchandises aux nations éloignées. Sur quoi La Chesnaye ajoute: «C'est aussy cela qui a fait faire de belles découvertes et 4 ou 5 cents jeunesses des meilleurs hommes du Canada sont occupés à ce métier.»

33. AC, C IIA-39: 272-273.

* (Extrait de: «Notre mystique nationale», discours prononcé à Montréal, le 23 juin 1939, lors du dîner de la fête nationale, à l'Hôtel Windsor), 3.

DU MÊME AUTEUR

- *L'éducatin de la volonté en vue du devoir social. Conférence donnée à l'Académie Émars, collège de Valleyfield, le 22 février 1906*, Montréal, [s.é.], 1906, 24 p.
- *Une croisade d'adolescents* (essai), Québec, Imprimerie de l'Actin sociale limitée, 1912, xvii, 265 p.
- *Petite Histoire de Salaberry de Valleyfield* (essai), Montréal, Beauchemin, 1913, 31 p.
- *Nos luttes constitutionnelles* (conférences), Montréal, Imprimé au Devoir, 1915-1916, 5 fascicules.
- *Les Rapaillages (vieilles choses, vieilles gens) (souvenirs).* Montréal, Bibliothèque de l'Action française, 1916. 141 p.
- *La Confédération canadienne, ses origines. Conférences prononcées à l'Université Laval (Montréal 1917-1918)*, Montréal, Imprimé au Devoir, 1918, 265 p.
- *L'Histoire acadienne* (conférence), Montréal, Éditions de la Société Saint-Jean-Baptiste de Montréal, 1917, 32 p. Carte.
- *[Pour l'Action française. Conférence prononcée au Monument national, à Montréal, le 10 avril 1918.* Montréal, bibliothèque de l'Action française, 1918], 23 p.
- *La naissance d'une race (conférences prononcées à l'Université Laval, Montréal, 1918-1919)*, Montréal, Bibliothèque de l'Action française, 1919, 299 p.
- *[Si Dollard revenait... Conférence prononcée sous les auspices du Cercle catholique des voyageurs de commerce de Montréal*, Montréal, Bibliothèque de l'Action française, 1919], 24 p.
- *Chez nos ancêtres* (étude), Montréal, Bibliothèque de l'Action française, [1920], 105 p. Dessins de James McIsaac.

- *Lendemains de conquête. Cours d'histoire du Canada à l'Université de Montréal, 1919-1920,* Montréal, Bibliothèque de l'Action française, 1920, 237 p.
- *Méditation patriotique* (essai), Montréal, Bibliothèque de l'Action française, 1920, 16 p. «Collection à 5 sous».
- *Consignes de demain: doctrines et origines de l'Action française* (essais), Montréal, Bibliothèque de l'Action française, 1921, 23 p. Collab. Antonio Perreault et Pierre Homier.
- *Vers l'émancipation (première période), (cours d'histoire du Canada à l'Université de Montréal, 1920-1921),* Montréal, Bibliothèque de l'Action française, 1921, 311 p.
- *L'Amitié française d'Amérique. Conférence prononcée à Lowell. É.-U., le 17 septembre 1922, au Congrès de la fédération catholique des sociétés franco-américaines,* Montréal, Bibliothèque de l'Action française, 1922, 31 p.
- *L'Appel de la race (roman),* Montréal, Bibliothèque de l'Action française, 1922, 281 p. Sous le pseudonyme de Alonié de Lestres.
- *La France d'outre-mer* (essai), Paris, Librairie de l'Action française, 1922, 34 p. Préface de l'éditeur.
- *Notre avenir politique: enquête de l'Action française, 1922* (essai), Montréal, Bibliothèque de l'Action française, 1923, 269 p.
- *Notre maître le passé* (essais, discours, conférences), Montréal, 3 vol.: vol. 1 série, Bibliothèque de l'Action française, 1924, 271 p. vol. 2, 2e série, 1936, 307 p.; vol. 3, 3e série, 1944, 319 p.
- *Dix ans d'Action française* (conférences et articles), Montréal, Bibliothèque de l'Action française, 1926, 275 p.
- *Les Canadiens français et la Confédération canadienne* (essai), Montréal, Bibliothèque de l'Action française, 1927, 144 p.
- *Nos responsabilités intellectuelles* (conférence), Montréal, Secrétariat général de l'A.C.J.C. (Association catholique de la jeunesse canadienne-française), 1928, 40 p.
- *Thérèse de Lisieux, Une grande femme. Une grande vie* (conférence), Montréal, Imprimerie du Messager, 1929, 42 p. III.

- *Quelques Causes de nos insuffisances. Causerie au Cercle universitaire de Montréal le vingt-six avril 1930*, [Montréal, s.é., 1930], 15 p.
- [*Marguerite Bourgeoys*, Montréal, Bureau Marguerite-Bourgeoys, 1930], 16 p.
- *La Déchéance incessante de notre classe moyenne* (articles), Montréal, L'Imprimerie populaire, 1931, 16 p. «Le Document».
- *L'Enseignement français au Canada* (étude), 2 vol.: vol. I, *Dans le Québec*, Montréal, Librairie d'Action canadienne-française, 1931, 327 p. vol 2, *Les Écoles des minorités*, Librairie Granger frères, 1933, 271 p.
- *Au cap Blomidon* (roman), Montréal, [Librairie Granger frères], 1932, 239 p. sous le pseudonyme d'Alonié de Lestres.
- *Le Dossier de Dollard, valeur des sources, la grandeur du dessein, la grandeur des résultats. Examen critique* (essai), Montréal, L'Imprimerie populaire, 1932, 18 p. «Le Document».
- *Le Français au Canada* (cours d'histoire), Paris, Librairie Delagrave, 1932, [2], 235 p. Épilogue de M. Georges Goyau. «Bibliothèque américaine de l'Institut des études américaines. Section du Canada».
- *La Découverte du Canada: Jacques Cartier* (histoire), Montréal, Librairie Granger frères, 1934, 290 p.
- *Pour qu'on vive; conférence prononcée le 30 octobre 1934, à la Palestre nationale (Montréal), devant l'Association catholique des voyageurs de commerce*, Montréal, [AN], 1934. (Tract de l'Action nationale).
- *Nos positions: causerie donnée par Lionel Groulx. Professeur d'histoire du Canada à l'Université de Montréal, sous les auspices du Jeune Barreau de Québec*, Québec, L'Action catholique, 1935, 36 p.
- *L'Éducation nationale*, [Montréal], A. Lévesque, [1935], 209 p. Avant-propos de l'abbé Lionel Groulx. (Enquête de l'Ancien nationale, dirigée par l'abbé Lionel Groulx).
- *L'Éducation nationale à l'école primaire, conférence prononcée au Congrès des instituteurs tenu à Trois-Rivières, le 4 juillet 1934*, Québec, [s.é.], 1935, 16 p.
- *Orientations* (conférences, articles), Montréal, Éditions du Zodiaque, 1935, 311 p. Présentation de l'auteur. «Z».

- *L'Économique et le National, conférence prononcée à Montréal et à Québec*, Montréal, L'Imprimerie populaire, 1936, 20 p. «Le Document».
- *Directives* (essais), Montréal, Éditions du Zodiaque, 1937, 271 p. Présentation de l'auteur.
- *Une heure avec l'abbé Groulx à propos des patriotes de 37*, Montréal, Éditions des Jeunesses patriotes, 1937, 26 p. «Tracts des jeunesses patriotes».
- *Faites-nous des hommes. Préparations des jeunes à leurs tâches prochaines*, Québec, Les Éditions de la J.I.C., 1938, 32 p. (Extraits d'un cours).
- *Le Dîner à l'Hôtel-Windsor*, Ottawa, [s.é.], 1939, [n.p.]. *Notre mystique nationale* (discours), 18 p.
- *Nos problèmes de vie. Conférence prononcée à l'occasion de la fête nationale organisée par La Société Saint-Jean-Baptiste de Rouyn-Noranda le 24 juin 1940*, Montréal, Société Saint-Jean-Baptiste de Montréal, 1940, 16 p.
- *Ville-Marie, joyau de l'histoire coloniale* (conférence), Montréal, Éditions du Devoir, 1940, 24 p. «Collection du troisième centenaire». (Publié sous les auspices du Cercle Saint-Viateur).
- *Paroles à des étudiants* (conférence), Montréal, AN, 1941, 80 p.
- [*Notre mission française. Conférence prononcée à la salle académique du Gesù, à Montréal, le dimanche 9 novembre*, Montréal, Éditions du Devoir, 1941], 47 p.
- *Vers l'indépendance politique: un centenaire de liberté* (conférence), Montréal, Les Éditions de l'Action nationale, 1942, 35 p. «Témoignages».
- *Ville-Marie, 1642-1942*, Montréal, L'École sociale populaire, 1942, 16 p. Collab. Mgr Maurault. «L'Œuvre des tracts».
- [*Pourquoi nous sommes divisés; une réponse du chanoine Lionel Groulx* (discours), Montréal, AN, 1943], 42 p.
- *Le Drapeau canadien-français: ce qu'il est et pourquoi?* Montréal, AN, 1944, 8 p. (Édité par Le Comité de propagande du drapeau, avec un poème d'Octave Crémazie: *Le Drapeau*).
- *Louis Riel et les Événements de la Rivière-Rouge en 1869-1870* (conférence), Montréal, AN, 1944, 23 p.

- *Confiance et Espoir* (conférence), Sudbury, Les Éditions de la Société historique du Nouvel-Ontario, 1945, 22 p.
- *Message aux Jeunesses laurentiennes* (conférence), Montréal, Les Jeunesses laurentiennes, 1946, 11 p.
- [*Monseigneur Philippe Perrier*], Montréal, L'École sociale populaire, [1947], 16 p. Collab. Omer Héroux et L. Athanase Fréchette. «L'Œuvre des tracts».
- *Expérience d'historien. Conférence donnée sous les auspices du comité «Votre auteur préféré» de la Bibliothèque municipale de la ville de Montréal, le 30 janvier 1948*, 12 p.
- *Professionnels et culture classique. Causerie prononcée au Séminaire de Sainte-Thérèse à la réunion des Anciens le deux mai mille neuf cent quarante huit*, [s.l., s.é.], 1948, 15 p.; Montréal, L'École sociale populaire, 1949. « L'Œuvre des tracts».
- *L'Indépendance du Canada* (conférence, articles, études), Montréal, AN, 1949, 177 p. Avant-Propos de l'éditeur.
- *Le Nationalisme canadien-français: sa notion, ses origines, les droits qu'il confère, les devoirs qu'il impose*, Ottawa, [s.é.], 1949, 23 p.
- *Histoire du Canada depuis la découverte*, Montréal, AN, 4 t.: t.I, 1950, 221 p. Avertissement de l'auteur; 1951: t. 2, 1951, 302 p.; t. 3, 1952, 326.; t. 4, 1952, 273 p.; Montréal/Paris, Fides.
- *La Canadienne française. Conférence prononcée à la Maison Mère des Sœurs de l'Assomption de la S.V. à l'occasion de la collation des baccalauréats le dimanche, 23 octobre 1949*, Nicolet, [s.é.], 1950, 27 p.
- *Crise de fidélité française?* (conférence), Montréal, Éditions Bellarmin, [1952], 16 p. «L'Œuvre des tracts».
- *Une petite québécoise devant l'histoire, mère Catherine de Saint-Augustin*, Montréal, Comité des fondateurs de l'Église canadienne, 1952, 31 p.
- *L'Agriculteur canadien-français: son histoire — ses problèmes* (conférence), Chicoutimi, La Fédération de l'U.C.C., 1953, 24 p.
- [*Où allons-nous? Texte d'une conférence prononcée à l'auditorium du Plateau le 26 mars 1953*, Montréal, Le Devoir?, 1953?], 23 p. «Les Conférences du Devoir».

- *Pour bâtir* (discours), Montréal, L'Action nationale, 1953, 217 p. Discours-préface de son Éminence le Cardinal Paul-Émile Léger.
- *Rencontres avec Dieu, retraite prêchée aux professeurs de l'Université de Montréal, pendant le Carême de 1955*, Montréal/Paris, Fides, 1955, 112 p.
- *Jeanne Mance* (biographie), Montréal, Comité des Fondateurs, 1957, 30 p. III. «Textes».
- *Une femme de génie au Canada. La Bienheureuse Mère d'Youville*, Montréal, Comité des Fondateurs de l'Église canadienne, 1957, 30 p. III. «Textes».
- *Notre grande aventure; l'empire français Amérique du nord (1535-1760)* (histoire), Montréal/Paris, Fides, 1958, 303 p.
- *Rôle d'une société nationale en l'an 1958* (conférence), Saint-Hyacinthe (Québec), Éditions Alerte, [1958], 12 p.
- *Dollard est-il un mythe?* (conférence), Montréal/Paris, Fides, 1960, 59 p.
- *L'Histoire du Canada français son enseignement* (conférence), Montréal, Fondation Lionel Groulx, 1961, 8 p.
- *Le Canada français missionnaire; une autre grande aventure* (essai), Montréal/Paris, Fides, 1962, 533 p. «FL». III.
- *Chemins de l'avenir* (étude), Montréal/Paris, Fides, 1964, 163 p.
- *Au seuil d'une ère nouvelle... une nouvelle génération est venue* (conférence), Saint-Hyacinthe, Éditions Alerte, [1964], 14 p.
- *La Grande Dame de notre histoire: esquisse pour un portrait* (biographie), Montréal, Fides, 1966, 61 p. III.
- *Constantes de vie* (conférences), Montréal/Paris, Fides, 1967, 173 p. Préface de Jean Éthier-Blais. «BES».
- *Lionel Groulx*, Montréal/Paris, Fides, [1967?, 96 p. «CC». Textes choisis et présentés par Benoît Lacroix.
- *Roland-Michel Barrin de la Galissonnière 1693-1756* (biographie), Québec, PUL, 1970, 102 p. préface d'André Vachon.
- *Abbé Groulx. Variations on a Nationalist Theme* (essais), Vancouver/Calgary/Toronto/Montréal, Copp Clark Publishing, [1973], 256 p. Traduction anglaise par Joanne

L'Heureux et Susan Mann Trofimenkoff, éditrices. «Issues in Canadian History».

- *Mes mémoires*, Montréal, Fides, 4 t.: t. 1, 1970, 437 p. Note de l'éditeur; t. 2, 1971, 418 p.; t. 3, 1972, 412 p.; t. 4, 1974, 464 p. notes de Juliette Lalonde-Rémillard. III.
- *Journal 1895-1911*, Montréal, PUM, 1984, 2 vol.: vol. 1, xiv, 514 p.; vol 2, - 1108 p. III. Édition critique par Gilles Huot et Réjean Bergeron sous la direction de Benoît Lacroix, Serge Lusignan et Jean-Pierre Wallot. Biochronologie, notices biographiques et index thématique de Juliette Lalonde-Rémillard. Préface de Benoît Lacroix.

Table des matières

TEXTES

DOCUMENTS ET ILLUSTRATIONS

CARTES